MISSÃO CARBÚNCULO

GUSTAVO ROSSEB

MISSÃO CARBÚNCULO

JANGADA

Copyright © 2019 Gustavo Rosseb.

1ª edição 2019.

Todos os direitos reservados. Nenhuma parte desta obra pode ser reproduzida ou usada de qualquer forma ou por qualquer meio, eletrônico ou mecânico, inclusive fotocópias, gravações ou sistema de armazenamento em banco de dados, sem permissão por escrito, exceto nos casos de trechos curtos citados em resenhas críticas ou artigos de revistas.

A Editora Jangada não se responsabiliza por eventuais mudanças ocorridas nos endereços convencionais ou eletrônicos citados neste livro.

Esta é uma obra de ficção. Todos os personagens, organizações e acontecimentos retratados neste romance são produtos da imaginação do autor e usados de modo fictício.

Ilustrações da capa: Carolina Mylius
Editor: Adilson Silva Ramachandra
Gerente editorial: Roseli de S. Ferraz
Preparação de originais: Vivian Miwa Matsushita
Produção editorial: Indiara Faria Kayo
Editoração eletrônica: S2 Books
Revisão: Luciana Soares da Silva

Dados Internacionais de Catalogação na Publicação (CIP)
(Câmara Brasileira do Livro, SP, Brasil)

Rosseb, Gustavo
  Missão carbúnculo / Gustavo Rosseb. -- São Paulo : Jangada, 2019.

  ISBN 978-85-5539-144-6

  1. Ficção Juvenil I. Título.

19-29111   CDD-028.5

Índices para catálogo sistemático:
1. Ficção : Literatura juvenil   028.5

Cibele Maria Dias - Bibliotecária - CRB-8/9427

Jangada é um selo editorial da Pensamento-Cultrix Ltda.

Direitos reservados
EDITORA PENSAMENTO-CULTRIX LTDA.
Rua Dr. Mário Vicente, 368 — 04270-000 — São Paulo, SP — Fone: (11) 2066-9000
http://www.editorajangada.com.br
E-mail: atendimento@editorajangada.com.br
Foi feito o depósito legal.

*Dedico este livro aos editores que
primeiro acreditaram nesse universo:
Eduardo Lacerda e Adilson Ramachandra.*

PARTE 1

A MISSÃO

Capítulo 1
O Chapéu

O que é um pontinho no meio do oceano?

O pontinho no meio do nada em questão era Pedro Malasartes. O coitado estava havia horas tentando se livrar da infinidade de água salgada que entrava insistentemente pelas frestas e rachaduras do bote velho que o abrigava. O bote era seu único pedaço de salvação naquele sem-fim de água. Perdê-lo seria o mesmo que perder-se. Pedro era moço de crenças sempre positivas. Se alguém avaliasse sua situação naquele instante, diria que o barco estava meio cheio e que em breve afundaria. Mas, na visão de Pedro, aquele barco estava meio vazio e, enquanto ele o mantivesse assim, teria chances de chegar em terra firme.

O que ele não contava é que, para qualquer lado que voltasse seu olhar, o horizonte lhe trazia a mesma paisagem. Uma linha tênue que separa o céu do mar e só. Na verdade, não é que ele não contava. Ele até percebia não haver nada em um raio de quilômetros, mas se organizava em ordem de prioridade. E a prioridade ali era manter o barco cumprindo sua função enquanto barco: navegar. Após dar um jeito de mantê-lo cumprindo seu propósito, Pedro poderia pensar em passar para a prioridade número dois. Escolher um rumo que o levasse para terra firme.

Tirou mais três braçadas de água do bote, enquanto o equivalente a isso adentrava pelas rachaduras. Enxugou a testa em vão, pois suas mangas estavam molhadas. Deu uma breve pausa em seu ofício para observar o horizonte. E foi nessa olhadela que seu otimismo foi encurralado.

Foi custoso, mas teve de admitir: estava mesmo ferrado!

Em meio a ondulações e chacoalhões, reparou em um intruso naquele cenário. Um chapéu branco boiava na superfície transparente. Achou estranho. Não era seu chapéu. Não havia chapéu em seu bote. O barco que o abandonara à própria sorte já tinha partido havia muito tempo. De onde viera aquele chapéu?

– Olá – chamou uma voz que fez Pedro virar o corpo para ver quem tinha falado à sua direita. – Precisa de ajuda?

Pedro não demorou para assimilar a ironia do que via. Um homem na água, que surgira do nada e obviamente não tinha para onde ir, lhe perguntava se ele precisava de ajuda.

– Ajuda? Eu? Acho que sou eu quem deve lhe fazer essa pergunta, não?

– Ora, vejo que está com problemas com seu bote. Ele parece meio cheio – disse a cabeça fora da água.

– Na verdade, ele já está meio vazio – inadmitiu Pedro.

– Tá bom, você quem sabe – disse o outro. Logo passou a olhar para os lados procurando algo. – Por acaso, viu um chapéu por aí?

Por incrível que lhe parecesse, tinha visto o tal chapéu, pensou Pedro.

– Vi, sim. Está ali adiante, do outro lado do barco – e o homem sumiu num mergulho e, em um milésimo de segundo, sua cabeça saiu da água embaixo do chapéu, que o vestiu muito bem.

– Como foi que você... – começou Pedro. – Deixa pra lá!

O homem de chapéu deu uma boa olhada no bote de Pedro.

– Tem certeza de que não quer uma ajudinha? Estou hospedado na casa dos meus primos para uma reunião muito importante. Não há terra firme em um raio de quilômetros daqui – e Pedro falou mentalmente "eu sabia".

– Primos? Está louco, companheiro? Você mesmo falou que não há terra firme por aqui – disse Pedro, começando a perder a paciência por achar que o sol escaldante e a sede o estavam fazendo perder o juízo.

– Mas eles não moram em terra firme. Eles moram lá embaixo – e o homem apontou para o fundo. – Olha, se tudo der certo, vou partir numa missão em breve. Eu e meus companheiros de viagem podemos te deixar em algum lugar no caminho. O que acha?

Pedro deu uma risada descrente. Uma lasca da madeira do casco se soltou e o barco passou a ser engolido mais depressa pela água salgada.

– Você veio lá de baixo, é? – perguntou já arrependido de se render à loucura que era o papo daquele homem de chapéu. Deu uma rápida olhada para dentro de si e fez uma breve consulta à sua personalidade. Era otimista. Precisava acreditar. – E o que eu teria que fazer para chegar lá?

– Só pular na água. Eu te levo – respondeu o outro sem titubear.

O barco chegava ao limite da linha da superfície quando Pedro pulou e foi abraçado pela água fria. Sentiu o homem do chapéu segurá-lo pelo braço. Depois disso um emaranhado de bolhas o engolfou e uma sensação de afogamento o acometeu. Estava sendo arrastado para o fundo. Os raios de sol que penetravam a água ficaram lá em cima, cada vez mais longe. À distância, pôde assistir ao velho bote ser completamente engolido pelo mar. Cada vez mais fundo. Uma pressão arrebatava seus ouvidos e suas têmporas. O gosto de sal estava impregnado inclusive em seus pulmões. E seu entorno ficava gradativamente mais escuro e gelado. Uma sonolência urgente o invadiu, obstinada e certa de que deveria apagá-lo, desligá-lo. E foi o que aconteceu. Tudo escureceu de vez.

Lá em cima, na superfície do oceano, já não havia pontinho algum.

Capítulo 2
O Mundo Subaquático

Cosmo. Esse era o nome dele?

Era o que a mente de Pedro questionava, muda, e tentava processar, após ouvir o homem de chapéu lhe dizer o nome quando se apresentou.

Malasartes tinha acabado de voltar à lucidez. Estava zonzo e enjoado. Percebeu estar deitado em uma cama. Constatou que algo cobria seu corpo e era bem macio. Olhou o teto, notou que era ondulado, meio oval, e que tinha um brilho perolado. Dependendo do movimento feito com os olhos, o brilho mudava a cor das paredes. Ora branca, ora roxa com toques esverdeados e ora azul-escura arroxeada. Logo mergulhou em suas últimas lembranças registradas antes de desmaiar.

Estava embaixo d'água? Então só podia estar morto e o que via era o que a gente vislumbra depois que morre. Era isso ou tudo não passava de ilusão.

Mas não era nem uma coisa nem outra. Pouco antes de afundar, o tal de Cosmo tinha ido buscar seu chapéu perdido, disse que estava hospedado na casa de seus primos e que eles moravam lá no fundo.

Seria possível? Estava no fundo do oceano?

– O que aconteceu? – quis saber, sentando-se na cama. Esse gesto lhe rendeu um estômago embrulhado e uma pontada na cabeça.

– Você desmaiou – contou-lhe Cosmo, de maneira descompromissada, encostado em um canto do quarto.

Pedro reparou que se encontrava no centro do recinto e tinha a impressão de estar no interior de uma imensa concha.

— Nem todos conseguem lidar muito bem com as viagens subaquáticas, sabe? — continuou o rapaz de chapéu. — Alguns nunca se acostumam, na verdade. Mas, no seu caso, é compreensível, foi sua primeira Travessia.

— Travessia? — Pedro indagou franzindo a testa. Queria achar o lado bom de tudo aquilo, como de costume, mas a tarefa se mostrava difícil.

— Sim, aqui é o mundo das águas. Você não está mais em sua Província — explicou Cosmo.

— O que quer dizer com *Província*? — Pedro tentava não se sentir desconfortável, mas cada resposta parecia gerar uma nova pergunta. Já não fora o bastante saltar daquele barco? Quão fundo sua curiosidade estaria disposta a mergulhar?

— Ora, o seu território. O lugar de onde você vem — emendou Cosmo. — Chamamos toda terra firme de Província, já que são pequenos pontos afastados de nosso reino.

Pedro soltou uma gargalhada. Fez questão de ignorar a dor de cabeça, que aumentava de intensidade.

— Você acabou de nomear de Província toda terra firme que existe? Ficou louco? — exaltou-se Pedro. — Terra firme é tudo o que é chamado de mundo. Nações, países, continentes, tudo! É este planeta inteiro — e ele abriu os braços para ilustrar da melhor maneira possível.

— Opa, opa, opa! — Cosmo levantou o dedo indicador. — Está cometendo um grande equívoco, Sr. Malasartes. Nós *somos* o mundo todo — afirmou o rapaz, convicto. E, de alguma maneira, Pedro sentiu que aquele "nós" não o incluía. — Já reparou que 3/4 desse planeta ao qual você se refere são cobertos por água? — Cosmo assistiu às sobrancelhas de Malasartes se moverem e lhe conferirem um semblante de choque. — A terra firme é apenas o 1/4 que sobra. Não concorda que nós somos o maior reino e vocês uma espécie de província? — Cosmo questionou, sem fazer muita questão de receber uma resposta. — Costumamos dizer que vocês moram em *ilhas continentais*. Ilhas um pouco maiores que as comuns. Vocês são civilizações mais afastadas, menores em tamanho e em número e, em vários aspectos, desculpe a franqueza, vocês são bem atrasados! — Cosmo fez uma pausa. Pedro quis aproveitar o momento para contestar, mas, sem um argumento válido, desistiu. E Cosmo retomou seus argumentos. — Portanto, você é um provinciano que precisou de ajuda com seu bote esburacado e, para sua sorte, perdi meu chapéu em uma corrente que me fez dar de cara contigo no momento exato de sua necessidade – Cosmo, então, pousou seus olhos em um ponto distante, como se devaneasse profundamente. – Talvez nossos caminhos estivessem destinados a se cruzar.

Um silêncio tímido se aconchegou e permaneceu entre eles por, mais ou menos, trinta segundos.

– Uau! É muita informação para mim – confessou Pedro ainda sentado na cama. Ao tirar o manto que lhe cobria as pernas, percebeu que o cobertor era de um material parecido com alga. Liso e estranhamente confortável, de coloração azul-marinho, quase preta. As bordas do "lençol" flutuavam como se estivessem no fundo de uma piscina. Quando Cosmo tirou o chapéu por um instante, para coçar a cabeça, Pedro percebeu que os cabelos encaracolados dele também dançavam, como se uma leve brisa passasse por ali, mas provocasse movimentos retardados.

Estava, de fato, em um mundo subaquático? Um universo muito maior que tudo o que conhecia até então? Pensou em quantas vezes na vida olhou para o céu imaginando o que havia lá fora no espaço sideral e, agora, de acordo com o argumento de Cosmo, existia um vasto território subaquático dividindo o planeta com a humanidade.

Pior! Tudo o que aprendera sobre o mundo – guerras e alianças, crenças e culturas – referia-se apenas a coisas vividas em uma espécie de *puxadinho* do mundo. Um pequeno pedaço reservado à raça humana e a todos os seres que vivem e convivem fora d'água. E que 3/4 do mesmo planeta eram habitados por uma população com suas próprias histórias, cultura e crenças, completamente desconhecidas para ele.

Seria mesmo possível?

Respirou fundo para desanuviar a mente. Aquilo que entrava pelo seu nariz e enchia seu peito seria ar? Não pareceu nem um pouco, no entanto matou a necessidade de seus pulmões sem problemas.

– E as pessoas que vivem aqui?

– Não há muitas. Apenas algumas. Apesar de essas pessoas já fazerem parte daqui, o lar verdadeiro delas é o lugar de onde você veio – respondeu Cosmo. – Nós, os habitantes daqui, não somos como vocês. Somos criaturas das águas.

Pedro encarou Cosmo temeroso.

– Criatur... então... você está me dizendo que não é humano? Cosmo assentiu.

– Se não é humano, o que você é? – Pedro deixou a pergunta escapar.

– Ora! Sou um boto. Um boto-cor-de-rosa! – respondeu Cosmo ajeitando o chapéu. – Nunca ouviu lendas sobre os botos? Pelo que sei, vocês contam várias.

–Você está falando de folclore, é isso? Dos "causos" que o povo conta? Por acaso você é homem... e é peixe? – indagou Malasartes, confuso.

– Bom, isso é meio complicado. Apesar de ser um boto, eu não sou como suas lendas me descrevem. Peixe e homem. Não posso ser as duas coisas – revelou Cosmo, levemente inconformado.

– Que bom! – disse Pedro, agradecendo pela sorte de não estar conversando com um peixe. – Seria a insanidade instaurada, não é verdade?

– Não sou homem! – declarou Cosmo, para o assombro de Malasartes.

– Como disse? – Pedro virou o pescoço tão rápido que um estalo ecoou nas paredes peroladas.

– Eu sou apenas peixe – completou o homem de chapéu, fazendo um arrepio correr pela espinha de Pedro.

– Como assim? Você é igual a mim. Tem braços, pernas, boca e nariz.

– Como eu disse, é complicado. Só os botos originais conseguem ser as duas coisas. Eu não sou um boto original. Sou apenas um peixe-boto. A forma humana que você vê é por outros motivos – explicou Cosmo, o mais pacientemente possível.

– Espera um pouco! Me deixa assimilar essa maluquice – Pedro gesticulava nervoso. Seus neurônios, responsáveis por lhe indicar a positividade de tudo, se anestesiavam com os muitos assuntos fora do comum. – Então você é um peixe. Um peixe cor-de-rosa.

Cosmo assentiu levantando as sobrancelhas.

– E vive aqui, no mar?

– Na verdade, não – ele tirou o chapéu, mais uma vez, e o rodopiou, segurando-o pelas abas. – Eu sou um boto. Vivo em água doce. Estou visitando meus primos, lembra? Vim para uma reunião muito importante. Pois é! Meus primos é que moram aqui, em água salgada. São golfinhos! – explicou com uma expressão de "não é óbvio?" da qual Pedro não gostou nada, nada. – E talvez o termo "peixe" não soe muito adequado, já que somos o que vocês chamam de mamíferos. É que, para vocês, tudo o que tem rabo é peixe – Cosmo sorriu de leve.

– *Isso "responsa" muita habilidade!* – Malasartes exclamou entredentes, sentindo-se cada vez mais perdido. Costumava usar tal sentença quando se via num beco sem saída.

– Bom, sugiro que descanse um pouco mais. Precisa melhorar da dor de cabeça e ficar forte de novo – aconselhou o boto. – Não se preocupe em levantar agora. Mais tarde virei buscá-lo. Posso lhe mostrar um pouco mais do lugar, se quiser – então Cosmo percebeu a expressão confusa de Malasartes. – E posso responder a todas as perguntas que você ainda tiver – Cosmo se preparava para ir embora, quando se lembrou: – Ah! Teremos a Festa no Céu, uma tradição daqui. Se quiser participar, está convidado – Pedro deu de ombros. – Essa festa significa que também está quase na hora da grande reunião na Bolha das Discussões e Decisões. Aquela reunião importante sobre a qual comentei mais cedo – dito isso, fez um pequeno aceno de cabeça, vestiu novamente o chapéu e saiu do quarto-concha, deixando Pedro mergulhado em seus pensamentos.

Não demorou muito para Pedro sair atrás de Cosmo. Percebeu que não adiantaria bulhufas ficar sentado naquela cama, com lençóis de alga, remoendo uma porção de disparates. Precisava ver por si mesmo tudo o que Cosmo mencionara. Só não imaginava que seus disparates gritariam tão alto em seu cérebro no segundo em que pusesse os pés para fora daquele quarto.

O que Malasartes viu lhe tirou dos eixos de vez. Ao invés de solucionar algo, fez brotar novas caraminholas em sua cabeça. A princípio, não conseguiu acreditar em seus olhos. Depois do choque, resolveu acreditar, mas não podia assimilar ou descrever o que via. Ao menos, não ainda.

Existia, sim, um mundo todo embaixo d'água, como Cosmo dissera, e o lugar era ex-tra-or-di-ná-ri-o. Era como uma cidade submarina que se estendia para muito acima de onde ele estava e para muito abaixo também. Pedro estava em uma espécie de varanda. Percebeu que a arquitetura de todo o entorno era, de certa forma, orgânica. Como se a cidade inteira se ajeitasse em um colossal recife de corais. Suas muitas cores davam vida e alegria ao lugar. Não só as cores, mas suas formas também. Alguns corais lembravam árvores de galhos secos, enquanto outros pareciam árvores de galhos molengas. Outros corais tinham um formato bulboso, como um grande vaso arredondado. E havia também alguns que davam a impressão de ser o chapéu de um grande cogumelo. Alguns deles, inclusive, se mexiam, outros tinham aparência petrificada.

Pedro pôde ver muita coisa se movimentando. Peixes, peixinhos e peixões que transitavam de um lado para outro. Muitos seres eram reconhecíveis, como baleias, tubarões e golfinhos, mas havia outros tantos cujos nomes ele nunca aprendera. Peixes que apresentavam uma diversidade infindável de tamanhos e desenhos em suas escamas. Listras variadas compunham o corpo esguio de muitos deles. Lembravam até pinturas de renomados artistas, com todos os seus floreios. Mais uma porção de criaturas diversas transitavam por entre um coral e outro. Polvos, lulas, estrelas-do-mar, leões-marinhos, raias e moreias. E uma infinidade de espécies de cuja existência ele nunca soube, como, alguns peixes com o corpo translúcido deixando a espinha à vista, e uma trupe de caranguejos enormes. Pedro não sabia que existiam caranguejos naquelas proporções. Viu também cavalos-marinhos de diversos tamanhos. Alguns do tipo tradicional, mas outros se apresentavam, da metade para cima, como um cavalo do tipo terrestre e, da metade para baixo, tinham um enorme rabo de peixe. Eram quase "cavalos-sereias".

Como ele, um ser humano, poderia permanecer debaixo de tanta água? Olhou para um céu bem distante. Era a superfície da água lá em cima? A luz que banhava toda a cidade não vinha do alto. O sol nunca chegaria ali. Pequenos cardumes de seres iluminados passeavam vagarosos trazendo a luminosidade àquela sociedade inteira. Pedro analisou seus movimentos. Todos juntos, uma infinidade deles, seguiam em certa direção, se afixavam em um ponto por breves momentos, sendo um foco de luz naquele lugar, e partiam até a próxima parada. Havia muitos cardumes como aquele espalhados por todo o mundo subaquático. Malasartes associou aqueles peixes com postes de luz, só que ambulantes.

Pedro se sentia testado. Seu otimismo foi empurrado até o limite quando percebeu algo passar por entre os raios de luz que aqueles peixes emitiam. A coisa que passou foi uma das mais complicadas de assimilar. Parecia uma luz fracionada. Algo como um reflexo de luz ou um arco-íris. Só que vivo! Era isso. Definitivamente um arco-íris vivo que escolhia que direção seguir e mudava sua rota quando bem entendesse. O que seria aquilo? Era o que a mente de Malasartes procurava entender.

– Aquilo é um Galafuz! – disse uma voz ao seu lado.

– Gala... o quê? – gaguejou Pedro.

– Os Galafuzes é que fazem a guarda de tudo o que você vê. Provavelmente vieram conferir o que alguém de fora faz aqui no mundo deles – falou a voz mais uma vez.

Pedro desgrudou seus olhos do arco-íris, que dançava a uns cinquenta metros acima, e procurou pelo dono da voz que se referia a ele como "alguém de fora". Encontrou ao seu lado um senhor com vestes roxas que se estendiam até o chão. Seus cabelos brancos saíam apenas pelas laterais da cabeça, deixando o topo completamente careca.

– Muito prazer! – disse o senhor, estendendo-lhe a mão com uma cordialidade bem humana. – Meu nome é Faunim.

A mão de Pedro apertou depressa a mão do homem, quase que involuntariamente. Parecia querer se agarrar a qualquer gesto ou traço humano. Algo que pudesse conferir-lhe certa sanidade.

– Você é humano? – quis saber Pedro, ainda balançando a mão do homem.

– Sim, eu sou. Um provinciano como você – respondeu Faunim, fazendo Pedro olhar no fundo de seus olhos mais atentamente, na intenção de comprovar a informação. – Poucos de nós vivem por aqui. No meu caso, foi uma necessidade e ouso afirmar que prefiro viver aqui do que lá em cima. Com toda a certeza! – e Faunim observou sua mão ainda entrelaçada à mão de Pedro. – E você, como se chama? Por acaso os cumprimentos lá em cima mudaram desde a minha época? Não sabia que devíamos chacoalhar as mãos por tanto tempo assim.

– Ah! Desculpe. É que fiquei meio... você entende, não? – soltaram as mãos depressa.

– Entendo. Minha reação não foi diferente – o homem consolou Pedro. – Acredito que tenha sido por conta das cores. Já reparou nas cores deste lugar? – Pedro olhou o entorno com mais atenção. Tudo tinha um quê de florescência. Os peixes luminosos e os corais cujas formações lembravam uma infinidade de prédios entrelaçados com pontas para todos os lados, em uma organização aleatória e própria. Suas muitas cores se alternavam à medida que os peixes luminosos passavam por ali, fazendo luz e sombra mudarem constantemente a pintura do cenário.

Outra coisa que reluzia de maneira diferente: as escamas dos peixes. Esses seres flutuavam em harmonia, cada um em sua trajetória. A luz que batia em seus corpos era refletida ao redor. Pedro se pegou pensando se aquilo era o mesmo que ocorria com a lua no céu lá em cima, em terra firme. A lua não tem luz própria, ela apenas reflete a luz do sol. Era esse o processo que acontecia na pele escamosa daqueles peixes de luz?

Uma enorme baleia-azul passou próximo de onde estavam. Pedro não pôde deixar de notar a suavidade do deslizar daquele ser imenso. Sentiu o deslocamento da água ao redor. Água? Não estava molhado. Não podia ser água, mas o que ressoou com o passar da baleia foi uma leve brisa que o empurrou devagar e tirou seus cabelos do lugar. Observar aquele titã do mar trilhar suavemente o seu caminho foi uma sensação fabulosa.

Ao longe, pôde identificar uma campina. Era como se houvesse um gramado que a cobrisse. Mas um gramado amarelo, rosa e roxo. Que se movia lentamente para lá e para cá. Quando a baleia passou, o movimento de cada uma das pontas de grama que compunha a relva acompanhou a direção que aquele colosso de ser marinho seguiu. Pedro percebeu que o que revestia a campina e se ondulava com o movimento das águas eram algas, e não grama. Viu também peixes que nadavam com a barriga colada ao chão. Eles desenhavam formas circulares conforme passavam. Abriam sulcos no solo do oceano. Estavam empenhados nesse ofício.

– Aqueles são os peixes arquitetos – disse-lhe Faunim. – Os verdadeiros artistas aqui embaixo.

E, de fato, as formas que desenhavam no chão criavam círculos em uma composição intrincada, digna de uma arte bem complexa. As configurações montadas por eles enfeitavam ainda mais aquele ambiente mágico que se apresentava diante de Pedro.

Voltou a admirar as cores. Aquele homem tinha razão. Havia cores ali que Malasartes não saberia dizer o nome. Não eram em nada parecidas com o azul, o verde, o amarelo e o vermelho que ele conhecia. Todas tinham o tal "efeito luminescente". Até as vestimentas roxas do homem pareciam reluzir.

– Sabe, sou apaixonado por cores – continuou o tal Faunim. – Uma porção delas. A mistura me salta aos olhos. Enxergo nisso tudo a vida em movimento.

E ele tinha razão novamente. Para Pedro, aquilo resumia bem tudo o que seus olhos registravam. *A vida em movimento.*

– Verdade! Eu sou Pedro Malasartes – e Pedro estendeu a mão para cumprimentar Faunim.

O homem apenas abriu um sorriso largo e deu-lhe um tapinha nas costas sincero. Não queria prender sua mão à de Pedro para mais um cumprimento demorado.

– Como veio parar aqui, Pedro? – quis saber Faunim.

– Bom, talvez essa seja uma história que eu ainda não saiba como contar. Tudo começou com um chapéu, eu acho. O chapéu do Cosmo – confessou Malasartes.

– Rá! Eu sabia. Cosmo é um ótimo boto. De personalidade incrível. E tem algo dentro dele que é essencial a compaixão – Faunim descrevia o boto com certo carinho, quase paternal. – É claro que também tem uma queda natural para a aventura. Parece que cada passo dele o carrega para uma jornada de infindáveis desafios. Uma jornada de mudança. E isso é bom! Talvez ele seja o melhor ser que temos aqui embaixo. Um agente de mudança – refletiu o homem.

– Pedro? – chamou outra voz, despertando a atenção dos dois.

– Lá vem ele! – avisou Faunim.

– Ora, parece que já está bem melhor – notou Cosmo. – E vejo também que já se conheceram. Faunim e Pedro.

O boto se aproximava deles descendo por uma escada cujos degraus pareciam esculpidos pelo tempo em um coral alaranjado.

– Sim. Eis aqui um provinciano espetacular! Posso ver seu deslumbramento com o mundo subaquático – comentou Faunim com expressão nostálgica. – É como se eu revisitasse minhas primeiras impressões de quando vim para cá.

– Sim, entendo – falou Cosmo observando-os com um sorriso no rosto. Pareceu, por um momento, revisitar suas próprias memórias. – Acho que entendo – deixou escapar, num leve devaneio particular. – Que bom que os encontrei juntos – e se dirigiu ao novato naquelas paragens. – Pedro, acho que vou ficar devendo aquele passeio para lhe mostrar o lugar. A Festa no Céu está começando.

Pedro perguntou para si mesmo sobre o que seria aquela festa. Não queria mais respostas que gerariam novas perguntas, portanto manteve-se quieto.

– Ora, mas que bobagem! – interveio Faunim. – Não existe Festa no Céu sem mim. O anfitrião!

Capítulo 3
Festa no Céu

*Essa festa sempre acontece
antes e depois dos eventos importantes.*

Foi o que explicaram a Pedro antes de ele entrar no local do evento. Malasartes compreendeu que a festa fora organizada por conta da tal importante reunião sobre a qual Cosmo havia comentado.

Disseram também que estavam presentes os convidados mais ilustres e importantes de todos os cantos d'água do planeta.

– Aquele ali é o Bênu. O senhor de todos os cavalos-marinhos e hipocampos – disse Cosmo, apontando para um bode que acabara de entrar no recinto.

Pedro achou aquilo extremamente esquisito. Um bode ser o senhor dos cavalos-marinhos e dos hipo... alguma coisa.

– E aquela é Ptolomeia. A regente das lulas-gigantes – apontou Cosmo.

Dessa vez, Pedro viu uma garça-branca pousar próximo de um tipo de mesa feita de corais, onde alguns quitutes estavam dispostos. O que uma garça tinha a ver com lulas-gigantes?

Uma mulher de pele escura adentrou o lugar. Pedro foi logo tomado por uma súbita vontade de observá-la. Era como uma atração mágica, não foi capaz de desviar os olhos. Não sentia nada, só tinha vontade de observá-la. O resto era obliterado. A mulher, do outro lado da sala, percebeu os olhos de Pedro pousados nela. Retribuiu a atenção recebida, e os olhares dos dois se cruzaram. Foi como se um choque elétrico percorresse o corpo inteiro de Pedro. Teve medo e sentiu admiração por ela. Havia uma aura nobre de rainha envolvendo aquela mulher. Algo imponente emanava dela. Seus cabelos em *dread* com penduricalhos azuis pendiam soltos, completando sua majestosidade.

– Aquela ali é a Naara – comentou Cosmo, cortando a conexão entre Pedro e a moça. Malasartes teve vontade de agradecer a Cosmo por isso e de recriminá-lo. Não entendia o porquê dessas vontades tão distintas. – Ela é a rainha das sereias. Uma das mais poderosas descendentes das Iaras – e Pedro reparou que a mulher, apesar de ser rainha das sereias, como Cosmo acabara de dizer, não tinha rabo de peixe e sim duas pernas.

– Lembra dos Galafuzes? Aquele "arco-íris vivo" que veio dar uma olhadela em você ainda há pouco? – comentou Faunim para Pedro, que se lembrou bem da tal luz fracionada se movendo rápido e para onde queria. – Eles são os guardas de todo o reino das águas e só respondem à Naara.

E Pedro pôde sentir o poder que ela emanava.

– A outra, ao lado dela, é sua prima mais velha, Saara – continuou Cosmo. E só então Malasartes percebeu a outra mulher. Diferentemente da primeira, que vestia azul, esta trajava-se toda de dourado. Até seus olhos eram da cor do ouro. Assim como Naara, também era negra, com cabelos em *dread*, e exibia a mesma grandiosidade no andar. Aparentava ser um pouco mais velha que Naara. – Ela já foi guardiã de um grande trecho de nosso reino, mas isso foi em outra era. Sabemos disso porque as aventuras de Saara são contadas desde os tempos antigos. Ela lutou em nossa Segunda Grande Guerra. Venceu o inimigo da época, mas perdeu um amplo território. O lugar virou um vasto deserto. Sem função para o nosso mundo e sem função para a província de vocês. Uma terra infértil. Lá em cima, o tempo já apagou a história, só que o nome permaneceu. O deserto recebeu o nome da sereia em memória dos tempos da guerra. Em que Saara venceu, mas recebeu uma terra morta como cicatriz.

– O deserto do Saara – balbuciou Malasartes.

– Sim – confirmou o boto. – Para vocês, Saara significa lugar desértico, seco. Para nós, significa "a luz mais forte, mais brilhante". O deserto é uma lembrança para que não aconteça algo tão monstruoso novamente. Para evitar que um novo vilão terrível apareça, nascido de nossos próprios atos, para ameaçar nossa sociedade.

Para Pedro, era nítido que aquelas duas mulheres carregavam em seu caminhar um peso que confirmava tudo o que Cosmo dizia. Eram agentes importantes daquele mundo subaquático. Um pedaço da história de todos daquele lugar.

– Por que elas têm pernas humanas? – quis saber Pedro.

– É assim que você as vê? – questionou Cosmo. – Na verdade, elas são um caso à parte do que acontece aqui na festa. Faz parte do poder que elas possuem. As sereias podem encantar os homens. Você as enxerga dessa forma, mas os rabos de peixe estão ali, sim. Posso vê-los! Naara com sua cauda escura, quase preta, e Saara com sua cauda bem parecida com a da prima, mas rajada de dourado de ponta a ponta. As pernas que você vê são uma espécie de ilusão – concluiu Cosmo, com um leve riso nos lábios.

Pedro refletiu em silêncio se o boto, por ser do mundo aquático, não via as duas sereias com a metade de peixe talvez como uma ilusão também. Mas resolveu não levantar a questão. Seu cérebro decidiu passear por lugares que lhe trouxessem mais sobre o que pensar. Como, a guerra a respeito da qual o amigo boto havia comentado. Aquele lugar debaixo d'água já tinha travado guerras. Essa informação fazia tudo ficar mais palpável e real.

Em vez de fazer mais perguntas, resolveu ocupar a boca com outra coisa. Afinal, sua cabeça ainda doía e aquele monte de esquisitice não ajudava em nada. Sua mão leve foi certeira em uma bolinha negra e brilhante que estava misturada com outras em uma tigela grande de cristal.

Deu uma mordida que quase lhe deslocou a mandíbula. A bolinha continuava intacta entre sua língua e seus dentes. Atordoado com a dentada frustrada, pensou que aquilo poderia ser algum tipo de bala. Algo que devesse chupar. Então foi isso que ele fez, mas a bolinha não tinha sabor algum. Era como se chupasse um pedaço de mármore preto.

– Rapaz! – advertiu-lhe Faunim à sua esquerda. – Procure não chamar mais atenção do que o necessário e pare de comer os enfeites da festa!

– Isto é um enfeite? – Pedro cuspiu a bolinha escura e lustrosa na mão. Então observou, curioso, o boto Cosmo retirar um pedaço da tigela de cristal que continha bolinhas iguais àquela. O pedaço parecia um caco de vidro. Cosmo o enfiou inteiro na boca e mastigou com vontade.

– Meu doce favorito! Água-viva cristalizada – completou o boto lambendo os beiços. – Isso aí – e apontou para a bolinha que Pedro tinha acabado de cuspir – é uma pérola! Uma pérola negra. São mais raras que as brancas e, como esta é uma festa importante, aqui há várias. Mas não se engane, servem apenas para deixar o prato mais bonito, sabe?

Ainda com dor no maxilar, Pedro observou o ambiente. Identificou um espaçoso salão perolado, parecido com o quarto de cores múltiplas em que tinha acordado havia pouco, mas de proporções grandiosas. Emaranhados de algas coloridas pendiam do teto como se fossem cortinas que roçavam o chão e ondulavam de leve, impelidas por alguma brisa do além. O próprio teto brilhante tinha um tipo de projeção ou pintura que simulava um céu noturno estrelado. As estrelas piscavam salpicadas por toda a abóbada, garantindo o "céu" do nome da festa. Com certeza, algumas delas eram como a pérola negra que Pedro havia tentado comer, só que brancas. Resolveu guardar a pérola em seu bolso. Quem sabe não valeria alguma coisa no futuro? Sabia que as pérolas davam ótimos colares lá em terra firme. Se não a vendesse, ao menos seria uma prova de que tudo o que ele vivera nas últimas horas não tinha sido um sonho.

O que dava um nó na cabeça otimista de Malasartes era a quantidade de animais terrestres que compunham a festa. Ora, não estava embaixo d'água? Será que tinha pirado de vez?

– Primo! – chamou alguém bem animado, atravessando o recinto para ir ao encontro de Cosmo. Era um bugio enorme, cujos pelos avermelhados dançavam lentamente, sob a ação da mesma brisa fantasmagórica que movia as cortinas-algas. – Bem-vindo à nossa casa! – Cosmo abraçou o grande macaco de maneira acalorada. Seu primo não era um golfinho? Estava tudo errado. Só podia estar.

– Não se espante, provinciano! – aconselhou Faunim, ainda à sua esquerda. – Isso tudo é culpa minha.

Pedro virou-se para o velho de roxo e tomou um baita susto. Em seu lugar, havia um pomposo pavão de penas coloridas e vibrantes que se adiantou para a multidão de bichos, abrindo as asas e o rabo em leque, de tons verdes e azuis, chamando a atenção de todos para si.

Os outros animais pareciam reverenciá-lo. Era uma espécie de celebridade entre os demais. Lembrou-se de Faunim se autointitulando "o anfitrião". Era isso? Aquele pavão era o senhor de vestes roxas? Ele era o dono da festa? Era o que parecia. Aquele pavão era o rei do pedaço.

– Sejam todos muito bem-vindos a mais uma Festa no Céu! – anunciou o pavão com a voz idêntica à de Faunim. – É uma honra oferecer uma festa como esta mais uma vez. A festa que precede a reunião das reuniões. Sabemos que vivemos tempos difíceis e que reuniões como esta são de vital importância para decidir o rumo das coisas, logo, uma festa antes é sempre boa para encerrar o ciclo e nos preparar para as mudanças que estão por vir – disse ele movimentando suas asas e seu exuberante rabo em forma de leque. Todos os olhares estavam concentrados na ave imponente que exibia requintes de realeza. – E uma festa depois é a melhor pedida para abrir um novo ciclo. Um novo rumo, de acordo com as decisões tomadas na reunião em questão – o silêncio pairou entre todos os presentes para dar espaço ao que o pavão dizia. – Portanto, divirtam-se! Deem adeus a tudo o que aconteceu até aqui. Guardem as memórias em locais especiais dentro da cabeça de vocês e tratem de arrumar espaço para o que vem a seguir. Na vida, nem tudo é uma festa, mas por que não comemorar os encerramentos e os inícios com um célebre festejo? – o pavão se muniu de uma taça com um líquido rosado, de aparência borbulhante, que estava entre outras tantas taças em uma bandeja, e a ergueu. – De onde eu venho, lá da Província, damos "vivas" nas comemorações. Portanto, proponho um "viva" aos novos tempos!

– Viva! – responderam todos em altos brados, imitando o gesto do pavão e erguendo copos e taças cheios com o mesmo espumante rosa.

– Banda! – chamou o pavão, se dirigindo a alguns animais reunidos em um canto do salão. – Que tal ouvirmos algo para abrilhantar nossa celebração? – sugeriu ele.

E, no instante seguinte, um pelicano deu os primeiros acordes em um instrumento parecido com um violão. A diferença estava no material de que era feito; o instrumento não era de madeira, mas sim de algo tirado do fundo do oceano. Outra diferença em relação a um violão comum eram suas cordas neon, que vibravam ao emitir o som mais absurdo possível. Vozes. Vozes humanas. O tal violão, ao ser tocado, soava como um coro de muitas vozes. Os outros instrumentos trataram de acompanhar o primeiro e os sons reunidos eram ainda mais estranhos. Pareciam a somatória de cantos de diversas baleias misturados a chiados e rosnados de outros animais, de maneira quase percussiva e ritmada, compondo uma melodia única. Algo extremamente bizarro e inédito para os tímpanos de Pedro.

A cabeça de um sapo apareceu no bojo do violão tocado pelo pelicano, fazendo a estranheza da situação ganhar dimensões maiores. O anfíbio abriu a boca bufonídea e, em vez de coaxar, cantou. Para o espanto de Pedro, cantou lindamente:

Esta é a festa no céu.
Festa no céu. Festa no céu.
Mesmo aqui tão longe do céu.
Tão longe do céu,
as estrelas vão brilhar.

Cada qual pode ainda optar
em se transformar em algum animal.
Desde que esse tal animal
não esteja presente em sua água natal.

Pedro vacilou. Quase caiu no chão. Suas pernas bambeavam. Tudo aquilo era absurdo. Só podia ser um absurdo. Animais tocando instrumentos musicais? Um sapo cantando? Numa festa embaixo d'água? Se aquilo era um sonho, Pedro queria acordar. Precisava acordar. E depressa!

Sentou-se. Percebeu que o banco escolhido como assento era o casco grande e vazio de uma tartaruga-marinha. O sapo continuava com a sua cantoria, animando todos os animais presentes.

Bom é o tempo que o amigo Faunim,
misterioso Faunim, veio apresentar

> *tintas, cores. Todas reais.*
> *Pintura capaz de metamorfosear.*

Pedro notou que, nas paredes do salão, havia uma porção de quadros e telas expostos. Pinturas em aquarela. Cada uma delas exibia um animal terrestre. Onça, cobra, boi, arara, sabiá, pato, jacaré, tatu, tamanduá, camaleão, lobo... Nenhum fazia parte da vida marinha. Era curioso e esquisito, mas aqueles animas que estavam representados nos quadros eram os mesmos que se divertiam na festa.

> *É a hora de a gente pensar*
> *e também soltar o que fica pra trás.*
> *É a hora de se preparar*
> *e também agarrar o que vem ademais.*

Olhou para as pinturas mais uma vez. Percebeu uma assinatura na borda de cada uma delas. Uma assinatura idêntica em todas as obras. Apurou o olhar e identificou o nome que se repetia assumindo a autoria dos quadros: Faunim.

> *Esta é mais uma festa no céu.*
> *Festa no céu. Festa no céu.*
> *Mesmo aqui tão longe do céu.*
> *Tão longe do céu,*
> *as estrelas vão brilhar.*

Aplausos sinceros explodiram por todo o brilhoso salão quando a música cessou. Nem bem findou, a banda seguiu com outra canção, que preencheu o recinto com sua melodia e sua harmonia impressionantes.

Pedro apreciava a canção e, ao mesmo tempo, sua cabeça girava e pesava. A música o afetava?

– Está tudo bem, provinciano? – Cosmo veio até ele.

Pedro assentiu com a cabeça.

– Sei que tudo isso parece confuso. Quando menos esperar, vai estar de volta ao seu mundo. Falei com um de meus primos agorinha mesmo. Ele está animado para a reunião – comentou o homem de chapéu. – Se a nossa causa for aceita, e ele acha que será, partiremos numa viagem o mais breve possível. Então poderemos deixá-lo em terra firme e depois meus primos e eu seguiremos com nossa missão. Só peço um pouco mais de paciência.

Pedro assentiu de novo.

– Se estamos embaixo d'água, qual é a dos animais terrestres? – questionou Malasartes. – Qual é a relação deles com aqueles quadros ali? – então apontou para a parede. – Imagino que seu primo não seja um bugio.

– Muito tempo atrás, um pintor lá da Província precisou de ajuda. Tinha acabado de escapar de um rei que sentia inveja de suas pinturas – começou Cosmo, paciente. – Os provincianos de onde ele vinha costumavam dizer que seus pincéis eram mágicos. O rei chegou a prender o talentoso pintor que, com muita inteligência e um pouco de magia, conseguiu escapar da prisão à qual o rei lhe confinara.

– E como foi que ele fez isso? – perguntou Pedro.

– Ele prometeu pintar um retrato do próprio rei em troca de sua liberdade. O rei topou. No dia da pintura, ele deu início ao quadro de dentro da sua cela, enquanto observava o rei, que posava para ele do outro lado das barras de ferro – continuou Cosmo. Seu olhar era sonhador. Como se assistisse à cena toda acontecendo na sua frente. – De acordo com o que ouvi, aconteceu de repente. O pintor transfigurou-se num pavão e fugiu por entre as grades. Ele foi chamado de Pavão Misterioso. Pois ninguém soube como ele fez aquilo. Fugir debaixo do nariz do rei e fazendo-o de bobo.

Aquela história mais parecia de carochinha, mas, depois de tantos outros absurdos que havia presenciado nas últimas horas, Pedro não quis perder tempo decidindo se devia acreditar nela ou não.

– E o que tudo isso tem a ver com esses animais?

– Quando encontraram a tela em que o pintor estava supostamente retratando a figura do rei, havia um pavão desenhado em seu lugar.

– Ele pintou um pavão e assim pôde se transformar em um? – arriscou Pedro, analisando o pavão que circulava pela festa, de grupinho em grupinho, socializando com todos os presentes.

– Exatamente! Ele é um pintor mágico. Ninguém sabe como acontece, mas acontece. Em sua fuga, de embarcação em embarcação, ele atravessou de uma ilha continental a outra. Mas o poderio do rei se estendia a outras terras e a sua debandada nunca cessou. Até que uma das embarcações em que estava sofreu um naufrágio. E foi então que alguns botos originais o encontraram e o trouxeram para cá, até que as coisas lá em cima se normalizassem. Quando chegou a hora de partir, ele pediu asilo a nós. Disse que não queria nunca mais deixar este lugar. Que queria viver aqui. Parece que tinha algo a ver com as cores – comentou Cosmo.

Pedro assentiu. O senhor de roxo lhe dissera algo parecido.

– E assim foi. Nós o aceitamos em nossa comunidade. O pintor resolveu retribuir o que considerou como um presente e criou a Festa no Céu. Um importante evento que já se tornou tradição aqui embaixo, como pode ver. Cada um lhe pede uma tela com um animal e ele assim desenha. Isso permite que o dono da tela possa se transformar no animal que estiver pintado no quadro. E, de tanto ele contar histórias tão apaixonadas de sua Província, os participantes quiseram homenageá-lo pedindo sempre por animais provincianos. Queriam que ele se sentisse em casa. No início, eram apenas bichos com asas, assim como o pavão em que ele se transforma. Então, outros animais foram sendo incorporados aos poucos. E o hábito de os convidados virem transfigurados em um animal acabou se tornando uma regra. Sempre acontece também uma grande exposição das telas produzidas pelo pintor. E, por ser um evento pomposo, optou-se por fazer a festa sempre antes e depois de uma reunião importante.

Pedro deixou os argumentos se assentarem. Mesmo fantásticos, faziam muito sentido.

– E você? Não se transforma em algum bicho lá de cima?

– Eu me transformo, sim.

– Em que bicho você se transforma? – quis saber Pedro, curioso.

Cosmo tirou um papel do bolso, desdobrou-o com cuidado e mostrou para Pedro. Era um desenho. Um corpo com pele escura, jovem, trajando chapéu e roupas brancas. Idêntico ao de carne e osso, que segurava em suas mãos o papel com a arte assinada por Faunim.

– Em um ser humano – Pedro respondeu para si mesmo.

– Exato. Como eu disse, meu caso é complicado. Não posso me transformar como os botos originais fazem. A chegada de Faunim ao mundo subaquático acabou por dar um jeito nisso.

Mais um bom tempo se passou. Outros convidados chegaram à festa. A dor de cabeça de Pedro melhorou quando Cosmo o ensinou a degustar água-viva cristalizada. O sabor era tão surreal que Pedro não conseguiu comparar com qualquer outra coisa que já tivesse provado na vida. Só teve consciência de que seu corpo agradeceu pelo alimento. Tomou também uma taça com o espumante rosa. O sabor era algo licoroso e ao mesmo tempo salgado. Por um momento, sentiu-se quente. A bebida o esquentou. Mas logo o efeito passou e lá foi ele para uma segunda taça. Reparou nos poleiros instalados para que as aves pudessem pousar e conversar em paz. Também percebeu alguns espaços decorados com tapetes e variedades nunca vistas de frutas. Nesses espaços, alguns felinos se reuniam. Uma onça, em especial, observava Pedro com um olhar suspeito. Imaginou que ela o estivesse confundindo com algum quitute da festa. Tratou de ficar longe daquele olhar e, principalmente, de suas garras e seus dentes.

Passado mais um tempo, quando já estava acostumado ao lugar, à música, ao clima, aos animais falantes e ao ar que invadia seus pulmões, o senhor de roxo, agora em sua versão humana, pavoneou por entre os convidados caminhando até Cosmo.

– É chegada a hora, filho! – avisou Faunim de maneira carinhosa. – Alguns dos participantes já tomaram seus lugares na Bolha. É hora de assumir o seu posto também. Desejo a você toda a sorte do mundo nessa reunião. Saiba que tem meu total apoio. Que seu pedido seja aceito e que a missão aconteça. É mais do que chegada a hora de prestar auxílio àqueles que precisam de nós – virou-se para Pedro: – meu rapaz, vou lhe mostrar onde fica meu ateliê. Lá poderemos esperar a reunião acabar.

– Faunim, espere! – pediu Cosmo. – Sinto algo dentro de mim dizendo... – então parou de falar. Pedro imaginou que o boto não soubesse como continuar.

– Dizendo o quê? – indagou Faunim.

E Cosmo olhou para o senhor de roxo, parecia avaliar se era seguro continuar.

– Que o fato de Pedro estar aqui não é acaso. Sinto que há um motivo.

Pedro se espantou com o que Cosmo acabara de dizer e logo rebateu:

– Claro que há um motivo! O chapéu foi o motivo.

– Não. O chapéu foi só o melhor jeito de começar isso. De cruzar nossos caminhos – Cosmo respirou fundo e continuou: – Quero que você faça parte da reunião. Como meu convidado de honra.

– Mas... – o senhor de roxo tentou se opor, porém se viu sem reação diante das palavras seguintes do boto.

– Veja só você, Faunim. Desde quando chegou aqui, veja o tanto de mudança que nos trouxe. Não acho que o fato de Malasartes estar aqui hoje, bem neste dia, momentos antes da reunião, seja só uma coincidência – comentou Cosmo, em busca de um argumento final. – Além do mais – então estufou o peito –, eu convoquei a reunião, portanto tenho o direito de escolher quem entra comigo na Bolha das Discussões e Decisões – voltou-se para Malasartes: – Se puder, gostaria que fizesse parte desse conselho.

Pedro entendeu estar cada vez mais em terreno movediço. Escorregando por uma íngreme ladeira de acontecimentos exóticos. Deslizava cada vez mais rápido. Mas era otimista, precisava acreditar no lado bom de tudo aquilo. Respondeu involuntariamente:

– Sim!

Aceitou o convite do boto. Queria, sim, participar da reunião.

Capítulo 4
A Bolha das Discussões e Decisões

Uma bolha gigante no fundo do mar. Dentro da Bolha, uma infinidade de seres das águas se mantinha flutuando em certa sincronia, deixando o centro em evidência. Naquele momento, quem estava lá era Cosmo. Não estava sozinho. Outros três indivíduos com aparência humana estavam ao seu lado. Aqueles quatro, sem contar Pedro e Faunim, que também fora convidado para a reunião, eram os únicos sob forma humanoide. Dos outros convidados, todo o encantamento do pintor havia se dissipado no momento que ultrapassaram os limites da Bolha. Uma fina parede, ovalada e turva, desencantava a magia do Faunim.

O destaque, sem dúvida, era Cosmo, que abria seus braços e iniciava um falatório dirigido a todos os presentes naquela agigantada Bolha.

– Para aqueles que não me conhecem, eu me chamo Cosmo. Sou um boto-comum. Minha forma humana e a de meus primos golfinhos aqui ao lado se deve aos caprichos de Faunim – disse Cosmo, dando uma piscadela para o senhor de roxo. E Pedro percebeu alguns comentários e burburinhos se espalhando sorrateiros pelas frágeis paredes da Bolha. – Convoquei esta reunião com o intuito de pedir o auxílio deste conselho para uma missão de extrema importância e urgência. Para contar exatamente o que acontece, preciso começar desde o início. Preciso falar sobre uma antiga vilã. Acredito que todos aqui já tenham ouvido histórias sobre a Alamoa – e os burburinhos deixaram de ser sorrateiros e tímidos. Se manifestaram de maneira alarmante aos ouvidos de Malasartes. Sem parecer se importar, Cosmo prosseguiu: – Sabemos que a assombração se foi. Não nos assola mais – e muitos seres aparentaram concordar com a informação. – A Alamoa não era deste mundo. Viera do Além – afirmou ele. – Costumava abrir portas que a ligavam ao mundo das águas e ao mundo dos provincianos. Geralmente essas portas eram abertas no interior das grandes e profundas cavernas – Pedro atentou para uma tartaruga-marinha, cujo casco devia pesar mais de quatro toneladas, que observava curiosa o falatório de Cosmo. Mesmo com aspecto extremamente pesado, ela flutuava com leveza, como se cabos de aço invisíveis a sustentassem. Suas pálpebras caíam diante de seus olhos de um jeito que lhe dava um ar de abundante inteligência. Como se aquela tartaruga já tivesse vivido e participado de muita coisa importante ali embaixo. De acordo com o que Faunim tinha dito, logo que adentraram a Bolha, aquela tartaruga era o juiz do conselho. A criatura que fora escolhida, tempos atrás, para representar a decisão de todos. Cosmo parecia não se abalar diante da tartaruga juiz ou de qualquer outra das criaturas presentes. Era como se o que estivesse para revelar fosse mais significativo que qualquer título, hierarquia ou patente.

Um dos primos de Cosmo continuou:

– A Alamoa vinha para nossos lados com a intenção de se alimentar. E vocês sabem muito bem do que ela se alimentava, não é verdade? – alfinetou ele.

– Raptos e sumiços não eram incomuns quando ela aparecia – Cosmo retomou a palavra. – E todos se lembram de quem conseguiu expurgar esse mal, não é? – questionou ele, fazendo todo o burburinho cessar. A tartaruga piscou lentamente e assumiu uma atitude desafiadora, como se considerasse Cosmo petulante por querer falar e tocar em assuntos de antes do próprio tempo dele. Assuntos que a tartaruga havia acompanhado pessoalmente.

Pedro reparou que todas as criaturas presentes aparentavam inquietação. Ele não fazia ideia de onde aquela conversa ia parar e tinha a impressão de que muitos dos espectadores também não sabia. A Bolha mantinha o assunto das discussões que aconteciam ali restrito a quem estivesse em seu interior.

– Foram os Ciprinos! – revelou Cosmo, construindo uma teia, fio a fio, carregando todos os ouvintes até onde queria chegar. – Eles escorraçaram a Alamoa de vez. Acabaram com um mal que nos afligia.

E Pedro se esforçou para guardar esse nome na cabeça. Ciprino. Mais um nome estranho para sua lista mental.

– Por conta da vitória do povo dos Ciprinos sobre a Alamoa, nós não precisamos mais nos preocupar se algum ente querido vai voltar ou não para casa – disse o primo do boto.

– Lembram desse povo? Os Ciprinos? – indagou Cosmo a todos os presentes.

Pedro assistiu a uma plateia dividida. Metade dos convidados parecia saber a respeito do que Cosmo falava. A outra metade ainda se mostrava perdida. Malasartes se sentia parte dos que estavam perdidos. Apenas escutava atento. Tropeçava em alguns detalhes, é verdade, mas, ainda assim, se mantinha focado em seu mais novo amigo boto. Afinal, segundo Cosmo, o destino tinha algo a ver com aquilo pensou com ressalvas.

– Os Ciprinos são criaturas das águas, assim como nós. São nossos irmãos. Só vivem longe daqui! – completou outro dos primos de Cosmo.

Naara e Saara cochicharam entre si. Algo naquele assunto também mexia com as poderosas sereias.

– Eles optaram pelo isolamento! – comentou a boca dentada de uma viscosa enguia, particularmente assustadora. Sua observação conquistou o aval dos demais.

– O que sabemos sobre os Ciprinos é que costumam passar a vida toda em uma lagoa. Afastados, sim! – concordou Cosmo. – Mas optaram pelo isolamento porque, quando pediram nossa ajuda para enfrentar a Alamoa, segundo consta em nossos escritos, nós viramos as costas para eles. Eles a enfrentaram sozinhos.

Malasartes procurou retomar o que havia escutado. Era necessário fazer uma recapitulação rápida para não se perder no assunto. Então existia uma antiga vilã chamada Alamoa, que adorava cavernas. Sua existência também tornava aquele mundo embaixo d'água mais palpável. Tinha seus próprios desafios. Histórias do passado. No entanto, a Alamoa não estava mais na ativa, pois esses tais Ciprinos a tinham derrotado. Sozinhos! Pelo que entendeu, eles chegaram a pedir ajuda, mas as criaturas das águas optaram por não prestar o socorro.

– Após vencerem a Alamoa, os Ciprinos passaram a limitar seu mundo a uma única lagoa, longe de nós – contou Cosmo pesaroso.

– Aonde quer chegar, boto? – questionou um cavalo-marinho espinhento e de grandes proporções. Pedro imaginou se aquele não seria Bênu, o senhor dos cavalos-marinhos, em sua forma verdadeira, e não mais como um bode.

– Esse povo ficou por tanto tempo nessa lagoa que se adequou às suas limitações – prosseguiu Cosmo paciente. – A lagoa em que eles vivem é farta de tudo o que precisam. É o mundo deles. Cortaram, literalmente, as conexões com o mundo das águas. Por isso, outros seres que um dia resolveram procurá-los nunca foram capazes de encontrar o seu paradeiro. Os Ciprinos deram mesmo um jeito de sumir do mapa.

O segundo dos três primos de Cosmo se adiantou. Antes, deu um tapinha nas costas do terceiro, que parecia apreensivo com tudo e mantinha-se quieto desde o início da reunião.

– Os Ciprinos estão, de fato, isolados – mencionou o primo. – E, como Cosmo disse, acabaram por se adequar às limitações da lagoa. O mundo deles sofre sempre uma espécie de catástrofe. Tudo se destrói e recomeça inúmeras vezes.

– Exato! – confirmou Cosmo. – Isso acontece porque a lagoa tem o costume de secar por meses a fio.

– Minha nossa! Você fala como se eles ainda estivessem vivos. O que duvido muito, já que sem água não há vida – comentou um indivíduo de um cardume de peixes espichados e prateados que se mantinham unidos, no topo da Bolha, em uma massa escura que parecia formar uma grande nuvem de chuva. Os outros peixes iguais a ele, integrantes de seu cardume, concordaram com suas observações.

– Aí é que está – continuou o boto. – Eles aprenderam a sobreviver às condições do lugar – e o cardume prateado inteiro arregalou os olhos.

– Mas como? – quis saber uma ariranha que flutuava ao lado de um dos cavalos-marinhos estranhos. Metade cavalo e metade peixe.

– Quando os Ciprinos sentem que o apocalipse é iminente, que a lagoa vai secar e desintegrar todo o mundo deles, botam seus ovos na areia, o mais seguro que conseguem – explicou Cosmo, como um professor que ensina para uma sala apinhada dos alunos mais incomuns. – A seca vem e os mata! Mata a todos. Uma sociedade inteira de Ciprinos é dizimada – Cosmo fez uma pausa. Os estalos vindos do canto dos crustáceos indicavam o grau de desconforto de todos os presentes.

– No entanto, seus filhotes ficam ali, a salvo, guardados nos ovos até que a água retorne. Meses depois, quando ela volta a aparecer na lagoa, a casca desses ovos se quebra e o ciclo da vida se mantém – relatou Cosmo, retomando o ar sonhador. Era nítido que admirava o modo como a vida encontrava maneiras de sobreviver e continuar existindo. – Quando isso acontece, outra era se inicia. Uma geração completamente nova de peixes surge e repovoa a lagoa.

Muitas exclamações soaram pelas paredes da Bolha. Não era apenas Cosmo que apreciava a garra e a força daquele povo e o modo como a evolução tratava de desafiar qualquer lei imposta pela natureza. Pedro aproveitou o momento para continuar sua recapitulação: então os tais Ciprinos, com raiva, se isolaram daquele mundo, já que ninguém quis ajudá-los a lutar contra a Alamoa. Vivem em uma lagoa que de tempos em tempos seca e extermina todos eles. Por sorte, descobriram uma maneira de manter os filhotes a salvo para que sua espécie sobreviva à seca. Seus ovos ficam enterrados na areia por um longo período até que a água da lagoa volte. Assim, novos peixes aparecem. Ótimo! – pensou ele, sendo sincero.

– Mas há um problema! – e o silêncio imperou na Bolha, como se o universo de repente ficasse mudo. – Uma ruptura nesse ciclo. E é nessa ruptura que mora a discussão que vim trazer a este conselho hoje – afirmou o boto, colocando lenha na tensão que ardia entre todos. – Antes de a lagoa secar completamente, pouco antes do tal apocalipse dos Ciprinos se concretizar, eles buscam maneiras de fazer com que tudo o que aquela sociedade aprendeu e evoluiu até ali possa ser passado à geração futura. Pois os peixes que estão vivos naquele momento não sobreviverão à seca da lagoa. Ou seja, após o período de seca não restará nenhum Ciprino vivo que possa contar e ensinar aos demais o que foi aprendido até aquele momento. Portanto, todo esse conhecimento é perdido e a nova geração surge sem saber da anterior e sem conhecer nada sobre si mesma – Cosmo buscou fitar seus ouvintes nos olhos. – Esses novos peixes precisam aprender a construir uma sociedade do zero.

Outras exclamações surgiram, ainda mais altas e mais surpresas que as anteriores.

– Felizmente, sempre se ouviu boatos de que os Ciprinos, diante de cada seca que os assolou, conseguiram encontrar maneiras eficazes de transferir seu conhecimento de geração em geração. Fazendo com que cada nova sociedade seja melhor e mais evoluída que a anterior – relatou o boto. A tartaruga-marinha ainda se mantinha em silêncio e apenas escutava tudo o que era dito aos presentes.

Pedro estava contente. Já sentia simpatia pelo povo dos Ciprinos. Eram lutadores e se adequavam ao meio em que viviam. Sempre escutou: "Se a vida lhe der limões, faça uma limonada". Aquilo, para ele, era como fazer limonada. Ora! Aqueles peixes moravam em uma lagoa que seca e descobriram uma maneira de sobreviver e dar continuidade à espécie. Não só isso, desenvolveram um jeito de se comunicar com as gerações futuras, que só nascem após a seca, após o apocalipse. Malasartes arqueou as sobrancelhas admirado. Já amava aqueles caras. Para ele, os Ciprinos eram demais.

– O problema é que não foi bem assim que aconteceu da última vez, durante a seca passada – afirmou Cosmo.

– O que foi que aconteceu na seca passada? – perguntou um peixe listrado de aparência ranzinza. E Pedro sentiu como se o peixe tirasse as palavras de sua boca.

– Acredito que todos aqui já tenham ouvido falar de uma antiga criatura chamada Carbúnculo – comentou o boto.

E a Bolha que os envolvia estremeceu diante de tantos comentários. Todos os presentes tinham algo a falar sobre aquela criatura... ou algo a temer.

Pedro não saberia repetir o nome. Soava como a alcunha de uma doença. Buscou acrescentá-lo à sua lista mental. E foi aí que caiu em si. Não tinha parado para pensar no assunto desde quando adentrara aquele mundo subaquático, mas já tinha escutado o nome e não fora ali na Bolha das Discussões e Decisões, muito menos embaixo d'água. Fora antes...

– Carbúnculos estão extintos há muito tempo, garoto! – disse uma lula-gigante. Era Ptolomeia, a regente das lulas que, durante a festa, tinha se transformado em uma frágil garça. Agora se apresentava em sua forma original. Robusta e imponente.

– Isso é até onde sabemos – rebateu um dos primos de Cosmo. – Há rumores em várias civilizações e raças. Em muitas épocas diferentes. Pequenos relatos aqui e ali na história de outras espécies. Há, inclusive, citações entre os provincianos de que um velho Carbúnculo foi visto aqui ou ali. Só que ninguém nunca foi capaz de provar.

– E por acaso você pode? – replicou Ptolomeia nervosa, agitando seus tentáculos glutinosos.

Pedro notou que o assunto trazido até o centro daquela Bolha por Cosmo e os outros mexia com a paz de alguns dos presentes naquela conferência.

– Os Carbúnculos foram todos mortos e exterminados! – afirmou em tom de decreto um leão-marinho bem gordo e de presas pequenas. – A caça por suas pedras preciosas levou todos eles ao fim.

– Será mesmo? – indagou Cosmo. – E se, porventura, algum Carbúnculo acabou passando despercebido durante todos esses anos? E se, de repente, um deles se escondeu em galerias de cavernas por um longo período, a ponto de ser esquecido no tempo?

Faunim se remexeu ao lado de Pedro. Se mostrava temeroso diante do rumo que a conversa tomava.

– O que está insinuando, boto? Que um Carbúnculo ainda vive? Nos dias de hoje? – foi a vez de a tartaruga abrir o bico. O juiz não se conteve quando a história de Cosmo enveredou por esse caminho. – Seja mais claro, por favor, senhor Cosmo! – ordenou com a cabeça espichada, ao máximo, para fora de seu casco.

– Disseram que, durante a última temporada de seca, no momento em que os Ciprinos buscavam desesperados uma forma de resguardar todos os seus conhecimentos para a geração futura, um estranho lagarto apareceu com uma proposta irrecusável – contou o boto, aguçando a curiosidade de alguns e a indignação de outros.

Malasartes sentiu a água, que magicamente envolvia a todos, se agitar. Era como se, inconformadas com o que ouviam, as criaturas se ajeitassem tensas em seus lugares. E, pelo jeito, Cosmo ainda não se importava com as reações nervosas daquela reunião.

– O lagarto de grande porte parecia ter saído do fundo de uma velha caverna, à beira da lagoa onde esses Ciprinos moravam. Chamem de coincidência, se quiserem, mas aquela caverna era uma das moradas da monstruosa Alamoa. A última de suas moradas, para ser mais exato – continuou Cosmo sem intenção de frear suas palavras. – Após sua morte, a caverna ficou vazia. E aquele lagarto deve tê-la encontrado e feito dela sua habitação desde os tempos antigos.

– Um lagarto e uma proposta irrecusável? Isso não indica que estamos falando de um Carbúnculo – comentou a tartaruga juiz com pitadas de ironia.

– Não? – soltou o boto em desafio. – O estranho lagarto tinha uma pedra preciosa em sua testa – Cosmo foi categórico, e todos os peixes do recinto congelaram feito estátuas.

Um calafrio percorreu o corpo de Pedro Malasartes. Aquele nome, Carbúnculo. Agora tinha certeza. Era esse o assunto que o levara até ali. Mas ninguém abaixo da superfície sabia disso. Pedro tinha um grande desejo entocado no peito: o de se tornar rico! Sua juventude lá em terra firme sempre fora bem difícil. As finanças de sua família sempre beiraram o ridículo, na sua opinião, e, desde quando se entendeu por gente, continuamente precisou matar um leão por dia para sobreviver. Às vezes, tinha a feia mania de trapacear, de dar um jeitinho. Procurava constantemente uma maneira de garantir a sua parte em uma situação. E fora numa dessas tentativas frustradas que viera parar embaixo d'água.

Ali, no meio daquela reunião, diante de criaturas provindas de um mundo bem diferente do seu, Malasartes pensou por um momento em valores, dinheiro e riqueza. Esses, talvez, tenham sido os motivos principais que o haviam colocado em toda aquela enrascada no fundo do oceano. Desde que o chapéu branco aparecera boiando diante de seu bote furado, em nenhum instante Pedro havia parado para analisar o assunto, mas fora a vontade de conseguir riqueza que o levara a ser expulso de uma grande embarcação para ficar à deriva, em alto-mar, do jeitinho que o boto o encontrara.

Lembrou-se de quando ouviu um grupo de homens com chapéus idênticos ao de Cosmo comentando sobre uma pedra preciosa cravada na testa de um lagarto de nome esquisito. Parecia o nome de uma doença ou de algo pior. Carbúnculo. Sua memória guardou bem o instante em que escutou sobre a pedra. Que ela poderia valer milhões. Não pensou duas vezes ao se apresentar àqueles homens e mentir a respeito de saber o paradeiro exato da criatura com a joia cravada na testa. Foi tão convincente que os homens de chapéu acreditaram nele e o receberam na tripulação de sua embarcação. Após alguns dias, a mentira caiu por terra e os homens de chapéu o expulsaram do grande navio, deixando-o perdido e sozinho. Apenas com um bote furado, à própria sorte, em algum trecho de um mundaréu de água. No entanto, Cosmo apareceu e o tirou de lá. Será que o boto tinha mesmo razão quando falara, havia pouco, sobre não acreditar em acasos? Será que aquilo significava que o destino o estava colocando na rota daquele diamante precioso e da riqueza? Resolveu apurar os ouvidos, ficar atento às oportunidades que se apresentassem naquela reunião e mergulhar de cabeça assim que uma chance surgisse.

– O lagarto conversou com os Ciprinos sobre sua proposta – continuou Cosmo. – Contou a eles que a pedra cravada em sua testa era capaz de guardar o conhecimento desde as eras remotas do mundo. Que, dentro daquele diamante, havia informações a respeito do princípio de tudo – Malasartes arqueou as sobrancelhas enquanto Cosmo prosseguia com seu relato: – Comentou com os Ciprinos que sua carcaça, inclusive, já tinha sido muito cobiçada por conta da raridade daquela pedra. Quem estivesse de posse da joia seria detentor de um conhecimento infindável, com acesso às respostas para todas as perguntas. Das fundações do planeta até a própria vida – Pedro flagrou os olhos de algumas das criaturas presentes brilharem cobiçosos, com a possibilidade de ainda existir um ornamento como aquele dando sopa por aí. Procurou se conter, pois compartilhava do mesmo desejo daqueles seres subaquáticos. Queria aquela pedra para si. Queria todo o dinheiro que fosse possível conseguir com ela. E as informações novas que Cosmo contava, sobre a pedra guardar um grande conhecimento, só fazia com que o diamante valesse mais ainda. – O Carbúnculo contou aos Ciprinos que a cobiça atraía também aqueles que almejavam riqueza, já que a pedra era um imenso diamante de valor inestimável – mais calafrios castigaram Pedro Malasartes. Um misto de felicidade e ansiedade o invadiu. – A proposta do Carbúnculo era a seguinte – prosseguiu Cosmo: – Em sua joia, havia bastante espaço para novos conhecimentos. Disse a eles que compactuava com a causa do povo da lagoa, sendo assim poderia guardar, em sua gema preciosa, toda a informação que os Ciprinos tinham para passar a seus descendentes.

Descobertas, línguas e dialetos, valores, leis, respostas, conhecimento, cultura etc. A proposta não terminava aí. O grande lagarto se encarregaria de devolver todo esse conhecimento aos filhotes dos Ciprinos, assim que o período de seca terminasse. Ou seja, quando a próxima geração nascesse e voltasse a povoar a lagoa, o Carbúnculo seria a ponte entre aquela nova geração e todo o conhecimento adquirido pelos antepassados que tinham sucumbido às secas.

Malasartes apreciou o plano do lagarto. Achou sensato.

– É um gesto muito nobre para vir de um Carbúnculo – concluiu Naara com resquícios de suspeita. A sereia ainda tinha pernas aos olhos de Pedro.

– Exatamente – concordou Cosmo sem pestanejar. – Embora os Carbúnculos fossem conhecidos como seres puros, os relatos a respeito do caráter dos últimos Carbúnculos que viveram em terra falavam sobre criaturas que foram distorcidas pelo ódio e pelo desejo de vingança. É compreensível, não? Os Carbúnculos presenciaram a extinção de uma leva inteira de seres mitológicos de sua raça. Os sobreviventes tiveram que fugir e se esconder da cobiça. Principalmente dos humanos da Província, que caçavam Carbúnculos sem dó, para vender a pedra rara que tinham na testa – e Pedro se sentiu levemente envergonhado com o comentário. Até porque, alguns dos presentes se voltaram para ele, como se a sua presença representasse a cobiça provinciana. – Seria de admirar se esse Carbúnculo, que se ofereceu como guardião de todo o conhecimento dos Ciprinos, não fosse como um dos de sua espécie, distorcidos pelo massacre que abateu todos os seus familiares – analisou Cosmo, soltando uma breve lufada de ar antes de continuar. – Bom, a catástrofe da lagoa aconteceu. A seca tomou conta de todo o lugar, e aqueles Ciprinos... se foram. Não antes de organizarem uma cerimônia de passagem, onde puderam depositar e transferir para o interior da gema na testa do grande lagarto tudo o que haviam aprendido. Aquele Carbúnculo, finalmente, era agora o possuidor de todo o legado dos Ciprinos. Tudo o que eles sabiam e haviam conquistado descansava no núcleo de sua joia.

Naquele momento, os presentes olharam de um para o outro. Ponderavam o teor das informações que Cosmo lhes trazia.

– Após meses sem vida, a lagoa esperou pelo retorno das águas, assim como o próprio Carbúnculo, lá de dentro de uma das galerias da caverna – continuou o boto. – A água veio e, com ela, a vida. Dos ovos, uma nova sociedade de Ciprinos surgiu e, em vez de o lagarto gigante devolver o conhecimento como havia prometido aos antepassados daquele jovem povo, entregou-lhes apenas as informações que julgou necessárias.

Os peixes se agitaram com aquela parte da história, se é que era possível se agitarem mais. Mostraram-se preocupados e irritados com a atitude do lagarto.

– As informações que os novos Ciprinos receberam do Carbúnculo foram tão escassas e rasas, que eles acreditam que o lagarto, morador do fundo da caverna que há do lado de fora da lagoa deles, é uma divindade! Uma espécie de deus para seu povo. Vivem e agem em nome de um farsante.

– Ele os escravizou? – perguntou Naara indignada.

– Sim. Se tornou o imperador deles. Governa os Ciprinos do fundo da caverna a rédeas curtas – confirmou Cosmo. – Sob o medo e diante da ignorância, os Ciprinos não se reconhecem nem como Ciprinos. Nunca ouviram o termo. Se intitulam "o Povo das Nuvens". Pois, segundo o lagarto, eles são um povo que surgiu das gotas das chuvas. Uma sociedade que nasceu e caiu das nuvens para povoar a lagoa. E essa se tornou a crença deles.

Pedro entendeu que a criatura com a pedra preciosa na cabeça era má. Tão ruim ou pior que muitos vilões que entraram para a história por causa das barbaridades e atrocidades que cometeram. Seu assombro era compartilhado pelos demais seres presentes na Bolha.

– O ato do Carbúnculo está extinguindo um povo inteiro que já fez muito por nós. Foi negado aos Ciprinos o acesso ao conhecimento da história de sua própria espécie. E é por isso que convoquei esta reunião. Para que possamos unir forças, encontrar a antiga caverna da Alamoa e destronar esse Carbúnculo de lá – discursava Cosmo de maneira encorajadora, incitando os seres das águas a fazer justiça. – Para libertar nossos irmãos das garras desse imperador. Para que os Ciprinos possam recuperar o conhecimento de sua espécie e para que seus ancestrais não tenham vivido em vão – Cosmo passava segurança quando falava. Acreditava no que dizia. Pedro chegou a se emocionar com tamanha convicção. Não sabia se já tivera algum tipo de causa pela qual lutar como aquele boto tinha. – Eu e meus primos chamamos essa iniciativa de Missão Carbúnculo – anunciou Cosmo. E o silêncio voltou a tomar conta da Bolha toda.

A tartaruga juiz fez questão de quebrar o silêncio com um pigarro arrogante, após um longo tempo de reflexão coletiva.

– Missão Carbúnculo – repetiu a tartaruga de quatro toneladas. – E essa história que nos contou sobre os Ciprinos. O senhor fez todos nós colocarmos a barbatana na consciência por um povo que há muito não figura em nossas pautas aqui na Bolha – elucidou o juiz. Não era preciso muito esforço para identificar o sarcasmo e a descrença em suas palavras. – É claro que tais informações são bem preciosas. E algumas acusações também são bem sérias – enquanto o juiz continuava seu discurso, o único primo de Cosmo que ficara em silêncio até então pareceu vacilar. Seus joelhos tremiam e as feições humanas, desenhadas por Faunim, perdiam a cor. – Diga-nos, Cosmo, pode nos contar como foi que você teve acesso a essas informações? – questionou a tartaruga-marinha, buscando desacreditar o boto.

E muitos dos presentes movimentaram as barbatanas e as caudas. Pelo jeito, aquela pergunta também permeava o cérebro de todos e, caso não fosse bem respondida, poria fim a toda a seriedade do assunto e a história contada por Cosmo se tornaria não mais que um boato. Assim, poderiam voltar para a segunda parte da Festa no Céu e afogar todas as preocupações, levantadas pelo boto e seus primos, em uma taça daquele espumante cor-de-rosa.

Cosmo voltou a ser o centro das atenções na Bolha das Discussões e Decisões. Foi a primeira vez que Pedro pôde identificar apreensão no semblante do boto. Ele pensava antes de falar. Olhou para seus primos em busca de apoio. O da ponta, que tinha se mantido calado, baixou a cabeça. Estava nítido que não queria mais apoiar seus primos. Cosmo voltou-se para todos os presentes na reunião, deu um suspiro e se preparou para responder.

– Acham mesmo que essa é a pergunta certa a fazer? – indagou a sereia Naara antes que Cosmo se manifestasse. – Depois de ouvirmos tudo o que esse boto nos contou, é isso mesmo o que nos interessa? Em saber como ele conseguiu essas informações? – a sereia pareceu indignada. Até seus *dreads* e penduricalhos azuis balançavam frenéticos.

Pedro constatou que Naara era mesmo importante em razão da ausência de barulho que se seguiu. Nem um pio ou uma brisa ousou cruzar a Bolha àquela altura.

– Ora, sereia – iniciou a tartaruga –, todos nós sabemos que os Ciprinos se desligaram de nós. Não somos mais mundos conectados. Como é que o boto pôde ter acesso a essas informações? – questionou o juiz em tom de afronta, se tornando a voz de muitos naquele lugar.

– Sanur! – Naara chamou a tartaruga pelo nome. – Somos seres das águas. Não precisamos de provas. Somos um povo ligado pelos sentimentos. Não consegue sentir que há algo fora de lugar? – então ela colocou a mão sobre o peito. Virou-se para todos os presentes. – E vocês? Não conseguem? Não sentem que esse boto diz a verdade? Que há um pedaço de nós que está desaparecido? – ela falava de maneira firme e, ao mesmo tempo, como uma mãe que dá um puxão de orelha nos filhos. – Quando as primeiras Iaras fundaram este mundo, colocaram essa habilidade dentro de cada um de nós. É o que nos une – afirmou ela.

O silêncio foi mortal. Ninguém moveu um músculo de seus lustrosos, esguios e escamosos corpos. Apenas alguns crustáceos tilintaram suas pinças e antenas, mas foi só.

– Já fomos capazes disso! Éramos mais puros. Em outra época conseguíamos ouvir nós mesmos. Éramos uma coisa só – declarou Naara. – E ainda agimos com a petulância de achar que somos melhores que os provincianos? – e Pedro sentiu-se envergonhado pela segunda vez. – Olhem para dentro de vocês! – apelou ela. – Não está claro, no íntimo de cada um, que o boto diz a verdade? Que a intenção de Cosmo e de seus primos é genuína?

Malasartes notou, com certo espanto, que alguns peixes pareceram impactados pelo que Naara dissera. Desses, os que tinham pálpebras, ou membranas como os tubarões, fecharam os olhos buscando olhar dentro de si, como a sereia sugerira. As feições desses seres demonstravam que procuravam mesmo por algo. Como se vasculhassem o seu íntimo em busca de uma resposta.

– Está certo, Naara. Já fomos criaturas mais puras. Talvez os seres mais antigos, como as sereias, consigam se conectar à sua natureza mais primitiva com facilidade – rebateu Sanur, o juiz. E os peixes tornaram a abrir os olhos e manter o foco na reunião. – Já que somos um grande conselho reunido aqui hoje, pode nos dizer qual seria a pergunta que representaria todos nós?

– Posso! – afirmou Naara, decidida. Saiu de onde estava, deslizando até o centro da Bolha. Pedro pôde ver um rabo enorme de sua cintura para baixo. As pernas humanas haviam sumido. O rabo que havia em seu lugar era muito mais bonito que a descrição feita por Cosmo na festa. Era escuro, coberto por escamas pretas que mais pareciam a couraça de uma armadura medieval. Impulsionava a água mesclando força e suavidade ao deslocar Naara para a frente.

– Cosmo! – chamou ela olhando o boto nos olhos, e este buscou se manter firme. – O que queremos saber é como vocês pretendem cumprir a Missão Carbúnculo e como nós podemos ajudar – perguntou Naara. Pedro percebeu que, mencionado pelos lábios carnudos da sereia, o nome da missão soava mais oficial.

Cosmo disse algo bem baixinho antes de responder à questão. Foi algo que direcionou apenas para a sereia. Para ninguém mais. Foi bem rápido, mas Pedro conseguiu identificar. Em seu ofício, lá em terra firme, era necessário saber ler os lábios para se dar bem. O talento era derivado das jogatinas em que armava possibilidades mil, a fim de tirar vantagem. Alguém sempre lhe soprava as cartas de seus adversários. Assim, poderia prever a próxima jogada e garantir que, ao final da partida, as apostas da mesa terminariam em seu bolso. Portanto, leu os lábios de Cosmo com precisão. A mensagem que o boto sussurrou para a sereia foi "obrigado".

– Não sabemos como encontrar a caverna onde o Carbúnculo mora, muito menos a lagoa dos Ciprinos. Esses lugares estão, de fato, muito escondidos – respondeu o boto. – Pensamos apenas em um possível local por onde podemos começar a procurar. Quanto mais seres das águas ajudarem na busca, mais rápido encontraremos a caverna – muitos dos peixes presentes demonstravam precisar de mais respostas para se convencer a ajudar. – Sei que isso parece pouco, mas para que nossos esforços sejam mais eficazes, descobrimos também a existência de uma Zaori.

– Outro nome esquisito? – soltou Pedro, pensando em voz alta. Fingiu não ter dito nada quando a atenção dos peixes ao redor se voltou para ele.

— Para aqueles que não sabem, os Zaoris são um povo bem antigo — e Pedro notou que Cosmo, apesar de falar para todos, se dirigia especificamente a ele. — Os Zaoris são capazes de sentir a presença de coisas e pessoas valiosas. São atraídos por tesouros.

— Sim, sabemos quem são os Zaoris — comentou Bênu, claramente achando aquele um plano furado. — Mas, assim como os Carbúnculos, o povo Zaori também não existe mais.

— Existe, sim! — afirmou Faunim com veemência. O senhor de roxo resolveu participar ativamente da discussão. — Eu mesmo dei essa informação ao Cosmo. Conheci uma Zaori. Sei onde ela mora e acredito que ela possa ajudar a encontrar a joia.

Faunim também era respeitado entre os seres aquáticos. Sua observação foi levada em consideração e deu mais peso à causa de Cosmo.

— Temos uma lei aqui embaixo e ela é bem clara! Não podemos interferir nas coisas que acontecem lá em cima — lembrou Ptolomeia, representando as lulas-gigantes. — É um mundo que segue suas próprias regras.

— Sabemos disso. Pedi a Faunim que desenhasse corpos humanos, mais duradouros que os que costuma fazer para as festas, para que nós quatro passemos despercebidos pelos provincianos — revelou Cosmo.

E Pedro pôde perceber que a versão humana feita pelo pintor era impecável. Cosmo e seus primos eram pessoas perfeitas. Naara e Faunim mostravam-se satisfeitos com o argumento do boto.

— Mas, ainda assim, infringe as regras — pregou Sanur insistente. — O Carbúnculo, se é que ele existe e fez tudo o que foi mencionado aqui hoje, ainda é considerado um ser do mundo terrestre. Um provinciano. Ele não é um de nós — a tartaruga mostrava suas ressalvas, impelida a acabar de vez com o plano de Cosmo.

— Ele fez criaturas das águas como reféns — alegou o boto, indignado, não acreditando que suas informações não bastassem para receber o apoio do conselho. — Não podemos deixar o Carbúnculo impune. Precisamos fazer alguma coisa!

— Deixa eu ver se entendi — disse o pontiagudo Bênu, senhor dos cavalos-marinhos. Suas palavras saíam pela boca longa, em formato de canudo. — O plano de vocês, para chegar até o Carbúnculo, é contatar uma Zaori, para que ela localize o diamante, a joia, já que se trata de uma pedra preciosa. Assim vão encontrar a caverna do Carbúnculo, correto?

– Sim – respondeu um dos primos de Cosmo, com a mesma convicção do boto.

– E o que farão depois que chegarem à caverna onde ele mora? Por acaso sabem quão impossível é derrotar um Carbúnculo? – os espinhos do cavalo-marinho se avermelhavam aos poucos. O atrevimento de Cosmo e dos outros o irritava profundamente. – O Carbúnculo é um ser mitológico! – vociferou Bênu com o humor alterado. – Viveu e enfrentou muita coisa. Se esse, em especial, está vivo até hoje, é porque encontrou maneiras de sobreviver – enquanto Bênu falava, uma sombra tomou conta do semblante de cada um dos seres presentes na Bolha. – Os Carbúnculos, quando queriam, eram o terror em forma física. Um pesadelo real. Já foram chamados de vários nomes. Teiniaguá era um deles. Nomes temidos em outras eras. Não pensem que será diferente quando o encontrarem. Se é que ele existe! – alfinetou Bênu. – Os relatos contam que aqueles que ousam enfrentar um Carbúnculo recebem uma maldição. Sabiam disso? – e o cavalo-marinho arregalou os olhos de maneira tresloucada. A apreensão se fez presente em cada um dos membros do conselho. – Naara comentou sobre "sentir" – continuou ele –, as sereias têm mais facilidade para isso, talvez por serem mesmo seres antigos. Com uma genealogia mais próxima das Iaras do princípio. Pois bem, o Carbúnculo é mais antigo ainda! Dizem que o Teiniaguá pode sentir a intenção de outros seres. Que, quando alguém simplesmente pensa em atacá-lo, é amaldiçoado! – as pequenas barbatanas do cavalo-marinho se moviam com rapidez, indicando um nível elevado de estresse. Bênu se dirigiu a Cosmo: – Só o fato de estar convocando esta reunião, meu jovem, pode estar colocando todos nós sob a mira da maldição de um Carbúnculo.

– Isso quer dizer que não terei o apoio dos cavalos-marinhos nessa missão? – indagou Cosmo, sendo direto e fazendo frente ao desvario apresentado por Bênu, que recebeu a pergunta como um tapa em seu raciocínio. Enfezado, seu rabo se enrolou como um caracol e o clima dentro da Bolha ficou para lá de tenso.

– Senhor juiz – iniciou o senhor dos cavalos-marinhos, dirigindo-se a Sanur e buscando manter o controle –, não acredito, de maneira nenhuma, no sucesso dessa missão. Muito menos confio que essas informações tenham algum fundamento válido. De qualquer forma, não acho que devemos colocar outras criaturas em risco por um povo que se isolou de nós e que não se considera mais parte do nosso mundo – decretou o cavalo-marinho.

– Concordo com Bênu – manifestou-se a regente das lulas-gigantes. – Se o que eu ouvi aqui hoje for verdadeiro, sugiro que consideremos os Ciprinos um povo perdido. Um povo que já se foi. O que, de uma forma ou de outra, não deixa de ser verdade.

– O quê? – questionou, revoltado, o segundo dos primos de Cosmo. – Mas eles são nossos irmãos. São criaturas das águas, como nós!

Malasartes notou que outros compartilhavam da mesma opinião de Bênu e de Ptolomeia. A ariranha ao lado do hipocampo, a enguia de aparência assustadora, o peixe listrado ranzinza, o leão-marinho de presas pequenas e o cardume de peixes espichados e prateados.

– Portanto, Cosmo – advertiu o juiz –, a sua insistência e a de seus primos nessa missão significarão uma quebra em nosso código. Se optarem por dar sequência a essa missão, estarão infringindo uma de nossas leis e receio que poderão ser considerados criminosos – concluiu ele, intimidador.

O primo mais calado do boto finalmente abriu a boca, não melhorando em nada a situação de seus parentes.

– Eu disse que... que isso não ia dar c-certo – gaguejou ele. – Sinto muito, meus primos! Mas estou f-fora da missão! – assim que terminou de falar, transformou-se em um golfinho acinzentado e de nariz pontudo, descartando o corpo desenhado por Faunim. Bateu a cauda e nadou direto para uma extremidade da Bolha. Atravessou a parede fina e desapareceu, abandonando a reunião.

– O primo de vocês tomou a decisão certa – considerou Sanur. – Desistam agora mesmo dessa missão e conformem-se com o inevitável. É o melhor a fazer para que a situação de vocês não piore – o aviso do juiz soou claramente intimidador. – O mundo subaquático não necessita de perturbações – concluiu ele.

– Então essa será a nossa atitude? – indagou novamente uma Naara contestadora. – Vamos repetir o mesmo erro que cometemos no passado? Quando os Ciprinos precisam de nós, viramos as costas? Não foi assim que as primeiras Iaras nos ensinaram.

Saara, a sereia de dourado, saiu de onde estava e flutuou até Naara. Um longo rabo de escamas rajadas em dourado a impulsionava.

– É em situações como esta que os vilões ganham força – declarou ela de maneira serena, ganhando a atenção de todos e apaziguando os ânimos dentro da Bolha. – Se observarem a nossa história, toda vez que deixamos a coragem escapulir de nossos dedos em uma situação na qual era preciso ser forte, o mal ganhou espaço para trabalhar. Em diversas ocasiões agimos tarde demais e guerras foram travadas. Conseguimos vencer, é verdade. Mas a que preço? – seus *dreads* salpicados de ouro retiniam. Certa nobreza emanava das duas sereias. – Quantos de nós tiveram que pagar com a vida por nossas decisões covardes de não intervir quando era preciso? – a sereia dourada impunha respeito e demonstrava sabedoria. Chamava todos os presentes à razão. Alfinetava, sim, mas com certa classe.

Pedro se lembrou do relato sobre o deserto do Saara. Um grande pedaço de chão seco que um dia já fora um imenso oceano. Cosmo tinha falado que o lugar tornara-se árido durante uma guerra. Fez questão de olhar ao redor e observar as tantas criaturas diferentes que, juntas, compunham aquela assembleia. Retomou a primeira visão de quando saiu do quarto-concha. Em que se deparou com uma cidade subaquática instalada em um recife de corais coloridos. Naquela hora, presenciou a vida em movimento. Pensou em quantas criaturas, como aquelas ali presentes, haviam perdido a vida quando a guerra transformou seus lares em deserto. Malasartes ficou inconformado quando o juiz Sanur distorceu a mensagem que a sereia Saara passava aos demais. A tartaruga disse que, de um caso como aquele relatado por Cosmo, nunca nasceria um novo inimigo como os do passado. Que, se o Carbúnculo fosse real, tratava-se apenas de um acontecimento isolado. Que todos deviam se aborrecer com Saara, pois ela se referira aos presentes como covardes.

Ele assistiu a tudo, incrédulo. A tal reunião importante sobre a qual Cosmo vinha comentando tinha se transformado em uma catástrofe. Uma parte de Malasartes sentia pena de Cosmo e dos outros. Para ele, o correto seria, sim, ajudar o povo da lagoa, mesmo correndo o risco de ser amaldiçoado pela criatura que vivia nas galerias de uma caverna. Mas havia algo dentro de Pedro que pulsava mais forte. Por um breve instante, enquanto tudo na Bolha era confusão, Pedro mergulhou dentro de si. Foi averiguar que parte era essa que pulsava. Era uma parte específica que só mirava uma coisa. A joia! Ponderou se aquilo não o tornava tão corrupto quanto passou a acreditar que aquele juiz tartaruga era. Mas a coisa pulsava. Independentemente do que ele pensasse. Era a voz de sua vontade mais íntima. Do que tinha ouvido na reunião, aquela poderia se tornar uma chance de deixá-lo rico. De atender sua vontade. Seria mesmo tão ruim pensar desse modo? E se, de repente, ele pudesse se aliar a Cosmo nessa jornada e partir atrás da gema preciosa? Estaria ajudando o boto a alcançar seus objetivos, certo? Era o lado bom daquilo tudo, não?

Malasartes se calçou de argumentos que julgou serem, de certa forma, corretos e passou a crer definitivamente na ideia de Cosmo. De não existir acaso. Era muita coincidência estar atrás da valiosa pedra pouco antes de conhecer o boto. Fora jogado em um bote em alto-mar e, do nada, voltara para a trilha do diamante do Carbúnculo? Em sua cabeça, mais parecia que o destino tinha se desviado do caminho e agora tratava de encontrar uma forma de corrigir a rota.

– Cosmo, sou o juiz! Fui escolhido para representar a opinião de todos. Veja como é grande o número de criaturas que optam por não apoiar sua causa. Isso significa que a missão foi abortada. Não haverá jornada alguma em busca do Carbúnculo. Qualquer um que decidir apoiá-lo será considerado cúmplice no não cumprimento de nossas leis, portanto, um criminoso – declarou a tartaruga.

– Eu vou com eles! Eu apoio a causa de Cosmo – soou a voz de um humano em meio à confusão.

Depois de todo o caos, todos queriam ver quem ainda tinha coragem de apoiar o boto e seus primos. Era Pedro Malasartes, que saiu de onde estava e se uniu a Cosmo, seus primos e as sereias no centro da Bolha.

– Eu vou com eles! – repetiu num alto brado para que ficasse bem claro. Cosmo olhou-o admirado por sua atitude. Pedro imaginou que, por trás do semblante humanoide do boto, Cosmo talvez estivesse enxergando o destino movendo suas peças.

– Então será considerado criminoso, assim como todos os outros – determinou o juiz.

– Não, não serei – rebateu Pedro. – Não considero a autoridade de vocês sobre mim. Sou, como vocês dizem, um provinciano. Venho lá da terra firme – apontou com o indicador para o alto. – Acabei de ouvir de vocês que não podem interferir nas coisas da Província, não é mesmo? Não posso ser julgado pelas leis das criaturas das águas – voltou-se na surdina para Cosmo e sussurrou: – Não posso, certo?

Sanur pareceu ter mordido a própria língua ou ingerido algo difícil de engolir. Naquele tumulto, o provinciano pareceu ter razão.

– Não devia estar aqui, nesta reunião, para começo de conversa – recriminou a tartaruga de maneira ameaçadora.

Foi a vez de Cosmo apoiar Pedro.

– Eu convoquei a reunião e tenho total direito de convidar quem eu bem entender para me acompanhar – replicou Cosmo. – Convidei o pintor Faunim por ser um aliado dessa missão e convidei o provinciano Pedro Malasartes pois...

– Pois só eu sei como encontrar a antiga caverna da Alamoa. O buraco onde mora o Carbúnculo – mentiu Pedro para todo o conselho. Não contente com uma mentira, abriu a boca e despejou um pouco mais. – E me proponho a levar Cosmo e seus primos até a porta da habitação dessa criatura – o boto o observou de canto de olho, surpreso. O cérebro de Malasartes conflitava dentro do crânio. A parte que formulava as mentiras debatia-se severamente com pensamentos como: "O que pensa que está fazendo?", "A mentira já te levou a algum lugar que preste antes?". Mas não adiantava. O que fora dito, dito estava. E o que fora feito, feito estava. O jeito era estufar o peito e seguir adiante, de braço dado com a nova perspectiva.

– Você sabendo ou não o paradeiro do Carbúnculo, eu sou o representante deste conselho – ressoou, mais uma vez, a voz imponente do juiz. – Portanto, sou a voz que fala por todos. Declaro a Missão Carbúnculo um crime contra nossos princípios e determino o fim da Bolha das Discussões e Decisões – e fez sinal para uma tartaruga-marinha de porte menor, que se aproximou carregando um tipo de martelo. Bateu com a ferramenta no grande casco de Sanur, produzindo um som grave que estremeceu toda a parede interna da Bolha, estourando-a como se estoura uma bolha de sabão.

Alguns peixes arquitetos, que desenhavam círculos pelo chão, bases para sua próxima construção, se assustaram quando a Bolha se desfez. Lá fora estava calmo, bem diferente do que se passava no interior da Bolha instantes antes. Com o estourar das paredes finas, o conselho já fazia parte do mundo subaquático novamente. Ainda assim, o juiz continuou:

– Quanto ao provinciano recém-chegado a nossos domínios, ordeno que seja expulso imediatamente do mundo das águas!

Cosmo e os primos assumiram a dianteira de Pedro em sinal de proteção e o gesto foi interpretado como uma afronta à decisão do juiz. Sanur, ensandecido, se voltou para as luzes fracionadas que flutuavam acima de todos.

– Galafuzes! – chamou a tartaruga-marinha com voz de comando. – Prendam Cosmo e seus primos e devolvam esse provinciano à superfície!

E, como se a confusão ainda não tivesse atingido o seu ápice, Naara interveio com ferocidade.

– Os Galafuzes respondem a mim e é da minha vontade que não ajam mais de acordo com as suas ordens – a sereia afrontou uma ordem direta do juiz e impediu o seu cumprimento. Foi quando o rebuliço tomou forma de vez. – Ninguém será preso hoje e muito menos expulso! – proclamou Naara, segura de sua autoridade.

Capítulo 5
Escapada
para a Superfície

O fundo do mar estava revolto.

E não era por menos. Naara, uma descendente das Iaras, tinha interferido em uma ordem direta de Sanur, o juiz da Bolha, por discordar de suas decisões baseadas nas discussões sobre uma missão em prol dos Ciprinos. E, por isso, ele estava furioso.

– Bênu! – chamou Sanur. – Já que os Galafuzes não estão mais disponíveis, podemos contar com os cavalos-marinhos e os hipocampos?

O grande cavalo dos mares não levou nem dois segundos para atender à solicitação do juiz. Ansiava por aquele momento. Com um assobio agudo, fez com que meia dúzia de cavalos metade peixes surgisse entre eles. Eram os hipocampos. Sobre o lombo daqueles seres fantásticos, cavalos-marinhos, com capacetes próprios para suas cabeças pontudas, faziam montaria. Seus rabos enrolavam-se como correias apertadas na barriga dos hipocampos.

Assim que partiram na direção de Cosmo, de Pedro e dos outros, uma parede luminosa com diversas cores surgiu diante de todos. Um extenso obstáculo multicolorido e reluzente se materializou como um escudo protetor. Naara ordenou que seus Galafuzes impedissem o ataque, portanto eles construíram uma parede sólida entre os guardas de Bênu e os outros. Pedro nunca esqueceria a visão impressionante que registrou na mente. Relampeou embaixo d'água! O estrondo que se deu, com o choque da força dos hipocampos e a energia do muro formado pelos Galafuzes, retumbou feito trovão, rasgando as estruturas do mundo subaquático. Todos os presentes sentiram o impacto. Luzes de diversas cores se intensificaram em um estouro que empurrou criaturas de todos os tamanhos para direções diversas.

– Está na hora de vocês partirem! Se dirijam à superfície o mais rápido que puderem – recomendou Saara, abanando sua longa cauda dourada e partindo para somar forças à prima mais nova, Naara.

Os golfinhos, revestidos da forma humana, após escutarem a recomendação da sereia dourada, não perderam tempo. Agarraram o braço do assustado e boquiaberto Pedro Malasartes. Ao mesmo tempo, Cosmo segurou o braço do pintor Faunim.

– Antes, precisam passar em meu ateliê. É importante! – recomendou o pintor.

Um emaranhado labiríntico de bolhas se seguiu. Pedro suspeitou temeroso o que viria depois. Não deu outra, logo se sentiu sufocado. Era o mesmo procedimento que o boto utilizara para levar Pedro até as profundezas. Pelo que entendeu, o processo se chamava Travessia. Uma das piores experiências que já tivera na vida. As mãos fortes dos primos do boto conduziam Malasartes pela confusão de bolhas. Sentiu que desmaiaria, caso aquele tormento continuasse. A sensação era como a que se experimenta quando a pressão cai, misturada a uma falta de ar e um peso pressionando o tórax. Pedro não resistiria. Sabia que não. Sua visão turvou de leve quando sentiu as mãos de um dos primos largar seu braço esquerdo. Foi mais como se o golfinho em forma humana fosse obrigado a soltar, como se tivesse sido puxado por algo mais forte. Algo que não fora capaz de suportar.

A Travessia não durou muito tempo. Logo as bolhas se dissiparam e Pedro pisou o chão aliviado, mas cambaleou com as pernas moles. Estavam em um quarto-concha, como aquele em que tinha acordado antes, a diferença era que este estava cheio de telas e pinturas incompletas. Inacabadas. Só podia ser o ateliê de Faunim.

– Tenho algo aqui que vai ajudar na missão de vocês – anunciou Faunim surgindo no ateliê ao lado de Cosmo.

– Onde está o meu irmão? – questionou o primo de Cosmo que restava, percebendo o sumiço do outro golfinho. – Oh, não! Eles o pegaram durante a Travessia! – concluiu antes que alguém lhe desse uma resposta.

– Ptolomeia! – acusou Cosmo. – A regente das lulas-gigantes deve estar vigiando todas as viagens subaquáticas.

Fora por isso que o primo de Cosmo soltara seu braço durante a Travessia?, perguntou a si mesmo Pedro, imaginando tentáculos fortes, salpicados de ventosas, arrancando o golfinho do rodamoinho de bolhas.

Faunim correu até um canto, onde uma porção de telas e pincéis se amontoavam desordenadamente. Uma tela grande apresentava uma enorme caravela rebuscada. Exibia a pintura de uma antiga embarcação. A obra parecia recém-terminada. Por um instante, Malasartes pensou reconhecer aquela pintura de algum lugar. Mas o pintor a cobriu rápido, como se não quisesse que alguém visse o quadro.

– Preciso que escutem, depressa! – começou o senhor de vestes roxas, que tropeçava em suas próprias palavras. – É sobre a Zaori – continuou, enquanto procurava alguma coisa na bagunça de seu ateliê. – Precisam ter cuidado com ela. Essa Zaori não é uma boa pessoa. Não vai ser fácil convencê-la a ajudar vocês em sua jornada. Tem mais uma coisa. Não sei se notaram, mas os botos originais não estavam presentes na reunião de hoje – e Cosmo arqueou as sobrancelhas humanoides. – Sei da sua admiração pelos botos originais, Cosmo.

– Eles sempre foram influentes na Bolha das Discussões e Decisões – comentou o boto, driblando o assunto a respeito de sua admiração. – Por que não estavam presentes? – quis saber Cosmo.

– Você não é o primeiro boto que, nos últimos dias, surgiu com uma história sobre joias preciosas – confessou Faunim.

Pedro já se sentia melhor dos efeitos causados pela Travessia. A tontura abandonou o seu corpo mais rápido que da última vez.

– Humbertolomeu também contrariou ordens expressas do juiz e conseguiu convencer grande parte dos botos originais a ir com ele para a superfície, atrás de um diamante misterioso – revelou Faunim.

– Humbertolomeu? Você tem certeza disso? – questionou Cosmo surpreso, e Faunim assentiu com a cabeça.

– Quem é Humbertolomeu? – quis saber Pedro, mas, no meio da confusão e da pressa, sua pergunta foi ignorada.

– Mas para que ele quer a pedra? – perguntou o primo do boto.

– Ele veio com a história de que o diamante seria capaz de desfazer a maldição dos botos – respondeu Faunim.

– Maldição dos botos? – repetiu Malasartes. Por uma abertura na concha, que servia como janela, Pedro viu sombras se aproximando.

– A jornada de vocês mal começou e já estão correndo contra o tempo – disse Faunim, reparando nas mesmas sombras que Pedro avistara.

– O que quer dizer com isso? – questionou Cosmo.

– Meu jovem – Faunim lançou-lhe o olhar paternal de outrora e pousou as mãos nos ombros do boto –, você sabe o carinho que tenho por Humbertolomeu. Foi ele quem me acudiu quando precisei de asilo, logo que minha embarcação afundou. Foi ele quem brigou por mim e garantiu minha estada por aqui, no mundo subaquático, enquanto um rei vingativo me caçava por toda a terra firme – uma lágrima de culpa rolou pelo rosto de Faunim. – Desculpe, Cosmo. Eu disse a ele sobre a Zaori – confessou o Pavão Misterioso, soltando Cosmo e voltando à bagunça do ateliê. – Vocês precisam chegar até a Zaori e pegar a joia antes de Humbertolomeu. Receio que, se ele conseguir usar o diamante para dar cabo de sua maldição, não vai sobrar pedaço suficiente para devolver o conhecimento aos Ciprinos – Faunim, agora, desdobrava um grande desenho que havia encontrado na bagunça.

Não houve tempo para pensar no próximo passo. As sombras que se agitavam do lado de fora da janela alcançaram a entrada do ateliê. As portas do quarto-concha quase foram arrancadas do batente com uma batida violenta. Os cavalos-marinhos de Bênu já estavam em seu encalço.

– Eu vou segurá-los! – decidiu o último dos primos do boto. A porta arrebentou e dois hipocampos adentraram o ateliê pateando tudo pela frente a mando dos cavalos-marinhos que os montavam. O primo que sobrara se transformou em golfinho e partiu para cima de ambas as ameaças, não deixando espaço para despedidas. Cosmo assistiu pesaroso o golfinho sumir com os hipocampos em uma briga feroz e injusta, seu primo ainda gritou, antes de desaparecer com os adversários pelo batente do quarto-concha. – Não deixem de completar a missão!

Cosmo já se prontificava a ir acudir o primo, mas Faunim o deteve. Estava pálido como uma tela virgem que anseia pela tinta.

– Receio que, daqui por diante, é com vocês dois! – concluiu o pintor. Cosmo e Pedro entreolharam-se temerosos.

Faunim terminou de desdobrar um papel grande com um desenho que o pintor tirou daquela bagunça. Malasartes reparou que havia soldados humanos, de uma época antiga, retratados na imagem. Estavam pintados de maneira realista.

– Soldados do rei! Do jeitinho que me lembro deles – contou o pintor. – Por muito tempo, escapuli desses guardas. Graças às criaturas das águas, posso dizer que vivi muito bem até hoje – e ele colocou o papel no chão quando um dos hipocampos reapareceu à porta do ateliê. Pelo jeito, o primo de Cosmo tinha sucumbido à força dos capangas de Bênu. – Guardei esse desenho para momentos como este. É bom ser prevenido. Esta é mais uma de minhas peripécias, Cosmo. Não posso apenas fazer coisas se transformarem em outras. Posso criá-las também! – e, do papel estendido no chão, dez soldados ganharam vida e se levantaram. Eram soldados de carne e osso, que partiram para cima do hipocampo restante como se seguissem, mais uma vez, ordens severas de um rei vingativo.

Pedro se preparava para outra Travessia, pois Cosmo já o segurava forte pelo braço.

– Isso é para você, Cosmo. Vai ajudar em sua missão – Faunim aproveitou os segundos que tinha ganho com os soldados de tinta. – Só poderá usá-lo uma vez – e Malasartes viu o senhor de roxo entregar um pincel a Cosmo. – Eu o chamo de "pincel de um desenho só", porque é isso mesmo que ele é. Faça como Naara sempre diz. Sinta! Tenho certeza de que saberá a hora certa de usar esse pincel – e deu-lhe uma piscadela.

Os últimos soldados desenhados por Faunim foram liquidados com maestria pelo hipocampo. E o cavalo-sereia já trotava na direção de Cosmo, Pedro e Faunim.

– Corram! Saiam logo daqui. Que a sorte acompanhe vocês pelo caminho – estas foram as últimas palavras ditas por Faunim.

Cosmo apertou o braço de Pedro com mais intensidade. Não havia mais tempo a perder ali no ateliê. Era chegada a hora de partir e deixar aquele mundo para trás. Malasartes não estava pronto, mesmo assim, tudo ficou turvo. As bolhas vieram e carregaram os dois por um intrincado tubo d'água.

Algo viscoso e muito forte puxou a perna esquerda de Malasartes. Algo que queria evitar sua fuga a todo custo. Pedro notou que era a mesma coisa que tinha puxado o outro primo de Cosmo antes de alcançarem o ateliê de Faunim, um braço cheio de ventosas envolto em sua canela. Era Ptolomeia, a regente das lulas-gigantes. Por sorte, o tentáculo que o segurava, depois de algum tempo, soltou-o. Não conseguiu retirá-lo da Travessia. Em meio a um enjoo sem igual, Pedro sentiu que Cosmo enfrentava dificuldades ao seu lado.

– O que houve? – tentou gritar, mas foi como fazê-lo embaixo d'água. O som não saiu.

No entanto, o boto respondeu:

– A água. Posso sentir a água salgada. Estão tentando nos deter. Não posso lidar com água salgada.

Pedro se lembrou de que Cosmo era um boto. Vivia em água doce, mas agora parecia sentir a ação da água do mar. Possivelmente estivera sob algum tipo de proteção contra a água salgada até aquele momento, por conta da reunião. Proteção que, agora, parecia estar sendo removida.

E Cosmo, em um último esforço para tirá-los do perigo, se transformou. Pedro viu não mais um humano como companheiro de Travessia. Vislumbrou um golfinho de coloração rósea que batia a cauda com força extrema em meio ao turbilhão que os envolvia. Malasartes prendeu-se em suas barbatanas o mais firme que pôde. Os nós de seus dedos esbranquiçaram-se. Perdia suas energias e sentia que apagaria a qualquer instante.

– Não posso desmaiar agora! Não posso desmaiar agora! – repetia para si mesmo. – Não posso desmaiar agora!

As paredes tubulares do turbilhão passavam muito depressa por ele. Sentia-se um foguete disparado em direção ao céu. Uma cintilância vinha do alto. Parecia um feixe brilhante de esperança. A dupla se aproximava da luz a cada milésimo de segundo com uma velocidade que aumentava gradativamente. Cosmo passou a gemer e depois a gritar. A expressão do animal rosa era de pura dor. As mãos de Malasartes escorregavam. Dedo após dedo se soltava das barbatanas cor-de-rosa do amigo. Olhou para a luminosidade do alto, como se pedisse ajuda.

O clarão se aproximava cada vez mais. E era diferente das luzes que existiam no mundo lá embaixo. Não lembrava em nada os peixes luz. Para Pedro, aquele clarão era familiar. Era o sol! E, como num tobogã asfixiante, munidos da sorte e da fé dos poucos que os apoiavam em sua missão, o boto e o provinciano escorregaram para longe de todo o caos, rumo à superfície.

Capítulo 6
Isquelê

O ar é de verdade!

Eis a primeira constatação de Pedro, logo após encher seus pulmões com vontade. Lembrou-se da luz do sol que se aproximava, lembrou-se também da escapada desesperada. De tudo o que vira e ouvira naquele mundo submarino, desde o naufrágio de seu bote.

Não ousou se enganar dizendo para si mesmo que tudo não passara de sonho. Cada poro do seu corpo sabia que era verdade. E, caso seus poros não soubessem o suficiente, aquela pérola negra que quase quebrara seus dentes em uma mordida lá na Festa no Céu continuava em seu bolso, para provar de vez que tudo não fora sonho algum.

Levantou-se com esforço. Parecia grudado em um solo lamacento. Estava mesmo de volta à superfície. Estranhou o fato de acordar à beira de um rio, pois a água do rio é doce. Jurava que sairia da Travessia em uma praia, já que a reunião tinha ocorrido no fundo do mar.

Sede! Foi sua segunda constatação. Os últimos instantes da viagem subaquática ainda figuravam na mente e traziam um gosto de sal na boca. A sede fez Malasartes se sentir ressequido por dentro. Andou vagaroso até a margem. Pretendia se hidratar com a água do rio em uma só golada.

– Não toque na água! – ordenou Cosmo, assustando-o.

E Pedro fez-se de estátua no mesmo instante.

– Estamos sendo procurados – avisou o boto. – Tocar na água é uma maneira de avisar para eles a nossa localização – no mesmo instante, Pedro recuou uns três passos da margem. Não queria ver Sanur, Bênu e Ptolomeia emergindo do rio de maneira alguma.

A terceira constatação de Pedro foi perceber que o amigo estava esgotado. Mesmo a pintura de ser humano mais perfeita não foi capaz de esconder o efeito que a última viagem subaquática causara em Cosmo.

– Não quer descansar, Cosmo? Parece bem abatido – sugeriu Pedro.

– Já descansamos bastante – respondeu ele. – É melhor seguirmos viagem. Estamos nessa margem há algumas horas.

– Algumas horas?

– Sim. Você desmaiou e apagou de vez. Se pareço cansado, precisa ver você! – respondeu Cosmo.

E Pedro desejou ter um espelho para ver se o que o boto falava era verdade. Estava cansado, sim, mas não se sentia em tão mau estado quanto Cosmo aparentava estar. A não ser que a água salgada tivesse o efeito de borrar os desenhos de Faunim, pois o rosto de Cosmo estava amarrotado. Pensou em dar uma olhadela em seu próprio reflexo na beira do rio. Mas, segundo Cosmo, estavam sendo procurados e a água seria um meio de delatá-los; por esse motivo, desistiu.

Então era isso. Após uma reunião cujo objetivo era conseguir aliados para destronar a criatura que se tornara o rude imperador de uma sociedade de peixes indefesa, no final das contas a missão coubera apenas ao boto, que convocara a reunião, e a Pedro Malasartes, o humano que caíra de gaiato naquela história toda. Graças àqueles dois indivíduos, a Missão Carbúnculo ainda se mantinha ativa.

Cosmo e Pedro se afastaram da margem, não queriam correr riscos. Seguiram para o interior de uma floresta, enquanto o sol se deitava por trás de uma cadeia de montanhas no horizonte, avermelhando as nuvens no poente e permitindo que a noite se aconchegasse vagarosa entre eles e o bosque.

– Por que disse aquilo na reunião? Não precisava apoiar esta missão, Pedro. Não tem responsabilidade nenhuma comigo ou com os Ciprinos – disse-lhe o boto, após um período em silêncio, no qual apenas desbravaram a mata. O silêncio foi uma forma de recuperarem as energias.

A imagem de um diamante extremamente brilhante e valioso apareceu na cabeça de Malasartes. Tentou pensar em outra coisa depressa. Não queria que Cosmo soubesse de sua vontade com relação à pedra. Ao menos, não ainda.

– Senti que podia ajudar. Eu me identifiquei com esses caras. Os Ciprinos. Somos, de certa forma, parecidos. Vivemos sozinhos e nos viramos com o que temos – Pedro foi convincente. – Aliás, já seguiríamos para caminhos parecidos mesmo. Você não prometeu que ia me dar uma carona para a superfície assim que a reunião terminasse? Pois então. Veja pelo lado bom. Você cumpriu sua promessa.

– É, mas eu estou falando de enfrentar um Carbúnculo. Convoquei a reunião na Bolha das Discussões e Decisões porque precisamos de um exército inteiro para combater uma criatura como essa – concluiu Cosmo.

Pedro se deu um tempo para pensar melhor no que o boto dizia. Valeria mesmo a pena se arriscar e seguir adiante?

– Escuta, Cosmo – começou ele –, eu não tenho nada a perder, meu amigo. Como eu disse, veja pelo lado bom. Você ganhou um aliado nessa jornada. Sei que não sou muita coisa, mas "dois" ainda é melhor que "um", não? – e foi a vez de Cosmo pensar quieto.

– Então aquilo que você disse lá no conselho é falso? Sobre saber como chegar à caverna onde habita o Carbúnculo? – indagou Cosmo.

– Bom, eu...

– Tudo bem. Agradeço o que fez. Foi nobre. Não vou negar que qualquer ajuda é muito bem-vinda em meu caminho, mas acho que você vai se arrepender da decisão de vir comigo – falou o boto com sinceridade.

Avançaram por mais um tempo pisando naquele chão lamacento. Pedro era alto e, com um corpo nada atlético, vinha engordando um bocado nos últimos tempos. Uma pequena saliência já aparecia acima de sua cintura, consequentemente ter uma barriga daquelas já era suficiente para dificultar manter o equilíbrio no piso lodoso. Seus cabelos eram curtos e enrolados em cachinhos. O caramelo, que tingia seus cabelos, se destacava entre os filetes de barro duro que já lhe manchavam a cabeça. Os dois, Pedro e Cosmo, estavam bem sujos. Cada passada na lama espirrava barro para tudo o que era lado.

– Quem é aquele outro boto? Aquele que Faunim comentou estar atrás da joia também – perguntou Pedro, desviando o assunto da conversa. Queria saber mais sobre sua *concorrência*.

– Humbertolomeu. Um dos botos originais – respondeu Cosmo. – Não é só isso. Ele é da linhagem dos botos rei! – relatou Cosmo. – Sabe? Eu sempre quis ser como os botos originais. São livres para vagar de um mundo para o outro.

– Como assim livres?

– No início, existiam duas espécies vigorosas que progrediam nas descobertas, cresciam em inteligência e se organizavam muito bem em sociedade. Então, alguns botos foram agraciados com uma bênção. Seriam capazes de se transformar em seres humanos e, em certa época do ano, enquanto estivessem travestidos de pessoas, visitariam os provincianos verdadeiros. Dessa forma, passavam para vocês muito do que aprendíamos lá embaixo d'água e, em contrapartida, esses botos levavam para casa muito do que vocês, provincianos, haviam descoberto. Assim, as duas espécies amadureciam juntas. Em paralelo. Um povo na terra e outro na água. Os botos originais eram uma ligação entre o seu povo e o nosso.

– Uau! – exclamou Pedro.

– Por muitas eras, isso funcionou, até a cobiça dos humanos falar mais alto – e Pedro se retesou de leve ao ouvir o comentário. – Vocês não se viam mais como uma parte integrante da natureza. Achavam-se algo diferente. E, desse modo, passaram a alterar e destruir não só o entorno de onde vivem, fauna e flora, mas também a conexão entre os nossos mundos – completou Cosmo. – E, para muitos daqueles botos, a bênção de se transformar em humano havia se tornado uma maldição. Naquela exata época do ano, se metamorfoseavam e, assim, continuavam vindo para a superfície sob pele de gente. Os humanos já não se lembravam mais dos botos como os seres puros que trocavam experiência com eles em outros tempos. Os botos originais, então, passaram a ser caçados e a viver cada vez mais isolados.

– Sabe, você fala de nós, humanos, como se fôssemos todos iguais. E isso não é verdade – rebateu Pedro.

– Não é? Então me diga, no que você é diferente dos outros? – quando Cosmo fez a pergunta, Pedro achou que o boto estava sendo irônico. Depois entendeu que não. Cosmo queria realmente saber em que Malasartes era diferente dos outros de sua espécie. E foi aí que o diamante tornou a aparecer em sua mente.

– Bom... Sou diferente, só isso – respondeu Pedro de má vontade. Não achou nada melhor para dizer com aquela pedra preciosa tomando conta de seus pensamentos.

– Tá bom. Acredito em você – contemporizou o boto.

E Pedro tratou logo de retornar ao foco da conversa.

– Ainda não entendi uma coisa. Para que esse Humbertolomeu precisa da joia que está na testa do Carbúnculo?

– Dizem que ele aprendeu a realizar um ritual que, com a energia de um amuleto ou uma pedra preciosa, como o diamante do Carbúnculo, pode reverter a maldição. Pode impedir os botos originais de se transformarem em humanos – então Cosmo riu de maneira irônica. – Sempre fui fã do Humbertolomeu, sabe? Achava que ele era um boto exemplar. Até conhecê-lo melhor – Cosmo parou no meio do lamaçal em que caminhavam e voltou-se para Pedro. – Assim como o Carbúnculo, que foi distorcido pelo ódio que sentia dos provincianos, por caçarem sua joia, Humbertolomeu também se degenerou! – afirmou o boto. – Ele disseminou esse mesmo ódio pelos provincianos, o mesmo ódio que o consumiu, entre muitos dos outros botos originais. A ironia de tudo isso é Faunim! O próprio Humbertolomeu brigou com o mundo subaquático inteiro para que o pintor pudesse ser aceito em nossa comunidade. Os dois têm um grande apreço um pelo outro. Faunim considera Humbertolomeu como um filho.

– Assim como você? – quis saber Pedro.

– É. Acho que sim – respondeu Cosmo, baixando a cabeça. Provavelmente rememorando seus últimos segundos na companhia de Faunim.

– Acha que eles vão ficar bem? Digo, as sereias, seus primos e o pavão?

– Preciso acreditar que sim – respondeu o boto. – Ou não haverá força que me faça alcançar o fim desta missão.

Gotas de chuva salpicaram a floresta e, aos poucos, deixaram o solo mais movediço. Já que não pôde bebericar o leito do rio, Malasartes abria a boca recolhendo gotas que caíam do céu para matar sua sede. Num dado momento, pensou ter visto algumas árvores estremecendo com a chegada daquela chuva. O que achou pura esquisitice.

– O que estamos fazendo aqui, Cosmo? Por que estamos cruzando este brejo? – perguntou Pedro intrigado.

– Este é o caminho para a casa da Zaori – contou o boto. – De acordo com as instruções de Faunim, é por aqui que se chega lá.

– E como foi que nós viemos parar tão longe do mar? Essa viagem que chamam de Travessia pode levar vocês para qualquer lugar do planeta que tenha água?

– Sim. Existe uma ligação entre os nossos domínios. No princípio de tudo, os Caruanas construíram essa rede – disse o boto. O rosto de Pedro assumiu uma expressão confusa, e Cosmo tratou de elucidar melhor o que dizia. – Os Caruanas são seres poderosos. São mais conhecidos como Encantados ou Bichos do Fundo, mas duvido que você já tenha ouvido falar deles. São como divindades para nós. Os primeiros de nosso mundo – explicou o boto. – Somos um povo unido por conta da conexão que os Caruanas construíram entre nós.

E Pedro não conseguiu reprimir um arquear de sobrancelhas. Não classificaria as criaturas das águas como um povo unido. Não depois de todo o fuzuê que presenciara na reunião dentro da Bolha das Discussões e Decisões.

– Os Caruanas também criaram maneiras de nos proteger. É por isso que existe a Travessia – comentou Cosmo.

– Aquela viagem sufocante é uma forma de proteção? – exclamou Malasartes com uma pontinha de deboche.

– Claro que sim. Um provinciano como você não consegue acessar nosso mundo apenas entrando na água. Caso contrário, vocês já teriam descoberto nossas cidades há muito tempo. No entanto, quase ninguém sabe da existência de uma civilização subaquática. É preciso fazer a Travessia para adentrar nosso mundo.

– E quando viajamos pela água, atravessamos o quê exatamente? – perguntou Pedro de maneira meticulosa. Eram muitos detalhes para compreender e assimilar.

– A barreira que separa o seu mundo do nosso. É isso que atravessamos. Quando vocês estão lá embaixo d'água e não nos veem, estamos ali, usufruímos do mesmo espaço, só que num tipo de... dimensão diferente, ou chame como quiser.

Pedro parou onde estava, perplexo. Não tanto com o que Cosmo acabara de dizer, mas porque tinha acabado de levar um semiescorregão. Por sorte, apoiou-se em um tronco seco e evitou a queda. Cosmo soltava aquelas informações como se fossem as coisas mais naturais de se ouvir. Mas Malasartes percebeu que já estava se acostumando às esquisitices subaquáticas.

– Ainda com relação aos Ciprinos, eles conseguiram, de alguma forma que ninguém descobriu como, desfazer a conexão tecida pelos Caruanas, os Bichos do Fundo. Essa conexão era tudo o que vinculava a lagoa deles ao resto do mundo submerso – concluiu Cosmo.

As árvores que brotavam do lamaçal eram braços secos e tortos. Pedro vislumbrava um cenário de filme de terror. Era estranho pensar que tinha a sensação de ser observado por aquelas árvores. Se pudesse, trocaria toda aquela visão pelas belas ilustrações que os peixes arquitetos desenhavam no chão do fundo do mar, mas aquilo parecia ter acontecido muito tempo atrás. Muita confusão já havia ocorrido desde então.

No momento, seus dois pés afundavam e escorregavam na lama escura. O frio, que havia chegado com a noite chuvosa, encontrou moradia em suas calças e camiseta empapadas de argila escura e do aguaceiro gelado que caía do céu. Seus dentes batiam descompassados.

Calafrios escalaram a espinha de Pedro e Cosmo quando alguns estalos e sons de galhos sendo retorcidos foram percebidos por entre as árvores mortas da floresta. Vez ou outra, paravam para averiguar o entorno. Não era apenas Malasartes que tinha a leve impressão de não estarem sozinhos. Cosmo chegou a lhe pedir que ficasse alerta. Apesar dos estalos, o restante da mata seguia silencioso, apenas a chuvarada batucava em cada trechinho dos caules e troncos esturricados. Como se não houvesse nada vivo por ali.

– Tem certeza de que é por aqui, Cosmo?

E o boto parou de andar no mesmo instante. Pedro pulou de susto com o gesto repentino de Cosmo.

– O que foi? Viu alguma coisa? – quis saber Malasartes.

– Consegue ver algo ali adiante? – sussurrou o boto, quase inaudível, por conta da chuva, apontando para uma direção específica no meio da floresta escura.

Por breves segundos, um lampejo no céu transformou o vale todo em dia claro. Havia uma casa pequena, feita de madeira. Só se mantinha em pé porque se escorava em algumas daquelas árvores velhas e secas.

– Acha que é a casa da tal Zaori? – murmurou Malasartes de volta.

– Quem mais moraria em um lugar tão distante da civilização?

– Alguém em fuga, que não quer ser encontrado? – sussurrou Pedro pensando alto e se utilizando da chuva para abafar o que dizia.

Alcançaram a porta de entrada do casebre. Pedro achou a morada bem macabra. As paredes tinham sido construídas de maneira disforme, com pedaços de tábuas e troncos que foram pregados de qualquer jeito. As vidraças quebradas estavam cobertas, pelo lado de dentro, com panos sujos de limo na tentativa vã de simular cortinas. Parecia uma casa abandonada. Lodo e pedaços de madeira podre não eram incomuns em seu exterior. Além disso, o barro que se estendia no entorno pintava muito mais do que os rodapés do casebre. Um grande galho havia despencado do topo de uma árvore seca e estava caído sobre o telhado. Fizera um estrago tremendo no dia em que despencara, mas o dono resolvera deixá-lo como estava até a presente data. Mantinha-se ali como parte da decoração daquele cenário tétrico.

A chuva apertou um pouco mais. Bateram e chamaram, mas não obtiveram resposta de nenhum residente. Deram a volta para tentar enxergar por algum buraco se havia alguém do lado de dentro, mas parecia inútil. Escutaram um barulho alto na porta da frente. Os dois contornaram a casa e correram até a fachada, acreditando que dariam de cara com a Zaori.

Diante da porta, outro calafrio acometeu ambos. Não havia ninguém ali. Quem abrira aquela porta devia estar se escondendo.

Resolveram entrar.

– Olá! – chamou Cosmo assim que transpôs o portal.

A casa estava mesmo abandonada. Poucos objetos compunham o ambiente. Alguém devia ter saído às pressas de lá. Havia muitas garrafas penduradas por fios de arame, que atravessavam, de um lado a outro, todo o interior do recinto. Algumas delas estavam vazias, outras continham líquidos escuros. Pedro reparou que, em muitas daquelas garrafas, formas obscuras tinham sido colocadas de molho num líquido turvo. Eram como bichos mortos em conserva, mas não conseguia enxergar nenhum deles com clareza.

A porta bateu, assustando os dois. Não havia vento algum que pudesse ter feito aquilo acontecer.

– Tem alguém aqui? Ô de casa! – chamou, dessa vez, Pedro. Não escutaram resposta. E ainda se sentiam observados.

O rombo no teto, aberto pelo tronco caído, provocava goteiras pequenas, que eram como versões menores de cachoeiras, no centro do cômodo principal. Uma pia suja continha restos da ossada de pequenos animais. Pedro abriu uma porta que levava a outro cômodo. Tomou um susto tão grande que caiu para trás, derrubando uma porção de baldes e latões velhos e batendo a cabeça em diversas das garrafas de vidro penduradas.

– O que foi, Pedro? – e Cosmo ajudou-o a se levantar entre os varais com as botijas que balançavam e tilintavam.

– Ali – apontou assombrado. – Ela está atrás daquela porta!

Cosmo empurrou a porta do cômodo e se apavorou tanto quanto Pedro, esbarrando nas garrafas e provocando mais barulho vítreo no interior da casa.

O que os atordoara fora um esqueleto humanoide que estava sentado no chão. Parecia desajeitado. As costas apoiavam-se na parede de madeira podre do quarto, enquanto seu crânio pendia para um lado e a arcada dentária, para o outro, abrindo-se em um ângulo incomum.

– Acha que é ela? – perguntou Malasartes. – Acha que chegamos tarde demais? – Cosmo não respondeu. Se o esqueleto sentado no chão fosse mesmo da Zaori, a única que poderia levá-los até a caverna do Carbúnculo, Pedro achava a perspectiva daquela missão pouco promissora. – O que é aquela coisa que está em cima da cabeça dela?

– Não sei. Parece uma vela – respondeu Cosmo.

E era mesmo uma vela. Se fixava no topo do crânio do esqueleto. Estava apagada, mas seu pavio e a cera endurecida que escorrera ao longo da cabeça da caveira indicavam que a vela já tinha sido acesa.

Assustaram-se de novo, dessa vez, juntos, quando um assobio estridente soou no casebre e o pavio da vela apagada se acendeu sozinho. Não foi só isso. No momento em que o pavio se inflamou, a ossada da Zaori morta se moveu. Fechou a boca e ajeitou seu pescoço esquelético. Agora, mesmo sem olhos nas suas órbitas profundas, Pedro e Cosmo sabiam que a caveira dava uma boa espiada nos dois.

Pensaram em correr, mas o esqueleto foi mais rápido que suas intenções. Levantou de onde estava, todo desconjuntado, e agarrou, com violência, uma das pernas de Cosmo. O boto gritou de pavor. Pedro, num ímpeto, chutou o braço da caveira, que se soltou e se espatifou em vários pedaços na parede. A ossada seguiu adiante com apenas um dos braços, como se nada tivesse acontecido. Cosmo tentou enrolar a caveira com os varais das garrafas, mas o esqueleto resistiu assombrosamente. Pedro encontrou uma tábua quase solta que saía da parede. Pediu a ajuda do boto para soltá-la dos últimos pregos que a prendiam. A caveira se desvencilhava de um dos varais com garrafas em que Cosmo a enrolara, quando conseguiram soltar a tábua. Com um só golpe, Pedro acertou a caixa torácica, que um dia sustentara muitos órgãos. Foi um golpe bem dado. A ossada viva se desmantelou por completo diante dos dois.

Arfavam profundamente e observavam se a caveira tinha mesmo sido liquidada. A vela ainda estava acesa e derramava novos fios de cera líquida pelo crânio solto do esqueleto. A boca torta se movia devagar, como se aquela ossada não admitisse sua derrota. Pedro levantou a tábua, pronto para acertá-la novamente.

Cosmo foi até a vela e soprou o pavio. No mesmo instante, o crânio deixou de se mover. Não havia mais sinal de vida nele.

– Matamos a Zaori? – indagou Malasartes.

– Bom, acho que ela já estava morta, não? – sugeriu Cosmo.

Um clarão e um barulho de fogo surgiram em um canto da casa. Foi como se alguém tivesse acendido uma grande pira com uma boa quantidade de combustível. Cosmo e Pedro se voltaram curiosos para o fogaréu que ardeu dentro do recinto. Chegaram a tropeçar nos pedaços de ossos do esqueleto espalhados pelo golpe certeiro da tábua.

Uma gaiola pendurada no teto, feita para aprisionar um pássaro de porte médio, como um papagaio, abrigava uma bola completamente em chamas.

– Não sejam burros! – soou uma voz masculina jovem. Era uma voz sedutora e potente. Quase como se um radialista conversasse com eles. – Aquela ali não é a Zaori. É um Isquelê. Uma ossada reanimada. Trazida de volta à vida para cumprir um propósito. Foi preciso apenas um assobio para acordá-la e fazê-la dar um susto em vocês – a voz soltou uma risada fria e sinistra. Os dois procuravam a fonte do falatório. – Eu mesmo ensinei a ela como produzir um Isquelê. Não é muito difícil, sabem? Só é preciso seguir as instruções direitinho – Pedro e Cosmo ficaram alarmados quando descobriram de onde vinha aquela voz. Ela vinha direto das labaredas que cingiam o globo flamejante preso na gaiola. – E a Zaori que vocês procuram é uma ótima aluna. Ah, isso ela é! – concluiu a circunferência envolta em fogo.

Abriram a boca em descrença completa quando o pitoresco se fez evidente. O orbe que ardia em chamas e discursava dentro daquela casa e daquela gaiola era uma cabeça. Uma cabeça humana.

Capítulo 7
O trato com a cabeça errante

O cheiro de enxofre dominou a casa toda.

A cabeça aprisionada na gaiola tinha olhos vermelhos, além de boca e nariz cor de sangue, exibindo em seu entorno um bigode fino e um cavanhaque preto bem delineado. Dois pequenos chifres brotavam do topo de sua testa. Tudo isso ardia e queimava com as labaredas. No entanto, a cabeça rubra sorria, enquanto conversava com os dois.

– Eu sei, eu sei. É um choque, não é? – dizia ela em meio ao fogaréu. – Estou acostumado com a expressão de espanto sempre que alguém se depara comigo. Muitos pensam que eu não existo e, de repente, *pimba*! Aqui estou eu, diante de vocês. Crentes ou descrentes, todos um dia acabam por me encontrar – declarou a cabeça.

Os nervos de Pedro e Cosmo tinham sido afetados de verdade. Aquela cabeça não era uma visão amistosa. Um odor de enxofre invadia suas narinas e descia rasgando até os pulmões, além disso seus olhos lacrimejavam como se alguma solução com pimenta pairasse no ar.

– O que é v-você? – gaguejou Cosmo.

– Ora, meu jovem! – exclamou a cabeça. – Eu sou o Canhoto.

– Canhoto? – repetiram os dois tapando o nariz e a boca com a gola da camiseta para abafar o cheiro.

– Um boto não saber quem eu sou é até compreensível – continuou a bola de fogo. Depois se voltou para Pedro. – Mas você não saber, Pedro? Acho difícil. Sou chamado de inúmeros nomes. Por algum deles acredito que você vai me identificar, não? – e Malasartes tremeu. – Sou o Tinhoso, o Cramulhão, o Cabrunco, o Coisa-Ruim, o Cão, a Besta, o Chifrudo, o Príncipe do Mundo, não? Ainda não me reconhece? – Pedro pareceu engolir em seco.

– Você é o Capeta? – indagou Malasartes.

– Ah! Eu sabia que não me desapontaria. Sou conhecido também como o Pai das Mentiras. Deve saber bem disso, já que o senhor faz uso de minhas filhotas muito bem, não é mesmo?

E Pedro quedou-se sem jeito. Foi como se aquela cabeça resgatasse, do interior da cachola de Malasartes, a figura da preciosa gema do Carbúnculo.

– Ainda não sei quem você é – declarou Cosmo resoluto. – Como é que sabe o nome do Pedro e como sabe que sou um boto?

– Ele é o Diabo! – explicou Pedro.

– Já entendi que ele tem muitos nomes – continuou Cosmo. – Mas preciso dizer: não conheço nenhum deles!

– Ele é a pior criatura que pode existir – Pedro retomou a palavra. Queria esclarecer melhor ao amigo que estavam diante de alguém muito perigoso e que seria melhor não o irritar. – Tudo o que há de ruim neste mundo vem desse cara aí – e apontou para a cabeça vermelha que, mesmo decepada, parecia assentir como se confirmasse o que Pedro dizia a seu respeito. – Ele deve saber de tudo! Por isso sabe meu nome e sabe que você é um boto.

Cosmo se virou para a cabeça flamejante. Pedro imaginou que tivesse conseguido fazer o boto ficar quieto. Mas se sobressaltou ao ouvir a nova investida do amigo.

– De onde eu venho, nunca nem ouvi falar de você – declarou o boto para a cabeça, que pareceu ficar sem jeito. Até suas labaredas vacilaram.

– Bom, é que meus domínios ainda não alcançaram o mundo subaquático – como alguém que fala cuspindo, faíscas saltaram de sua boca escarlate naquele instante. – Mas é só uma questão de tempo para que isso aconteça, meu jovem. O medo que costumam ter de mim ainda se estenderá a cada canto deste planeta – profetizou a cabeça por trás das grades, num tom intimidador. Naquele instante, Malasartes se questionou internamente se a lágrima que escorria de seus olhos era causada pelo desespero ou por conta do enxofre.

— Pode nos dizer como fará isso, já que está preso, feito um pássaro, nessa gaiola? — desafiou o boto, cruzando os braços.

Pedro deu uma cotovelada bem dada no boto. Reparou que Cosmo tinha uma fisionomia jovem e poderia muito bem não saber com quem estava lidando. Mas o boto era muito mais velho do que aparentava aquele corpo desenhado por Faunim. Sua pele escura, salpicada de sardas mais escuras, e seu nariz largo pareciam não demonstrar nem um pouco de temor pela figura endiabrada presa na gaiola.

— É por isso que o... *destino* mandou vocês dois aqui — comentou o Canhoto com um quê sedutor na voz. Ao mencionar a palavra "destino", chamou a atenção de Cosmo.

— Na verdade, estamos aqui por outro motivo — retrucou Pedro buscando se mostrar tão corajoso quanto o amigo, mas se arrependeu assim que o fez.

— A Zaori não está mais aqui! — avisou a cabeça. Sua voz soou mais alta, grave e ameaçadora. Mais faíscas saltaram da boca infernal. Pareciam mais densas, a ponto de quicarem no chão do casebre antes de se apagarem.

Pedro tentou novamente assumir certo equilíbrio. Ajeitou-se, ficando mais ereto e mais confiante.

— Pois bem, senhor Canhoto — começou ele. — Se a Zaori não se encontra, receio que nosso assunto aqui esteja terminado, não é mesmo, Cosmo? Precisamos seguir viagem, senhor Coisa-Ruim. Passe bem, viu?! — e Pedro se dirigiu para a porta de entrada, como um cachorro acanhado que bota o rabo entre as pernas.

— Espere aí, Pedro! Não acabamos aqui — declarou Cosmo. — Nos diga para onde a Zaori foi, Canhoto! Se ela não é esse esqueleto que a gente acabou de desmontar, então onde é que ela está?

Pedro não queria mais ficar naquela casa com o Tinhoso em pessoa nem com Cosmo, que não parava de alfinetar o Cramulhão. A cada segundo, mesmo filtrando o ar com a camiseta, a respiração ficava mais difícil. O cheiro de enxofre parecia infectá-lo com algo tóxico para todo o sempre. Como se causasse danos eternos. Foi quando caiu em si e percebeu que o amigo tinha razão. Estavam em uma missão, e a Zaori era muito importante para atingirem o objetivo daquela empreitada. Sair daquela casa sem saber o paradeiro dela seria o mesmo que caminhar a esmo, sem nenhuma informação sobre a direção certa a seguir para encontrar a caverna do Carbúnculo.

– Como disse a vocês, este aí é o Isquelê – a cabeça cor de sangue apontou com o queixo para os ossos jogados no chão. – Um esqueleto reanimado com magia das trevas. Mas, sendo sincero com vocês, preferia que ele fosse a maldita Zaori! – confessou o Canhoto, com suas chamas alaranjadas pintando todo o interior do casebre. – Infelizmente, uns homens vieram buscá-la. Eles procuravam um condutor para seu grupo. Precisavam dela para encontrar alguma coisa. Com toda a certeza, algum tesouro. Para que mais serve um Zaori, senão para achar tesouros, não é? – seus olhos se acenderam de raiva ao dizer aquilo. – E ela partiu daqui como a guia desse grupo – contou o Tinhoso.

– Só pode ter sido Humbertolomeu! – sussurrou Cosmo, com a voz abafada pela camiseta. – Quanto tempo faz que ela partiu?

– Uns três ou quatro dias. Difícil saber, preso nesta gaiola infernal.

Pedro e Cosmo se entreolharam temerosos. Isso significava que estavam três a quatro dias atrasados com relação a Humbertolomeu e os outros botos originais. Além disso, estavam sem a pessoa que os conduziria até a caverna. O plano de ajudar os Ciprinos acabava de se tornar mais difícil.

– Hora de ir! – concluiu Cosmo. E Pedro se mostrou aliviado. Ansiava pelo ar lá de fora. – Vamos dar um jeito de achar as pegadas deles na lama ou algo do tipo. Só não podemos mais perder tempo aqui nesta casa velha.

– Ei, meus amigos! – chamou a cabeça do Canhoto, exibindo todos os dentes pontiagudos em um sorriso de orelha a orelha. – Esqueceram o que eu disse? O destino mandou vocês dois aqui! – e havia segundas intenções em cada palavra dita por ele.

– Não dê ouvidos a ele! – falou Cosmo a Pedro.

– Ótima recomendação! – respondeu Pedro.

– Não vão conseguir sair daqui! – declarou a cabeça. – Não sem a minha ajuda. Por acaso já viram o que os espera do outro lado dessas paredes?

E os dois afastaram pequenos pedaços dos panos sujos que cobriam as vidraças. Por um momento não viram nada de mais do lado de fora. O cenário era tão igual quanto o que já conheciam. O clarão de um relâmpago iluminou a floresta seca e lamacenta. Foi quando os dois repararam em algo que se movia vagarosamente. Da árvore mais próxima, alguma coisa se soltava pouco a pouco. Um corpo humanoide. Algo tão seco quanto a própria árvore. A coisa estivera abraçada ao caule e, agora, se soltara e cambaleava pela lama molhada. Cosmo levou as mãos à boca enquanto Pedro arregalava seus olhos irritados.

A cada resplendor da tempestade que iluminava a floresta, podiam ver mais criaturas como aquela se descolando das árvores secas e preenchendo a floresta de andarilhos que mais pareciam mortos-vivos. Eram levemente diferentes do Isquelê que os atacara havia pouco. Dava para perceber que, além dos ossos, havia mais "recheio" em seus corpos. Eram como esqueletos que vestiam peles molengas, com um pouco de carne putrefata por dentro.

– O que são aquelas coisas lá fora? – quis saber Pedro.

– São os Corpos Secos! Os que foram renegados pela própria morte. Os que foram recusados a serem dados como mortos. Geralmente, alguém que faz coisas muito ruins durante a vida é forte candidato a se tornar um Corpo Seco ao falecer – e Pedro percebeu que a cabeça falante olhava para ele especificamente. – No caso peculiar desses Corpos Secos aí fora, foi necessário um tantinho mais de magia das trevas e eles puderam voltar de suas catacumbas sem problemas – revelou o Canhoto com um sorriso malicioso presente nos lábios. – É mais um ponto a favor da nossa querida Zaori. Aprendeu bem como produzi-los. Vocês tiveram a sorte de atravessar a floresta e alcançar esta casa pouco antes do despertar de tais criaturas. Ou será que fui eu quem tive essa sorte? – ironizou a cabeça.

– E como é que a gente faz para passar por eles? – perguntou Cosmo, percebendo que alguns dos mortos-vivos do lado de fora tinham unhas compridas que mais lembravam garras afiadas.

– Ah! Isso é bem simples, na verdade – respondeu a cabeça. – Só precisam fazer um trato comigo.

Pedro e Cosmo se entreolharam mais uma vez.

– Que tipo de trato? – sondou Pedro.

– Vocês só têm que me soltar desta gaiola. Daí eu mostro para vocês como afastar um Corpo Seco.

Cosmo chamou Pedro de lado.

– Se ele foi aprisionado, é porque é perigoso! – cochichou o boto.

– Claro que ele é perigoso. É o Coisa-Ruim! – exclamou Pedro, não acreditando no comentário absurdo do amigo.

– He, he! – riu-se a cabeça, se divertindo ao assistir os dois buscarem um acordo aos murmúrios. – Sou perigoso, sim, jovem boto – e a dupla se espantou ao perceber que, mesmo sussurrando, a cabeça ouvia o que diziam. – Mas, se fizerem um acordo comigo, prometo cumprir minha palavra. E, sinto admitir, mas estou dizendo a verdade – e assumiu uma postura mais irônica que a anterior. – Sabem quão difícil é para mim assumir isso? Eu, o Pai das Mentiras, falando a verdade? É uma vergonha para meus valores e princípios!

– Se é tão poderoso assim, por que não pode se soltar daí sozinho? – desafiou o boto. Pedro gelou e respirou fundo, o que foi péssimo, pois a quantidade de enxofre que invadiu seu peito o fez ter uma crise de tosse.

– Eu nasci há mais de dez mil anos, jovem boto. Muito mais que isso, na verdade. Não tem nada neste mundo que eu não saiba demais. Receio que o senhor esteja me irritando com essa sua petulância – a cabeça fez o mesmo que Pedro. Respirou fundo tentando se acalmar. Mas, para ela, o ar parecia mais puro. – Ah! A Zaori fez questão de me aprisionar – continuou o Canhoto, se mostrando mais condescendente. – E posso dizer que ela é minha melhor aprendiz em milênios. Recentemente, alguns inimigos meus deram um jeito de me enfraquecer. Esconderam ou destruíram o meu corpo. Difícil saber, já que não consigo mais senti-lo. Inclusive, se virem um corpo perdido por aí, atlético, com pernas e pés de pato e vestindo um terno de linho preto, saibam que é meu! Bom, os infelizes arrumaram um jeito de separar minha cabeça do restante do meu corpo. A Zaori apareceu justamente no momento do meu apuro. Em vez de me salvar, me aprisionou nesta gaiola. Usou magia poderosa e isso me enfraqueceu! – contou arqueando as sobrancelhas em brasa. – Pelo menos ela me livrou das garras de meus inimigos, mas então me forçou a ensiná-la certas magiazinhas. Por conta do que me fizeram, não passo de uma Cabeça Errante. Uma cabeça que vaga em chamas por aí, pelas madrugadas, em busca de seu corpo moribundo. Nesta forma, apenas como uma cabeça em chamas, também sou chamado por certos nomes além de Cabeça Errante. Sou conhecido como a Cumacanga ou Curacanga, o Cabeça Solta e outros tantos nomes que nem vêm ao caso – Pedro e Cosmo perceberam que o Canhoto era alguém que gostava de falar de si mesmo. – Enfim, a Zaori em questão aprendeu bem nesse meio-tempo. Meus inimigos me reduziram a esta forma simplória, e ela se aproveitou da situação, dando um jeito de me aprisionar nesta gaiola. Em minha forma inteira, essa jaula jamais me prenderia a essa maldita situação. De jeito nenhum. Não mesmo. Mas, em forma de Cabeça Errante, meus poderes são diminuídos. Por isso eu lhes digo, se me soltarem, cumprirei com o combinado. Ora! Sou um ser tratante. Sei o valor de um pacto. Ah, isso eu sei! Assim que eu deixar esta gaiola, antes mesmo de buscar o meu corpo, farei picadinho de meus inimigos. Começarei com a Zaori, que me fez de prisioneiro. Vou buscar minha vingança a todo custo. Ela vai sentir o verdadeiro poder do Canhoto – e olhou de Pedro para Cosmo. – Mas, é claro, não antes de mostrar a vocês como se afasta um Corpo Seco.

Agora, era Pedro quem chamava Cosmo de lado.

– Talvez seja uma boa coisa soltá-lo – começou Pedro, baixinho. – Raciocine comigo! Além de fazer a gente passar por esse bando de morto-vivo aí fora, ele vai direto atrás da Zaori. Podemos seguir o rastro dele e descobrir o paradeiro dos botos originais. Além do mais, ter o próprio Tinhoso buscando vingança contra essa Zaori pode, de algum jeito, atrasar Humbertolomeu, não acha? – Pedro então chacoalhou a cabeça em negativa e completou: – Espera! O que eu estou dizendo? Esse cheiro de enxofre deve ter afetado meus neurônios. Estou querendo fazer um pacto com o Cão?

– A ideia não é tão ruim assim. Você tem razão em tudo o que disse – concluiu Cosmo. – Mas é perigoso. Precisamos pensar juntos. E se ele estiver mentindo?

Os dois se voltaram para a cabeça. Já estavam, de certa forma, acostumados ao fato de ter um fogaréu, incendiário e falante, encarcerado diante deles. A visão da cabeça em chamas já não os assustava tanto. Era reconfortante imaginar aquela cabeça como uma lareira acesa na sala. Suas roupas já estavam quase secas. O problema maior ainda era o ar sulfuroso.

— Tá. Você quer que a gente abra a gaiola e, em troca, você vai nos mostrar como passar pelos Corpos Secos, certo? — Pedro repassou os termos do trato, tim-tim por tim-tim, e balançou a cabeça, para confirmar com o boto ao lado se estava tudo certo. — É só isso, então?

— Já que você perguntou — começou o Canhoto, aproveitando-se da brecha —, há mais uma coisa que poderão fazer por mim.

E Pedro se arrependeu amargamente de ter feito a pergunta. Sentia que aquela cabeça era como ele. Sabia tramar coisas e dar um jeito de se dar bem. Precisava ficar duplamente atento para não perder a cabeça também... ou o corpo.

— Eu quero o que ele tem no bolso — e, com o queixo, apontou para Cosmo. — Sei que é algo poderoso.

Cosmo, no ato, negou com a cabeça.

— Ora, jovem boto! Pegue esse pincel e desenhe-me um corpo. Assim como o seu — sugeriu a Cabeça Errante. — Dessa forma, metade dos meus problemas estará resolvida.

Foi novamente a vez de Cosmo chamar Pedro de lado.

— Não posso usar o "pincel de um desenho só". O Faunim me deu esse pincel para utilizar em uma ocasião em que ele cumpra o seu propósito — sussurrou o boto.

— Tá! Mas e se este for o momento de esse pincel cumprir o propósito dele? — comentou Pedro baixinho.

Cosmo pareceu indeciso e incomodado.

— Não é!

— Como você sabe disso?

— Eu só sei, tá legal? Eu sinto — afirmou Cosmo.

— Como assim, sente?

— Não precisa acreditar em mim. Mas eu sinto as coisas — cochichou o boto, com um leve tom de desespero. — Lembra quando Naara comentou sobre isso lá na Bolha? Sobre o poder que as criaturas das águas têm de sentir? Bom, ficou claro que muitos de nós nos esquecemos desse nosso lado. De nos conectarmos à nossa essência. Mas não sei como nem por quê. Eu sinto! — reafirmou Cosmo com mais convicção, perscrutando os olhos de Pedro.

Era nítido que o boto não queria discutir aquele assunto. E passou pela cabeça de Pedro algo que ainda não tinha lhe ocorrido. Durante a reunião na Bolha, a tartaruga Sanur havia feito uma pergunta a

Cosmo. Uma pergunta que Naara não o deixara responder. E Malasartes pensou que, talvez, a sereia tenha feito aquilo porque o teor da resposta do boto teria o poder de desencorajar todos os argumentos expostos na reunião. E desencorajar significava não conseguir aliados. De repente, lhe deu uma vontade de saber, de fato, no que estava se metendo com aquela Missão Carbúnculo. Olhou nos olhos de Cosmo e resolveu perguntar o mesmo que o juiz.

– Como foi que soube desta missão? De onde vieram todas aquelas informações sobre os Ciprinos e o Carbúnculo? – indagou Pedro.

Cosmo desviou o olhar. Como se soubesse que estava prestes a perder seu único aliado.

– Eu sonhei! – respondeu ele cabisbaixo.

– Você o quê? – Pedro exclamou aturdido.

Os dois pareciam não se importar mais em serem ouvidos.

– Eu sonhei, tá legal? Tenho dessas coisas – explodiu Cosmo. – Olha, eu já disse. Você não precisa acreditar em mim. Não pedi para que viesse comigo, Pedro. Assim que sairmos desta situação aqui, você pode seguir seu caminho à vontade. Quanto ao pincel, ele é meu. Faunim o deu para mim e não acho que agora é a hora certa de usá-lo.

– Ei, vocês vão demorar muito para decidir? Estou perdendo a paciência! – vociferou a Cabeça Errante.

Pedro e Cosmo perceberam que ainda se encontravam em um beco sem saída. Contiveram os ânimos e voltaram às negociações, enquanto o Canhoto bocejava entediado.

– Nós conversamos e decidimos que você não pode ter o pincel – comunicou Pedro. – O pincel está fora da negociação. Precisaremos dele no futuro.

– Está bem. Não vou insistir no pincel. Tenho outra coisa em mente – sibilou o Canhoto de maneira perversa. – Vocês já ouviram falar do mito do Diabinho da Garrafa? – e os dois deram de ombros. – Dizem que quem cultiva um diabo dentro de uma garrafa fica estupidamente rico.

E Pedro desviou o olhar. Sabia que o brilho cobiçoso que vislumbrara nas criaturas das águas ao descobrirem a possibilidade da existência de uma pedra de Carbúnculo havia passado, naquele instante, por seus olhos e não queria deixar o Canhoto perceber isso.

– Bem, não se trata de um mito. Como podem ver, a Zaori tentou inúmeras vezes produzir uma espécie de clone meu, aqui neste casebre – Pedro e Cosmo tornaram a reparar nas inúmeras garrafas penduradas por todo o cômodo. – Não é tão fácil conseguir essa proeza. É preciso um ovo de galo e...

– Mas galo não bota ovo! – interveio Pedro Malasartes inquieto.

– Ah, bota, sim! É extremamente raro, mas ele bota – afirmou com veemência o Canhoto. – Bom, mesmo adquirindo o ovo, é preciso chocá-lo até que o diabinho nasça. O dono da garrafa, que aprisiona e cultiva o diabinho, também se torna dono de imensa riqueza – não teve jeito, os olhos de Pedro brilharam. Era como se o Canhoto tentasse atingi-lo com aquelas palavras. E estava conseguindo. – Como podem notar, todas as tentativas da Zaori foram frustradas até agora – puderam ver as muitas garrafas com volumes escuros e estáticos, de diversos tamanhos, que boiavam de molho em um líquido turvo. – Exceto uma! – destacou a cabeça. – Ainda está em fase embrionária, mas é bem possível que essa tentativa dê certo. Dentro das possibilidades que eu tenho aqui, é a maneira mais rápida de eu conseguir o meu corpo de volta – falou o Cramulhão, mostrando-se excitado com o assunto. – Dentro do quarto onde encontraram o Isquelê, vocês verão um único ovo de galo. Uma bolinha preta, bem pequena.

E a dupla foi até o quarto. Pedro viu o ovo solitário em cima de uma prateleira.

– Pedro, não! – advertiu Cosmo. – Sinto que não é o certo a fazer. Deixe isso para lá. Vamos barganhar outra coisa.

– Ei, não existe um botão que você possa apertar para desligar esse negócio de "sentir"? – provocou Malasartes. – Afinal, o que mais temos para barganhar, Cosmo? A próxima coisa que ele vai querer em troca será nossa alma. E daí não haverá missão que se cumpra desse jeito. Precisamos sair daqui, não é? – Pedro lutava contra seus próprios instintos. Havia um motivo maior que o fazia olhar para o ovo de galo com certa cobiça. Seu desejo de riquezas. Ter um diabinho daqueles em seu poder, preso em uma garrafa, poderia deixá-lo rico.

Cosmo voltou à sala. Mantinha os braços cruzados em nítida discordância. Pedro veio logo atrás, segurando o ovo de galo.

– E o que eu faço com este ovo?

– Muito bem, Malasartes. Você irá chocá-lo!

– O que disse?

– Acalme-se, rapaz! Não é nada de mais. Você só precisa deixar esse ovo em seu bolso esquerdo. Precisa ser o esquerdo! – enfatizou o Canhoto. – Deixe ele em seu bolso e o esqueça. Com o tempo ele vai chocar e, quando nos encontrarmos – se voltou com os olhos acesos para Cosmo, como se dirigisse a palavra exclusivamente para o boto – e *sinto* que vamos – então tornou a falar para Pedro –, vou pegar o recém-nascido com você. Assim, terei meu corpo de volta. Na verdade, um corpo completamente novo. Ressurgirei mais forte do que já fui – concluiu ele. – E então, trato feito?

Pedro olhou para Cosmo, que fez questão de não responder. Era contra ajudar o Canhoto daquela forma.

– Trato feito! – declarou Pedro. E colocou o ovinho preto no bolso esquerdo da calça, conforme instruíra a Cabeça Errante.

– Ótimo. Se eu tivesse meu corpo, apertaria sua mão neste momento para selarmos nosso acordo. Mas não importa. Abra logo essa gaiola e o acordo estará selado do mesmo jeito.

– Cosmo – chamou Pedro. – Está pronto?

– Abra logo essa droga de gaiola! – disse o boto zangado.

Pedro destravou a portinhola da gaiola que encerrava o Canhoto e a abriu.

Capítulo 8
O Vale dos Corpos Secos

*A cabeça do Canhoto
explodiu para fora da gaiola.*

Pedro e Cosmo foram arremessados para fora do casebre, cada um por uma vidraça, e aterrissaram na lama, impelidos pela força da explosão. Labaredas lamberam com fervor todo o interior da casa da Zaori. Pedro e Cosmo puderam ouvir as muitas garrafas estourando com o calor intenso.

Do lado de fora, os dois se levantaram rápido do barro gelado. Nem perceberam as profusas pinicadas dos cacos de vidro em seus braços e pernas, pois deram de cara com a infinidade de corpos andarilhos que tomavam conta da floresta. A explosão da Cabeça Errante foi bastante alta e chamou a atenção de todos os Corpos Secos que estavam em um raio de vários quilômetros dali.

– E o que é que a gente faz agora? – perguntou Pedro em pânico.

– Ah, espertalhão! Cadê a outra parte do trato com o Canhoto? – zangou-se Cosmo, descarregando culpa aos montes sobre os ombros de Malasartes.

Um meteoro de pequenas proporções voou por sobre a cabeça dos dois, zunindo em seus ouvidos e fazendo um zigue-zague pela floresta. Sua cauda flamejante espalhou labaredas por onde passou, deixando em chamas grande parte das árvores secas.

– Foi ótimo fazer um trato com vocês! – disse o minimeteoro. Era a Cabeça Errante, que voava ateando fogo em todo o entorno. – Agora vou realizar minha vingança. Vou caçar a Zaori onde ela estiver. Nos vemos em breve, Malasartes. Cuide bem do ovo de galo! – deu um último giro flutuante ao redor dos dois e partiu em linha reta, desaparecendo pela floresta e deixando um rastro chamejante por todo o caminho que cruzou.

– Ótimo! – vociferou Cosmo. – Ele nos enganou! Deixou a gente aqui, com esse bando de mortos-vivos, e ainda por cima incendiou a floresta inteira com a gente dentro.

– Ele é o rei da trapaça, Cosmo – gritava Pedro, se fazendo ouvir acima do barulho das chamas. – Mas veja só! – e ele apontou para um amontoado de Corpos Secos à sua direita. – Ele cumpriu mesmo a parte dele – e o boto não entendeu o que Pedro queria dizer. – O fogo! – continuou Malasartes. – O fogo afasta os Corpos Secos.

As labaredas subiam altas e iluminavam o rosto assustado das criaturas mortas-vivas. Cambaleavam a esmo em todas as direções, em polvorosa, exceto na parte onde havia fogo. Alguns Corpos Secos olhavam famintos para Pedro e Cosmo, mas o fogaréu os afastava.

Os dois resolveram correr pelos caminhos que a Cabeça Errante não chamuscara. Eram como corredores que se abriam pela floresta, delineados por paredes de fogo, que limitavam a ação dos Corpos Secos.

– Precisamos dar um jeito de seguir o rastro do Canhoto. Só assim vamos encontrar a Zaori – berrou Cosmo acima do crepitar ininterrupto das línguas de fogo.

– Antes disso, precisamos sobreviver a este incêndio – devolveu Pedro.

Continuaram caminhando com dificuldade na lama. A chuva ainda castigava todo o lugar e, por mais incrível que parecesse, o fogo não diminuía. Parecia desafiar e vencer a chuvarada que desabava insistente e inutilmente nas chamas.

Um braço com unhas longas teimou em dar o bote por trás de uma cortina incandescente e conseguiu arranhar o ombro de Malasartes. Ao mesmo tempo que Pedro gritou de dor, um rosnado rascante, como o de um animal que sofre, pôde ser ouvido do outro lado das chamas. Era o Corpo Seco de unhas compridas que reclamava das queimaduras que acabara de sofrer no braço.

– Tudo bem aí? – acudiu Cosmo, levantando o amigo do chão lamacento.

Correram em disparada por um dos caminhos que escolheram, mas este se encontrava interditado pelo fogo, como um beco sem saída. Tentaram outro e mais outro, mas parecia que a pira acesa pelo Canhoto cercava a dupla em uma armadilha cruel. O fogo se alastrava rápido e, cada vez mais, diminuíam os caminhos a percorrer. Atrás do fogaréu, uma porção de sombras famintas aguardava a vitória da chuva, na luta contra o incêndio, para conquistar a refeição daquela noite. Pedro e Cosmo estavam encurralados.

O boto passou a apresentar sinais de fraqueza. Por ser uma criatura das águas, o calor excessivo lhe tirava as forças com extrema rapidez.

– Precisamos sair daqui, Pedro – suplicou o boto, caindo de joelhos. – Os Ciprinos... eles precisam de nós.

Pedro se juntou ao amigo quando o cerco de fogo apertou. Não havia mais nenhum caminho que pudessem percorrer.

– Ele nos pegou, não é? – indagou Cosmo. – O Canhoto nos pegou.

– Não acho que tenha feito de propósito – respondeu Pedro. E Cosmo se espantou.

– Está defendendo aquela cabeça endiabrada?

– Nada disso. Mas por que ele faria um trato daqueles se pretendia botar fogo na gente? Esqueceu que estou com o ovo de galo no bolso esquerdo? – comentou Pedro.

– A não ser que ele tenha outro jeito de arranjar um corpo. Ele chegou a falar sobre isso. Esta era apenas uma das formas de conseguir seu corpo de volta. Então existem outras.

Pedro pensava no que o amigo dizia. Era bem convincente. Mas, de certa forma, se identificava com o jeito de pensar do Canhoto. Sabia que ele não era de perder oportunidades. Não podia acreditar que atearia fogo nos dois, correndo o risco de perder, por bobeira, uma das maneiras de recuperar seu corpo. A não ser que tenha mentido para eles sobre precisar de um.

O cerco apertou ainda mais. Pedro suava em bicas. O calor era tão intenso que até as gotas da chuva pareciam evaporar antes de alcançá-los. Malasartes arrastou um Cosmo cambaleante para o mais longe das chamas que conseguiu, mas sobrara apenas um espaço ínfimo. Era difícil acreditar que aquele incêndio conseguia se manter aceso, e naquela intensidade, por sobre um solo tão encharcado. Não se tratava de fogo comum. Era o fogo do Canhoto. Aquelas chamas estavam impregnadas com o odor de enxofre.

Era o fim. Não chegariam nem perto do Carbúnculo. Os Ciprinos seriam escravos da criatura para todo o sempre e Pedro nunca experimentaria uma vida repleta de regalias proporcionadas pela riqueza. Não teria a posse da gema do lagarto. Aquele fogaréu faria um churrasco dos dois e, logo depois, os Corpos Secos dariam um jeito de consumir o que sobrasse deles. Pedro desejou que aquelas criaturas se engasgassem com sua carne e que tivessem alergia a peixe.

Algo grande e pesado abriu caminho pelas labaredas. Por um momento, Malasartes pensou que estariam a salvo e que um milagre se realizaria naquele instante. Mas logo tudo o que lhe viera à mente foi por água abaixo.

Uma cobra gigantesca botou a cabeçorra para dentro do círculo onde estavam. Sua cabeça tinha o tamanho de um carro de pequeno porte e, ao invadir o único espaço que ainda faltava queimar, tornou-se para eles uma porta de saída da incineração. O animal abriu a boca o máximo que pôde. Seus dentes pontiagudos ficaram à mostra. Pedro, ao ver aquilo, sentiu os mesmos efeitos de uma Travessia, uma das viagens subaquáticas que já realizara. Suas pernas bambearam e ele se sentiu como um ratinho indefeso diante de um predador enorme.

A boca da cobra se assemelhava a um longo túnel e, lá de dentro, uma voz feminina gritou:

– Entrem aqui, rápido!

Entrem aqui?, pensou Malasartes. Aqui onde? Estava delirando? Não duvidou que estivesse. Aquele calor era como uma febre brava, daquelas que causam alucinações.

– Jogue seu amigo aqui dentro e entre logo! – a voz feminina tornou a falar.

A cobra falava com ele? Olhou para a bocarra ainda aberta. Notou que seu corpo formava um corredor profundo que levava para uma escuridão tenebrosa, direto para as entranhas do imenso réptil.

Ficou sem ação. Não seria uma presa estúpida que entraria de bom grado na barriga de uma cobra nem pularia para o fogo por conta própria. Pedro resolveu apostar uma última vez na crença de Cosmo. Deixaria o destino decidir como eliminar os dois. Fogo e Corpos Secos de um lado ou uma anaconda esfomeada do outro.

Do fundo do longo e escuro corredor que era a garganta da cobra, cuja porta de entrada era a boca dentada, surgiu uma mulher de cabelos pretos emaranhados, bem nervosa e sem paciência, que veio andando por dentro do animal até a ponta de sua língua.

– Querem ser salvos ou não? – gritou ela pisando na língua bifurcada e erguendo os braços para se apoiar no céu da boca da víbora. Antes de assumir de vez a loucura que o possuíra, Pedro reparou que os dentes da serpente, em cima e embaixo da bocarra escancarada, lembravam estalagmites e estalactites pontiagudas e mortais na entrada de uma caverna. – Esta é a última chance! – anunciou a mulher estranha, se equilibrando à beira da boca da monstruosa cobra. – Entre depressa aqui ou esse fogaréu vai fritar você e o seu amigo aí fora!

Capítulo 9
Irmãos Gêmeos

*Nunca mais seria capaz de duvidar
de alguma coisa na vida.*

Pedro não acreditou em seus atos seguintes. Foram involuntários. Seus instintos de sobrevivência é que controlavam seus movimentos. Entregou o corpo inconsciente de Cosmo para a suspeitosa mulher que apareceu na porta da garganta-corredor. Ela carregou o boto para dentro da cobra imensa. Pedro, ainda impelido por seus instintos, entrou logo atrás dela. Pisou na língua mole, como se ela fosse o tapete da porta da frente. A língua se dividia em duas pontas. O animal sibilou quando Malasartes deslizou seus pés em falso na saliva escorregadia. Adentrou a garganta escura depressa e certo de que caminhava para a morte. As chamas do incêndio iluminaram por pouco tempo as paredes daquele profundo passadiço. Nesse ínfimo espaço de tempo, notou as costelas da coisa viva na qual adentrava. No momento seguinte, a boca se fechou com um estalo forte, eliminando toda e qualquer fonte de luz do ambiente e encerrando qualquer esperança de sair dali. A claustrofobia gritou dentro do seu peito e, no instante seguinte, tudo balançou. O chão sob os seus pés e as paredes. Era como se um terremoto sacudisse o mundo inteiro. Malasartes desequilibrou-se e caiu em uma superfície molenga e untuosa. Entendeu que todo aquele tremelique era apenas a serpente colossal começando a rastejar pela floresta.

O ar dentro da cobra estava estagnado. Nada podia ser visto naquele breu. Pedro se manteve onde estava. No solo carnoso e pegajoso. As paredes internas da criatura viva se moviam de um lado para o outro, fazendo o imenso corredor criar curvas para a direita e depois para a esquerda e, vez ou outra, o chão subia e descia como um calombo que estava só de passagem. Provavelmente era a cobra deslizando por cima de alguma árvore tombada.

Pedro sentiu em sua própria língua o gosto das últimas coisas que botara no estômago – os cacos de água-viva e o espumante rosa da Festa no Céu. Era sua ânsia de vômito dando o ar da graça toda vez que a piscina rasa de saliva viperina banhava suas vestes, lambuzando-o um pouco mais.

– Onde estamos? – ouviu-se a voz de Cosmo. – Que melequeira é esta? Pedro? Você está aí? Por que está tão escuro?

– Estou aqui, sim, Cosmo – respondeu Malasartes. – Não estamos mais no meio daquele fogaréu.

– E onde é que nós estamos, afinal?

– Acho que você não vai querer saber – arriscou Pedro.

– Agora que os dois estão acordados e em segurança, vão me responder algumas perguntas – começou a voz feminina, falando de algum lugar naquela escuridão.

– Quem... De quem é essa voz? – indagou Cosmo ressabiado.

– É da mulher que tirou a gente do fogo – contou Malasartes.

E o interior da cobra se iluminou magicamente. A mulher tinha jogado para o alto um punhado de grãos luminosos que esvoaçaram no ar parado e mantiveram uma luz fraca no ambiente, assim pôde se fazer visível. Parecia vestir trapos verdes e acinzentados que se remendavam na intenção frustrada de formar um traje. As paredes úmidas refletiam de leve a luminescência dos grãos, e Pedro e Cosmo ficaram admirados com aquele feito.

– Como fez isso? – indagou Pedro com os olhos arregalados.

– É apenas pó de estrela. Um restinho de pó luminoso que encontrei na minha bolsa – explicou ela de má vontade, aparentando estar sem um pingo de paciência. – Bom, o que eu quero saber de vocês é sobre aquele incêndio. Ele foi causado pelo Canhoto, estou certa?

Cosmo ainda observava incrédulo seu entorno e estampava no rosto uma careta de extrema confusão.

– Está certa, sim! – respondeu Pedro, dando espaço para o amigo se recuperar completamente do desmaio.

— Claro que foi! — desatou ela a andar, com as mãos na cintura. Não encontrava problema em se equilibrar dentro do corpanzil esguio e inconstante da cobra. — E ele escapou, não foi?

— Sim, escapou — falou Pedro outra vez.

— Droga! Ele está sempre escapulindo de nossas mãos — reclamou para si mesma. — Sempre quando estamos perto, algo vem e o liberta.

— Desculpe interromper — disse Cosmo —, mas você conhece aquela criatura?

— Claro que sim. Meu irmão e eu estamos caçando o Canhoto há muito tempo — a mulher afirmou irritadiça.

— Sabe como podemos encontrá-lo? Seguir o seu rastro? — quis saber Cosmo.

— Ele fez um trato com vocês, não fez? — arriscou ela. — Foi assim que barganhou sua liberdade?

Pedro e Cosmo trocaram olhares.

— Não — mentiu Pedro, antes que Cosmo pudesse dizer qualquer coisa. — O Canhoto se livrou sozinho da gaiola.

— Gaiola? — a mulher perguntou interessada. — Então foi em uma gaiola que a Moura Torta o aprisionou?

— Moura Torta? — repetiu Cosmo. — Você se refere à Zaori?

E ela o mirou direto nos olhos, à meia-luz.

— A Moura Torta é uma Zaori? Ah, faz sentido! — refletiu a mulher em seus trapos. — Por isso a cigana Moura foi capaz de encontrar a cabeça do Canhoto. Porque ela é uma Zaori. Uma das últimas sobreviventes de seu povo. O povo que pressente coisas valiosas e preciosas.

— Você conhece a Zaori? — retomou a palavra Cosmo.

— Tivemos o desprazer de conhecê-la. A última vez que cruzamos com a Moura, meu irmão e eu tínhamos acabado de separar a cabeça do Canhoto de seu corpo. Assim pudemos dar um jeito de enfraquecê-lo, reduzir mais da metade de sua força.

Pedro se lembrou de quando o Canhoto lhes contou sobre seus inimigos. Disse que tinham decepado sua cabeça para diminuir seus poderes. Malasartes pousou seus olhos na estranha mulher, fazendo com que as figuras da história do Canhoto começassem a ganhar forma.

— Mas não chegamos nem perto de concluir o plano. Já que a Moura Torta descobriu o esconderijo onde mantínhamos a cabeça e a tomou de nossa posse – continuou a mulher, exprimindo raiva em suas palavras. – Sua fama a precede. Parece estar sempre envolvida em casos assim. Quando voltamos, demos de cara com a cigana fugindo com o Canhoto em sua forma de Cabeça Errante. Soubemos que eles fizeram um trato. Ele prometeu ensiná-la a intensificar algum tipo de poder que ela já tinha – então a mulher apontou para Cosmo. – Você, ao afirmar que ela é uma Zaori, me faz pensar que ela queria fortalecer o seu alcance, aguçar sua habilidade de sentir a localização de coisas preciosas.

– O Canhoto disse exatamente isso. Parece que ensinou a Zaori a produzir outros como ele em garrafas – contou Cosmo. E Pedro deu-lhe um chute discreto para que o amigo parasse de falar. Na cabeça de Malasartes, quanto menos informação a mulher soubesse, melhor.

– E ela, por acaso, conseguiu? – a mulher pareceu enlouquecer de um instante para outro, ao arregalar os olhos. – Se ela conseguiu produzir um Canhoto na garrafa, ele poderá ter seu corpo de volta e isso não é nada bom.

Mesmo na penumbra, Pedro viu nos olhos do amigo que ele estava tentado a entregar a história do ovo de galo à mulher, talvez na intenção de que ela o destruísse. Pedro balançou a cabeça negativamente para o boto. Fez isso de maneira discreta. Cosmo entendeu o recado, mas não concordava com a atitude de Pedro. Não disse nada em respeito ao amigo, mas fechou a cara de vez.

– Por que está tão interessada no Coisa-Ruim? – quis saber Pedro, buscando um jeito de desviar o assunto do ovo de galo.

– Ora, não é da sua conta! – vociferou ela numa súbita mudança de humor, o que assustou Pedro e Cosmo. O rosto dela se contorceu diante da fraca luz dos poucos grãos que ainda seguiam luminescentes. Sua boca, quando se abriu, mostrou dois caninos avantajados e pontudos. Pareciam dentes de vampiro. – Já não basta salvarmos vocês? Você ainda quer informações que não são de sua alçada? Deixe de ser enxerido! – gritou ela enquanto sua mão direita pareceu buscar algo em suas costas. Algo que não puderam ver.

– Maria! – chamou, em advertência, uma voz masculina que ressoou por toda a galeria de costelas e carne. – Mantenha a calma, irmã! Eles querem saber um pouco mais. Só isso – a voz pareceu querer acalmá-la. – Conte a eles um pouco de nossa história com o Canhoto, enquanto isso eu buscarei uma saída desta floresta em chamas em que estamos, tudo bem?

– Quem foi que falou isso? – Cosmo buscou saber, já que a voz potente parecia vir de todas as direções.

– Foi o meu irmão – disse ela, soando mais calma. – Estamos dentro dele, por sinal. Ele é uma cobra. Uma *cobra-grande*.

Levou uns dois minutos ou mais para Cosmo se controlar e entender melhor, depois que Pedro e a mulher contaram sobre o resgate de ambos daquele cerco em chamas na floresta.

– Eu me chamo Maria – se apresentou a mulher de cabelos embaraçados e aparência suja. Seus dentes pontiagudos haviam sumido, o que fez Pedro pensar se realmente os tinha visto. Seu rosto não tinha mais a expressão ameaçadora de momentos antes. – E nós estamos na barriga do meu irmão Honorato.

– Muito prazer! – a voz da cobra tornou a soar, fazendo estremecer todo o seu interior.

– Somos irmãos gêmeos. Nossa história com o Canhoto começou quando ainda estávamos na barriga de nossa mãe – a mulher iniciou o relato, como o irmão sugerira. – Ela era esposa do cacique da tribo, estava grávida de nós dois. Todos aguardavam para receber os filhos do chefe que havia livrado este mundo de uma das formas do Canhoto – contou ela. – Essa criatura não costuma morar entre nós. Não é daqui. É do Além – disse Maria, referindo-se ao Canhoto. – Ele precisa assumir alguma forma terrestre se quiser ficar neste mundo. Do contrário, pode apenas influenciar, à distância, o pensamento de quem ele deseja ludibriar – ao ouvir o que a mulher dizia, Pedro sentiu os pelos de seu braço se arrepiarem. – Uma das formas que ele pode usar para caminhar por esta terra é um diabinho cultivado em garrafa.

Pedro se esforçou para não cruzar seu olhar com o de Cosmo. Sabia que o mesmo arrepio visitara o boto. Mesmo sob a luz fraca, Malasartes reparava que Cosmo se mostrava incomodado com a possibilidade de ter um ovo de galo, com o futuro corpo do Canhoto, entre eles.

– Entre os índios, ele é mais conhecido como Jurupari – continuou Maria. – Na época, o Jurupari habitava um corpo recém-conjurado. Com esse corpo, o Canhoto se tornou o causador de uma infinidade de maldades. Muitas delas afetavam diretamente o povo de nossa mãe.

Antes de prosseguir, a mulher ajeitou seus cabelos atrás das orelhas. Ao fazer isso, Malasartes notou que ela usava braceletes que cobriam seu antebraço inteiro. Os braceletes aparentavam serem feitos com pedaços de casco de tartaruga.

– Nosso pai conseguiu destruir o Jurupari. Expulsou a fera para muito longe da tribo e, assim, recebeu o título de cacique. Ele se tornou o líder daqueles índios – Pedro e Cosmo prestavam atenção na história da mulher. O enjoo causado pelo movimento da serpente vez ou outra lhes dava trégua. – O problema é que, pouco antes de ser derrotado, o Canhoto, ou Jurupari, lançou uma maldição sobre nosso pai. A Besta sentenciou que, por conta daquela afronta, os filhos do cacique nasceriam monstros. Viriam para este mundo em forma de criaturas, e não como índios – contou Maria quando mais alguns grãos flutuantes se apagaram. – Nosso pai correu para pedir ajuda ao pajé, para que ele desse um jeito, preparasse algum tipo de elixir ou ritual que afastasse a maldição. O pajé se mostrou bem preocupado com o que fora dito pelo Jurupari. Utilizou todas as magias de que tinha conhecimento e foi atrás das mais antigas e obscuras benzeduras da tribo. Mesmo assim, quando nossa mãe deu à luz, a maldição se fez evidente. Não foram dois bebês índios que saíram do ventre dela, mas sim duas cobras.

Pedro levou as mãos à boca. Era evidente que o Canhoto podia ser ainda pior do que ele imaginava.

– Foi então que, por recomendação do pajé e por ordem do próprio cacique, nosso pai – os olhos de Maria se encheram de lágrimas de dor e de ódio nesse momento do relato –, meu irmão e eu fomos jogados no rio e abandonados à nossa própria sorte.

De repente, uma corrente de ar percorreu todo o interior da cobra, como se alguns ventiladores tivessem sido ligados por ali, movimentando e extinguindo os últimos grãos luminosos. Era como se a grande víbora também remoesse aquele trecho da história de seu passado.

– Crescemos longe da tribo e sobrevivemos do nosso jeito. Um cuidando do outro. Até nossos nomes foi a gente que escolheu – Maria prosseguiu com seu relato na escuridão total. Com base no que ela dizia, Pedro aproveitou-se do breu para formar imagens em sua cabeça. – Já que éramos monstros, precisávamos descobrir do que éramos capazes. Precisávamos ver o lado bom daquela condição – Malasartes se identificou com aquelas palavras. – Descobrimos que podíamos nos transmutar em humanos de vez em quando, em geral isso ocorria quando chegava a hora de mudarmos de pele, como qualquer cobra. Dia após dia, nós nos dedicamos a aperfeiçoar a técnica. Hoje, somos capazes de nos transformar de humanos para cobras, e vice-versa, quando bem quisermos. Bom, pelo menos, como podem ver, o meu irmão pode.

A imensa cobra parou o seu rastejar de maneira brusca.

– O que foi, Honorato? Por que paramos? – indagou ela.

– Chegamos a um lugar que considero seguro – respondeu a voz, fazendo vibrar o interior da grande cobra. – Longe daqueles corpos reanimados pelo Canhoto.

– Ótimo! É hora de descer – anunciou Maria.

Saíram de dentro da boca aberta da cobra direto para uma encosta no topo de uma colina, que dava de frente para um imenso lago ao longe. A noite ia alta no céu e Pedro e Cosmo puderam, enfim, respirar ar puro. Cosmo admirou espantado o corpanzil escamoso da anaconda escura que estacionou ziguezagueando por algumas árvores. Já Pedro foi se sentar com as costas apoiadas em uma árvore, a fim de descansar. Desde antes de pular daquele bote, para dentro do mundo subaquático, não havia parado de correr e de se enfiar em apuros. Precisava relaxar um pouco. Então ouviu um som estranho. Tão estranho que não conseguiu e nem teve tempo ou disposição para identificar. Só soube que vinha de onde tinha acabado de sair. Da cobra-grande. Voltou seu olhar para ela, mas já não havia cobra alguma. Em seu lugar, Pedro viu um homem que também vestia trapos e cascos de tartaruga como braceletes. Era o tal do Honorato. O barulho esquisito de antes fora o da transformação da cobra em sua versão humana.

Honorato estendeu a mão e cumprimentou apropriadamente tanto Pedro quanto Cosmo.

– Bom, acho que podemos passar a noite por aqui e amanhã decidimos o que fazer, não? Acredito que todos estão cansados e precisam comer alguma coisa para repor as energias – falou Honorato. Sua voz agora soava menos grandiosa. Talvez isso acontecesse porque, no modo serpente, as entranhas funcionavam como uma longa câmara que reverberava e intensificava o som.

– Obrigado por salvarem nossas vidas, mas acho que vamos seguir viagem – declarou o boto.

– Ei, Cosmo, talvez seja bom descansar um pouco, não? – propôs Malasartes. – Passamos por maus bocados até agora.

– Você sabe muito bem da urgência da missão, Pedro. Além do mais, não precisa me acompanhar, se não quiser. Sabe também que você não tem responsabilidades nos objetivos desta jornada. Já conversamos sobre isso – disse Cosmo de maneira dura.

– Ah, estão em uma missão? – interrompeu Maria.

– Estamos, sim – respondeu Pedro, deixando claro para o amigo que ainda estava na jogada. – Ei, Cosmo, para onde vamos? Qual é o próximo passo? Não sabemos muito bem aonde ir. Nem mesmo sabemos onde estamos.

– O próximo passo é seguir o rastro do Canhoto! – decretou o boto mostrando a mesma irritação que Maria aparentava o tempo todo.

– Acho que ele deu um jeito de cuidar disso quando saiu voando pela floresta, não é? Por acaso está vendo algum rastro dele por aqui? – ironizou, sem querer, Pedro.

– É verdade – confirmou Honorato com as maçãs do rosto destacadas e de aparência ossuda idêntica à de sua irmã. – O rapaz tem razão. Além do incêndio, não pude ver nenhuma pista de onde a Cabeça Errante possa ter ido. E olha que eu não deixei de procurar, viu?! Minha irmã e eu estamos em uma missão também – então fitou Maria. – Queremos a cabeça do Canhoto! – decretou ele. – Bom, nós dois vamos pousar aqui esta noite. Precisamos fazer uma pausa para tirar um cochilo, não é irmã? Podem ficar aqui com a gente, se quiserem. Depois, cada um segue o seu caminho.

– Cosmo, podemos descansar aqui com eles esta noite e, assim que amanhecer, pensamos melhor no que fazer – insistiu Malasartes.

Cosmo pareceu encurralado. Virou-se para o imenso espaço que se abria diante da encosta. Lá embaixo, o lago refletia a luz da lua. Uma brisa leve passava por ali e era como se a mata inteira, que circundava o lago, dormisse profundamente. Nem um pio podia ser ouvido. Se Pedro apurasse os ouvidos, era bem capaz de escutar o coração confuso de peixe batendo dentro do peito humanoide de Cosmo.

O boto voltou-se para Pedro e fuzilou-o com os olhos. No fundo, sabia estar sem muita opção. Olheiras de cansaço já pintavam seu rosto, de coloração parda, e não combinavam em nada com suas sardas escuras.

Sentou-se longe de Pedro, de propósito. Estava decidido a não falar com o amigo. Provavelmente o episódio do ovo de galo ainda reverberava de maneira negativa dentro dele.

– E então? – perguntou o boto. – Esse é o motivo de estarem no encalço do Canhoto? Por ele ter feito vocês metade humano e metade cobra? Não me parece uma maldição tão ruim. Tem gente que se dá muito bem sendo duas coisas ao mesmo tempo – e, embora Cosmo soasse grosseiro, Pedro sabia que ele se referia a si mesmo, pois era um boto e usava corpo de gente.

Foi a vez de Honorato e sua irmã se sentarem.

– Bom – Honorato reiniciou o relato –, escondidos e sob a forma de índio, visitávamos nossa mãe na tribo sempre que podíamos. Certo dia, enquanto eu caçava, longe de minha irmã, descobri que o Canhoto tinha voltado para cá. Digo, voltado para este mundo. Alguém havia conjurado, mais uma vez, um corpo que ele poderia usar. Sei disso porque Maria deu de cara com o Canhoto na floresta. Quando a encontrei, ele já tinha partido. – Maria sacou, da parte de trás de sua cintura, uma adaga afiada e passou a tirar lascas de um graveto como passatempo. Aquele era o "algo" que a mão de Maria procurava quando ela teve um pequeno surto diante dos dois no interior da cobra. – Depois disso, algo ruim aconteceu e soubemos no ato que o Jurupari tinha dedo nisso. O Canhoto havia amaldiçoado minha irmã uma segunda vez – revelou Honorato.

– Outra personalidade tomou conta de mim – continuou Maria, entretida em dilacerar um galho com sua adaga de lâmina curva. – Quando essa personalidade assume, ataco tudo o que vejo pelo caminho. Não respondo por mim.

E Pedro pensou ter visto as presas surgirem na boca de Maria novamente. Não deu tempo de constatar, pois ela se levantou e foi até a beirada do precipício. Parecia remoer alguma coisa ao revisitar suas memórias.

— Naquele dia mesmo, Maria atacou a tribo e matou todos os índios que cruzaram seu caminho — Honorato prosseguiu com seu relato. — Aqueles que conseguiram escapar para a floresta a tempo se salvaram. Não tivemos notícias de nossos pais desde então. O ocorrido se espalhou pelas tribos onde os sobreviventes buscaram refúgio. Minha irmã ganhou a carinhosa alcunha de Maria Caninana por conta disso. Ouso dizer que o apelido lhe caiu muito bem — ironizou Honorato.

— Caninana é uma maldita cobra conhecida por ser muito arisca. Se você a irritar, ela morde! — desafiou Maria, áspera.

— Viram só? — disse o irmão.

— Mas a mordida não é perigosa, pois a caninana não tem veneno algum — completou Maria.

— Esse é o nosso motivo! — retomou a palavra Honorato, dispensando o último comentário da irmã. — Resolvemos caçar o Canhoto para obrigá-lo a desfazer a maldição que ele jogou em Maria. Mas, sempre que o temos na mão, ele dá um jeito de fugir. Da última vez, fomos mais longe do que jamais havíamos conseguido. Cortamos sua cabeça, mas, antes de persuadi-lo, a Moura Torta surgiu e roubou-o de nós.

— E só tentaram isso? — quis saber Pedro. — Quero dizer, para tudo existe mais de uma solução, certo?

— Bom, não sei de que outra forma podemos enfraquecer o Tinhoso. Por acaso sabe de algum jeito melhor do que transformá-lo em uma Cabeça Errante? — devolveu a pergunta Honorato.

— Não me refiro ao Canhoto. Mas sim à maldição de sua irmã — explicou Pedro. — Ora, sempre existe outro jeito, não? — ele tinha a intenção de desviar o assunto do Canhoto. Não queria que a conversa beirasse o Cramulhão e alcançasse o trato que ele tinha feito com a cabeça engaiolada. Cosmo já evitava até olhar para Pedro. Então ele precisava encaminhar a conversa para outro tema.

— Não existe outro jeito neste caso — disse Maria seca e direta.

— Na verdade, existe sim — retomou a palavra Honorato, falando devagar. — Já tentamos outra coisa — ele parecia tocar em um assunto delicado para os dois irmãos.

— Sim! Mas não funcionou, não é mesmo? — cortou-o Maria com irritação.

— Irmã! Já falamos sobre o assunto. É possível, você sabe disso — insistiu Honorato.

— O que é possível? — indagou Cosmo.

— Nós acreditamos ser possível mudar quem nós somos... se quisermos — respondeu Honorato.

— Você acredita! — corrigiu-o Maria. — Eu não.

— Você também acredita, irmã — rebateu Honorato. — Foi assim que conseguimos aperfeiçoar nossa técnica de transmutação, não foi?

— Como assim? — interessou-se pela conversa o boto. Pedro contentou-se, em parte, com o rumo da conversa. Cosmo parecia se entreter com o assunto, mas os irmãos começavam a trocar farpas e isso não parecia muito seguro. — Como foi que aperfeiçoaram a técnica de vocês? — perguntou Cosmo. Pedro imaginou que o amigo queria saber se existia uma maneira de ser como os botos originais, sem depender de um desenho do Faunim para assumir a forma humana.

— Lá vem o meu irmão e as crenças furadas dele — alfinetou Maria.

— Não são crenças furadas, Maria. Enquanto você acreditou, deu certo. Não deu? — retrucou Honorato. O irmão de Maria mostrava pequenos sinais de impaciência, mas tinha muito mais autocontrole que a irmã. — Nos últimos tempos, ela tem tido dificuldade para se transformar em cobra — contou ele. — Só tem conseguido em épocas de troca de pele. Fora isso, tem sido difícil para Maria. Não sei bem por que, mas acabou ficando presa, boa parte do tempo, em seu aspecto humano, que não é a sua forma original. Parece ter algo a ver com a segunda personalidade. De vez em quando, essa personalidade aparece e tudo vira um caos — um silêncio pairou no ambiente. — Mas o que sempre digo é que está tudo aqui — e apontou para a própria cabeça. — O que a gente deseja com vontade e busca diariamente com disciplina acontece! Não há segredo nem crença alguma. É uma questão de querer alcançar o que se almeja.

Cosmo pareceu pensativo. Remoía as palavras de Honorato. Pedro confiava naquele tipo de pensamento. Era quase como "sempre buscar o lado bom". Independentemente da situação, se alguém enfiar na cabeça que vai dar certo, dá.

— Pfff! — debochou a irmã. — Quisera eu ter veneno como uma cascavel. E olha só! Minha mordida não causa mais que uns furinhos ardidos. Como uma maldita caninana.

— Enquanto você desejou mudar de forma, Maria, você conseguiu. Sabe disso. Se desejar ter veneno, não acho impossível que o seu corpo passe a produzi-lo — teorizou Honorato. — Mas acredito que o enfoque dos seus pensamentos precisa ser outro, já que estamos juntos nessa. Se você conseguisse forçar sua mente a expulsar a outra personalidade daí, não precisaríamos perder nosso tempo caçando esse Canhoto, que já nos fez grande mal — concluiu Honorato.

— Você sabe que eu já tentei!

— Sim, mas sei também que você pode tentar mais. Ainda há tempo, não? Ainda estamos aqui. Sempre é tempo para tentar.

— Honorato, você prometeu! — disse Maria, apontando o indicador para o irmão.

— Sim, irmã — respondeu Honorato, então abaixou a cabeça, como se desistisse da discussão. — Estou com você até o fim. Só estou dizendo que, se estiver disposta a tentar uma alternativa, ela existe. Sabemos que existe e é bem real. Se quiser tentar, estou contigo também.

Uma pontada fez Pedro gemer. Eram os sulcos abertos em seu ombro que faziam questão de arder naquele instante. Obra de um Corpo Seco de unhas compridas.

— Ei, precisa tratar esse ferimento — disse Honorato assim que viu a ferida. — Isso é um arranhão de um Unhudo, não é?

— Não sei. O que é um Unhudo? — perguntou Pedro preocupado.

— Um Corpo Seco de unhas compridas. Uma das especialidades do Canhoto. Adora acrescentar adornos em suas criaturas — comentou Honorato. — Venha cá! Deixe-me olhar isso de perto.

Honorato examinou o ombro machucado de Pedro e, com algumas folhas e alguns pedaços de cipó que encontrou no entorno, fez um curativo provisório em seu braço. Usou, inclusive, alguns trapos que arrancou da roupa que vestia.

— Acho que isso aqui vai aguentar, pelo menos esta noite. Não vai curar o ferimento — avisou —, mas vai evitar que infeccione e lhe cause problemas maiores. Não faz ideia das porcarias que existem debaixo das garras de um Unhudo — disse Honorato arqueando as sobrancelhas.

— E você? Como foi que não acabou machucado se arrastando pela floresta? Ela estava em chamas — indagou Cosmo intrigado.

– Bom, como eu disse, está tudo aqui – e Honorato apontou de novo para sua cabeça. Maria bufou mais uma vez, mas ninguém lhe deu atenção. – Depois que a história do ataque de minha irmã se espalhou, nós dois fomos caçados incessantemente e precisamos encontrar maneiras de sobreviver.

– Uma noite, caímos em uma emboscada – completou Maria. – Eu estava no meio de uma crise. Minha personalidade amaldiçoada insistia em falar mais alto. Quis estraçalhar e trucidar os agressores – contava ela com um fogo aceso em seus olhos. Como se aquela vontade ainda ardesse em seu íntimo. – Mas Honorato não deixou – concluiu com evidente pesar, enterrando sua adaga até o cabo no solo da encosta.

– Reconheci alguns daqueles índios. Eram de nossa antiga tribo – esclareceu Honorato em sua defesa.

– Ainda agora, acha que não deveríamos ter dado um jeito neles? – esbravejou Maria inconformada.

– Não deveríamos – respondeu Honorato, enfrentando-a.

Maria cruzou os braços e se voltou para Pedro e Cosmo, que assistiam à briga íntima entre os dois irmãos.

– Aquela foi uma das piores noites – prosseguiu Maria. – Honorato se transformou em cobra e, antes que eu fizesse qualquer coisa, me engoliu inteira.

– Eu queria proteger você!

– Você queria proteger aquela gente. E o que foi que ganhou em troca? – esbravejou ela nervosa. – Eles te machucaram a noite toda. Te furaram e cortaram até cansar.

Pedro conseguiu visualizar a cena toda em sua cabeça. Uma cobra preta gigantesca sendo agredida por uma infinidade de índios. Fez um paralelo com as formigas, quando se juntam para trucidar a carcaça de uma barata qualquer. São impiedosas e mortais.

– Seguiram a gente noite adentro – continuou Maria com tristeza impregnada naquela lembrança. – Dilaceraram o corpo do meu irmão até que, enfim, ele conseguiu alcançar um rio e fugir com a ajuda da correnteza – os olhos de Maria fitavam os próprios pés. – Nunca limpei tanto sangue em toda a minha vida. Naquela noite, achei que fosse perder o meu irmão.

Um silêncio sincero tomou conta do lugar, dando a todos alguns instantes para digerir o relato pesado de Maria Caninana.

– Não me arrependo do que fiz – confessou Honorato. – Nem por um minuto. Acredito que tudo tenha um motivo para acontecer – e Pedro percebeu que Cosmo, dessa vez, era quem simpatizava com a forma de pensar de Honorato. O boto também acreditava que o destino mexia seus pauzinhos. – Foi assim que me tornei o que sou hoje. Precisava de uma pele dura. Que fosse resistente pelo lado de fora. Algo que evitasse lesões como as daquela noite – contou Honorato. – Acho que desejei com tanto afinco que foi exatamente o que aconteceu. Quando meus ferimentos cicatrizaram, uma couraça tomou o lugar de minha frágil pele de cobra. Pouca coisa consegue penetrar meu corpo. Foi graças a isso que consegui tirar vocês daquele incêndio provocado pelo Canhoto.

Pedro achou tudo aquilo impressionante. Ficou imaginando se era esse o tipo de magia que provinha das pinturas de Faunim. O desejo do pintor de buscar o realismo em suas pinturas devia ser tamanho que elas acabavam se tornando reais.

– Essa história também se espalhou por algumas tribos – tomou a palavra Maria Caninana. – Meu irmão ficou conhecido como Cobra-Grande ou Cobra Honorato, o protetor – dessa vez, Maria não colocou ironia no que dizia.

– Bom, acho que já chega de falar do passado, certo? – concluiu Honorato. – Descansem! Minha irmã e eu vamos caçar alguma coisa para comer. Se quiserem, podemos trazer algum animal pequeno. Algo que possam assar para matar a fome antes de vocês dormirem. Nós não precisamos disso. Temos sangue frio e preferimos comida fresca e crua.

– De preferência viva! – completou Maria. E um calafrio gelou Pedro e Cosmo.

– Se quiserem algo para comer, precisamos deixar algum tipo de prenda para os espíritos que guardam as florestas – comentou Honorato, aguçando a curiosidade de Pedro. – Eles protegem as caças. Não nos incomodam porque uma parte de nós é cobra. Estamos dentro da lei natural das coisas – disse, respondendo uma parte das dúvidas que já brotavam na cabeça de Malasartes. – Mas agora vamos abater uma caça para vocês, e um de vocês é um ser humano! Por isso, é necessário deixar algum tipo de presente para os Caiporas, ou eles vão nos rogar má sorte.

– E um malogro desses não é nada bom! – completou Maria.

– Não temos nada para deixar de oferenda – falou Cosmo.

– Não tem problema, daremos um jeito de resolver isso com os espíritos da floresta – comentou Honorato.

Pedro pensou em perguntar sobre os tais Caiporas, mas desistiu no meio do caminho. Seu estômago roncou e, com isso, Maria e Honorato tiveram a resposta que buscavam.

Os irmãos se levantaram prestes a se embrenhar na mata. Pedro percebeu que, fora os trapos que vestiam, não eram nada parecidos. Mas sabia que irmãos gêmeos nem sempre se parecem.

– Bom, só para finalizarmos esta conversa – disse Honorato voltando-se para os dois, antes de sumir no mato. – Se precisarem de aliados, seja qual for o objetivo de vocês, podem contar com a gente. Afinal, todos nós tomaremos o mesmo caminho, pelo menos até encontrarmos o Canhoto.

– Exato. Nossa dedicação nessa missão é total – emendou Maria. – Vamos obrigar o Jurupari a retirar a maldição que lançou em mim. Essa personalidade maldita!

– Pensem bem a respeito – pediu Honorato. – Depois que alcançarmos o Canhoto, podem seguir com a viagem de vocês, como já têm feito – ele olhou principalmente para Cosmo. – Só estou dizendo que somos mais fortes juntos. Afinal, "quatro" é melhor do que "dois", certo?

Capítulo 10
Fogo Morto

O ovo de galo ainda entalava a conversa dos dois.

Pedro recolhia gravetos secos para alimentar uma fogueira. Cosmo também. Já tinham recolhido uma porção de gravetos quando Pedro resolveu falar alguma coisa.

– O que acha disso, Cosmo? De sermos quatro de nós agora – indagou Malasartes. – Pode ser bom, não?

– Não sei se gosto da ideia. Não os conhecemos muito bem. Ela parece ser bem instável – e Pedro teve de concordar em parte com o boto. – Tenho receio de colocar tudo a perder – confessou Cosmo. – Estamos numa missão de extrema importância aqui. Algumas centenas de vidas de Ciprinos dependem disso.

– A nossa também – completou Pedro.

– Como é?

– A nossa vida – repetiu Pedro – também depende disso, não é? Merecemos um pouco de proteção durante a missão, não acha? Esses dois parecem ser capazes de oferecer isso. São aliados poderosos – disse Malasartes. – Além do mais, acredita mesmo que se você voltar para casa sem resolver esse assunto do Carbúnculo vai ficar tudo bem? Com a ajuda dos gêmeos, nossa missão pode ficar mais fácil.

– Não sei por que você está preocupado, Pedro – rebateu Cosmo. – Entendo que eu estarei bem ferrado se voltar. Por conta do fiasco no conselho, por driblar a lei e tudo o mais – enumerou o boto. – Mas não você! Ninguém na sua província sabe qualquer coisa a respeito. Sua vida não depende disso.

Pedro segurou a resposta na ponta da língua. Quis contar sobre o valor elevado que aquela gema do Carbúnculo poderia lhe render e de como sua vida dependia, sim, daquilo. Mas optou pelo voto de silêncio. Nem tudo precisava ser dito, pensou ele.

Remexiam o chão com os pés, levantando a folhagem em busca de mais gravetos. A floresta no entorno parecia entregue a um sono profundo. A solidão era ao mesmo tempo aterradora e mística.

– Preciso te perguntar uma coisa – disse Pedro. – Você não gostou nada da ideia de eu ter feito um pacto com o Canhoto, não é?

– Aquilo foi errado, Pedro – respondeu o boto sob a luz da lua, parando tudo o que estava fazendo para fitar Malasartes nos olhos. – Não podemos acumular problemas em nosso caminho. Aquilo foi perigoso e, a partir de agora, sempre será! A qualquer momento esse tal Tinhoso pode aparecer para recolher o corpo dele que, convenientemente, está no seu bolso – desferiu o boto.

– Bom, na hora pareceu o certo a fazer – argumentou Pedro a contragosto.

– Isso justifica muita coisa – rebateu Cosmo ironicamente.

– Mas não foi o que eu fiz – disse ele com um quê diferente na voz, como quando se tem uma carta na manga e se está prestes a revelar a grande jogada.

O boto estacou onde estava, calado e imóvel.

– Ouviu o que eu disse? Não foi o que eu fiz – repetiu Malasartes, com mais ênfase no mistério.

– Como assim? Explique melhor! – pediu-lhe o boto. – Não entendo aonde você quer chegar.

Pedro pegou mais alguns gravetos do chão e os juntou aos já coletados.

– Na hora eu não pude te contar, Cosmo. Não sei se percebeu, mas o Canhoto já tinha escutado nossos cochichos uma vez. Eu tive que pensar em algo diferente – disse Pedro em tom de desculpas. – Não queria que a gente corresse o risco de ele descobrir o meu plano.

– Que plano? O que está dizendo? – Cosmo parecia cada vez mais confuso.

– Eu não fiz o acordo correto. Não do jeito que o Canhoto me pediu – Pedro revelava aos poucos. – Eu não estou com o ovo de galo.

– Ah, não? E o que é que está chocando no seu bolso esquerdo neste momento? – bradou Cosmo. – Eu vi quando você guardou o ovo no bolso.

Então Malasartes fez questão de tirar um ovo redondo, pequeno e preto de dentro do bolso de suas vestes.

– Este aqui? – perguntou Pedro, com a cara mais mal lavada do mundo.

– Está brincando comigo, Pedro? – irritou-se Cosmo. – É claro que é esse.

– Olhe atentamente, Cosmo! – pediu Malasartes com certa calma em sua voz. – Este não é o ovo de galo do Canhoto – completou Pedro deixando o boto perplexo.

– Mas eu v... – Cosmo iniciou um protesto.

– Lembra daquela pérola negra que mastiguei por acidente na Festa no Céu? Pois então – baforou na bolinha e a lustrou com a barra da camiseta. – Parecidíssimas, não? Por sorte eu a guardei no bolso, para levar de recordação do mundo subaquático. Ela acabou cumprindo um propósito maior.

O boto deixou escapar uma curta gargalhada.

– Você enganou o Canhoto? Fingiu pegar o ovo mostrando a ele a pérola em seu lugar? – indagou Cosmo para confirmar se havia entendido corretamente.

– Isso mesmo – confirmou Pedro. – O ovo verdadeiro deve ter sido torrado com os escombros da casa da Zaori.

– Mas e quando ele voltar? – preocupou-se o boto.

– Bom, vai ter uma baita decepção – brincou Pedro.

O boto ficou calado por um tempo. Pareceu assimilar toda a artimanha de Malasartes. E Pedro apreciou aquele momento. Gostava de se sentir inteligente.

– Não sei o que isso vai acarretar para nossa missão mais à frente, mas... uau! Preciso confessar, isso foi genial – elogiou Cosmo.

Pedro escolheu o local para acender o fogo. Achou um ponto específico do terreno onde se fixaram, à beira da encosta. Bem onde a grama se apresentava chamuscada, indicando que ali uma fogueira havia sido acesa recentemente. Imaginou que isso ajudaria no processo de acender o fogo e julgou aquele um bom lugar. Montou ali uma estrutura organizada com os gravetos. Com certo custo, enfim, conseguiu acender e fazer a fogueira ganhar corpo.

– Por que o nome Pedro? – perguntou Cosmo, talvez tentando puxar papo. Querendo mostrar a Malasartes que não estava mais nervoso, já que agora sabia a verdade sobre não haver ovo de galo nenhum em seu bolso, e sim a inofensiva pérola negra dos enfeites da Festa no Céu.

– Não sei o porquê do meu nome. Talvez "Pedro" lembre a palavra pedra – divagou ele. – Quem sabe meus pais desejassem que, quando eu crescesse, soubesse enfrentar o mundo como uma rocha? – arriscou Malasartes. – Não sei, não.

Após terem acendido a fogueira, só restava aguardar os irmãos, Maria e Honorato, voltarem da caçada noturna. Sentaram-se lado a lado, na beirada do terreno, com os pés balançando penhasco abaixo. A fogueira lhes trazia um ar acalorado e relaxante, que esquentava suas costas enquanto admiravam as estrelas que brilhavam no céu. As nuvens chuvosas e trevosas já tinham sido carregadas pelo vento fazia algum tempo. Não havia nada que encobrisse a majestosidade daquela abóbada salpicada de pontinhos cintilantes.

– E por que o nome Cosmo? – indagou de volta Pedro.

– Por conta deste céu. É lindo, não é? – argumentou Cosmo. – Depois de muitas edições da Festa no Céu, acabei tendo a chance de dar o meu toque especial ao evento. Com um nome como este, não podia faltar um céu, não é verdade? Enfeitei todo o local com pérolas brancas. Escolhi as pérolas porque elas se esforçam para imitar essa beleza toda que vemos aqui. Em defesa das pérolas, digo que elas são bem convincentes. Mas é impossível superar esse céu todo – e Cosmo fez com que Pedro admirasse ainda mais aquela imensidão noturna. – Nunca entendi como minha mãe conseguiu prever que eu amaria tanto admirar o céu.

– Sua mãe? Como assim?

– Certa vez, minha mãe me disse que, quando conheceu meu pai, estiveram na superfície. Ela queria conhecer mais do céu à noite. Dizia que era algo perigoso de se fazer naquela época. Era preciso sair da proteção criada pelos Caruanas, a Travessia, para poder chegar aqui em cima – contou o boto. – Ela nunca estivera aqui na Província. Bom, o destino tratou de mudar um pouco as coisas. Minha mãe acabou descobrindo a superfície por conta própria. Ela me contou que a coisa mais impressionante de se testemunhar era o céu noturno. E que, ao longo de todas as vezes que ela e meu pai se encontraram escondidos na superfície, aquele céu se tornou o símbolo do namoro deles – e Cosmo colocou um sorriso carinhoso nos lábios. Lembrar-se dos pais parecia algo nostálgico para o boto. – Ela me contou que, quando ouviu dizer que aquele teto todo estrelado, que os recepcionava todas as noites, se chamava Cosmos, foi o dia em que decidiu o nome que daria a seu filho. Cosmo. Em homenagem àquele céu.

Cosmo se muniu de uma pedra e a arremessou o mais longe que conseguiu, penhasco abaixo. Os dois acompanharam a pedra se perder no escuro da noite e não a ouviram cair onde quer que tenha ido parar. Então o boto continuou sua história.

– Algum tempo depois, eu nasci. Ela disse que eu tinha mesmo cara de céu estrelado, já que nasci com certas pintas pelo corpo.

E Pedro se lembrou das pintas escuras no rosto do amigo.

– Segundo Faunim, mesmo um corpo desenhado, como o meu, aos poucos assume certas características peculiares de quem o usa – mencionou Cosmo.

Os dois presenciaram uma estrela cadente riscar um facho veloz no céu.

– Meu pai dizia que cada uma dessas estrelas é um sonho de alguém. Um sonho que foi realizado – contou Cosmo. – Uma das poucas coisas de que me lembro sobre meu pai é ele dizendo que eu fui um desses sonhos. Que ele tem uma estrela brilhando no céu por conta de eu ter nascido.

– Eu tenho um sonho – confessou Malasartes. E não foi uma pedra preciosa que apareceu em seus pensamentos naquele instante. – O meu sonho se chama Pedro Malasartes Junior.

– E o que seria isso?

– Um filho, ora!

– Você tem um filho?

– Não, mas um dia eu vou ter. E esse vai ser o nome dele. E, quando isso acontecer, minha estrela também vai brilhar nesse céu – concluiu Pedro.

Maria Caninana e Cobra Honorato voltaram do meio da mata. Chegaram tão sorrateiros que Pedro e Cosmo só os perceberam depois de passado um tempo desde o seu retorno. Sinal de que eram hábeis caçadores, pensou Pedro.

Traziam uma caça abatida, um pequeno cateto, como alimento para os dois.

Os irmãos não comentaram nenhum detalhe sobre a caçada. Também não falaram mais que meia dúzia de palavras antes de se ajeitarem em um canto para pernoitar. Pedro e Cosmo assaram o porco e se empanturraram com a carne gordurosa. Antes de finalmente se deitar, quando a fogueira se quedou em brasa, Maria deu uma olhada clínica para o braseiro restante. O estranho é que ela pareceu encucada com o que viu, como se aquele fim de fogueira tivesse algo de errado.

– O que foi? – perguntou Cosmo temeroso.

– Essa fogueira. É fogueira de fogo morto? – quis saber ela.

– Fogueira do quê? – perguntou Pedro.

– De fogo morto. Quero dizer, já havia cinzas de outra fogueira por baixo? – indagou Maria.

– Sim, já. Por quê? – questionou Pedro incomodado. – O que tem isso?

– Então essa é uma fogueira de fogo morto. Dizem que não se deve fazer fogo no lugar que já foi fogão de outro – e ela jogou areia em cima dos últimos tocos de brasa, apagando de vez a fogueira. – Não presta! Traz mau agouro. Má sorte das bravas. Pior que praga de Caipora!

Cosmo pareceu se incomodar bastante com aquilo. Já Pedro achou melhor não levar Maria a sério. Não queria outra ideia maluca com que se preocupar enquanto cochilava. Aliás, não queria pensar em nada.

– Para alguém que duvida tanto das crenças do próprio irmão, você parece dar muito crédito para outras superstições, não é? – alfinetou Pedro.

Maria Caninana dirigiu-lhe um olhar feroz. Depois se ajeitou num canto, perto do irmão, e preparou-se para dormir.

– Boa noite para você também, viu?! – praguejou Malasartes, baixinho.

Cosmo riu-se de Pedro. Balançou a cabeça e se despediu do amigo e daquela noite. Malasartes imaginou-o partindo para descansar durante algumas horas em um mundo de sonhos e estrelas. Achou sensato embarcar rumo às estrelas também.

Capítulo 11
A Encantaria dos Bichos do Fundo

Ao invés de sonhos, pesadelos!

Cosmo reclamou assim que acordou. A todos os outros, o boto pareceu atordoado. Como se, durante aquela noite, tivesse tido pesadelos terríveis em lugar de sonhos. Pedro sabia que todo mundo tem pesadelos. Até uma criatura das águas. Mas o fato de Cosmo confessar ter visto toda a Missão Carbúnculo em um sonho passou a preocupar Malasartes, já que seus sonhos aparentavam ser prenúncios de coisas reais.

– E o que foi que você sonhou? – perguntou Pedro após um longo bocejo.

Cosmo balançou a cabeça em negativa.

– Ainda não sei dizer ao certo o que foi que vi – e olhou direto para as cinzas da fogueira da noite anterior.

– Não vai me dizer que acredita nessa coisa de fogo morto, Cosmo.

Mas o boto não falou mais nada.

Aquela manhã, comeram o que tinha sobrado do porco. Até Maria e Honorato deram umas mordidelas. Para Pedro, era nítido que Cosmo ainda não tinha aceitado muito bem a entrada dos dois irmãos em sua empreitada, mas acabou não fazendo objeção para que formassem, ao menos por enquanto, um quarteto. Seguiram a esmo descendo a encosta por dentro da mata. Conversaram sobre a direção mais coerente a seguir. Pensaram em muitos planos. Mas todos soaram furados. Nenhum tinha uma base sólida que os quatro pudessem acreditar ser um caminho viável. Pedro percebeu o peso que a pista da Zaori tinha. Era, de fato, a última pista. O rastro da Cabeça Errante tinha sido um vestígio a seguir que surgiu pelo caminho e foi-se embora voando, assim como a própria cabeça endiabrada. Levaram algumas horas tentando pensar no próximo passo, mas uma ideia plausível ainda não havia surgido.

Quando um certo desespero passou a rondar o quarteto, Cosmo resolveu revelar uma ideia que estava empacada em sua mente. Talvez por ser algo arriscado. Algo a ser utilizado como último recurso.

– Eu vou até a água pedir ajuda outra vez – comunicou o boto.

– Ficou louco? Você mesmo disse que não podemos encostar na água, seremos rastreados – Malasartes imaginou que a decisão do amigo derivava dos pesadelos que tivera durante a noite, já que Cosmo ainda se mostrava claramente abalado. – Por que acha que será diferente dessa vez, Cosmo? Não foi esse o intuito da reunião na Bolha das Discussões e Decisões?

– Foi, sim – confirmou o boto, arrumando seu chapéu branco na cabeça. – Mas a reunião serviu para que eu comprovasse algumas coisas. Temos aliados poderosos que acreditam em nossa causa. Acho que, de alguma forma, esses aliados podem nos ajudar, – e Cosmo passou a caminhar confiante, das sombras das árvores até a beira do lago que se agigantava aos pés da floresta.

Pedro pensou no que o boto acabara de dizer. Contou rapidamente em seus dedos alguns dos aliados que faziam parte do primeiro grupo formado por Cosmo e que havia sido frustrado pelo consenso subaquático. Faunim, o Pavão Misterioso, que tinha forjado corpos humanos para o grupo todo, ficara para trás. Fora subjugado em seu próprio ateliê. Os três primos golfinhos de Cosmo também haviam abandonado a sociedade formada em prol da missão. Um deles, inclusive, desistiu covardemente, diante de todos os convidados da reunião, enquanto os outros dois haviam se perdido durante a fuga para a superfície. Na melhor das hipóteses, provavelmente todos eles estariam presos, sentenciados por Sanur e vigiados pelos guardas de Bênu. Então a quem o boto se referia? Quem poderia ajudá-los no caminho a seguir?

— Do que é que ele está falando? Que aliados são esses? – perguntou Honorato para Malasartes.

— Sinceramente, eu também não sei – e Pedro seguiu o amigo até a beira do lago. Caninana e Cobra-Grande foram logo atrás.

— Tem certeza disso, Cosmo? – indagou Pedro temeroso.

Cosmo não respondeu. Marchou rumo à lagoa. Seus pés tocaram a água que foi molhando seus calcanhares, depois seus joelhos e logo alcançou a cintura. No instante seguinte, Pedro notou fachos de luz surgirem de todas as partes dentro da água. Eram como grandes seres que nadavam submersos, mas a aparência deles era reluzente e o que se via eram apenas os brilhos e reflexos de sua luz. Eram sete cores luminescentes que emanavam de cada um deles: vermelho, laranja, amarelo, verde, dois tons diferentes de azul e violeta. Também lembravam raios elétricos que passeavam velozes submersos.

Pedro sentiu vontade de correr. Era necessário. Era urgente. Aquelas luzes "arcoirizadas" significavam o sucesso do rastreio por meio da água. Cosmo tinha encostado no lago e agora as criaturas do mundo subaquático sabiam onde eles estavam. Malasartes não se espantaria se a desprezível tartaruga juiz aparecesse por ali.

— Galafuzes, guardas de Naara! – chamou Cosmo, munido de uma certeza pessoal. – Preciso conversar com as descendentes das Iaras.

E Pedro desejou voltar no tempo apenas alguns segundos. Queria que o amigo não tivesse dito aquilo. Os Galafuzes se agitaram e passaram a rodear Cosmo. Pedro foi até o amigo. A água já alcançava a altura do seu umbigo.

— Cosmo? Já chega, não é mesmo, amigão? Talvez ainda dê tempo de a gente correr – sugeriu Pedro hesitante.

Não demorou muito para que duas cabeças brotassem num ponto mais ao fundo do lago, a alguns metros de distância de Cosmo e de Pedro. Era Naara acompanhada da prima mais velha, Saara. A sereia azul e a sereia dourada, respectivamente. Malasartes amaldiçoou a própria ignorância mentalmente. As duas haviam se mostrado favoráveis à causa da Missão Carbúnculo ao bater de frente com todas as patentes e as hierarquias do mundo subaquático e ao criarem a brecha para que Cosmo e os outros pudessem escapar para a superfície. Não havia contado as sereias como aliadas, mas, pelo jeito, Cosmo havia já que ousou acreditar em seus instintos, entrar no lago e chamá-las. E ali estavam elas.

Ambas se aproximaram sorrateiras e sérias. Pedro não soube muito bem como reagir. Já se sentia afetado pela presença delas. Era como se exercessem alguma influência sobre ele. O semblante das sereias não indicava muito bem suas intenções... ou elas não queriam demonstrá-las. Mas Cosmo continuou lá, diante delas, sem mover um músculo. Ele esperou, e Pedro decidiu fazer o mesmo.

– Cosmo – saudou Naara. E o boto lhe fez uma breve reverência.

– Senhora Naara, peço desculpas.

– Por quê, jovem boto? – questionou a sereia enquanto se acercava deles, erguendo-se aos poucos da água, revelando os *dreads* molhados e pesados.

– Eu não tive a oportunidade de agradecer imensamente o apoio de vocês lá na reunião, a favor da Missão Carbúnculo – a sereia esboçou um breve sorriso, crispando de leve as maças escuras de seu rosto. – Eu tomei a liberdade de me colocar no lugar de vocês. E é por isso que peço desculpas – disse o boto. – Só assim consegui imaginar o que eu faria se fosse vocês. E a conclusão a que cheguei é a mesma que eu havia pensado por conta própria, quando não tinha me colocado no lugar de ninguém além do meu: dar um jeito de resolver tudo isso. Não importa como conquistarei esse feito. Salvar os Ciprinos é a minha prioridade – Saara e Naara se entreolharam. Algo brilhou nos olhos das sereias enquanto ouviam os argumentos de Cosmo. – E acredito que as senhoras sabem, assim como eu sei – continuou ele, como se pisasse em ovos –, que nós precisamos fazer isso juntos. Confiei que vocês estariam por perto, por isso não tive medo de entrar na água e correr o risco de chamar a atenção de Sanur e dos outros – finalizou o boto.

Os lábios negros e carnudos de Saara sorriram com muita sinceridade, e Pedro sentiu-se zonzo.

– Viu só, Naara? – falou a sereia dourada. – Sempre há algo para aprender. Inclusive com os mais jovens. Não importa quantas eras se tenha vivido – e ela abanou a cauda cor de ouro por baixo d'água, aproximando-se de Cosmo. – Ele acabou de usar uma palavra pouco lembrada nos dias de hoje e que precisa estar mais evidente – as primas se entreolharam antes de Saara continuar. – Ele disse que *confiou*!

– destacou ela, dando uma piscadela para Naara. – Talvez seja hora de você tomar isso como uma lição, prima. E, quem sabe, colocá-la em prática agora mesmo.

Naara assentiu, reflexiva. Pedro não entendeu muito bem o que a sereia mais velha queria dizer, mas parecia ensinar algo à prima.

– Tem razão, Cosmo – disse Naara. – Fico imensamente feliz que esteja se tornando cada vez mais sensitivo. Saara e eu queríamos ajudar de alguma maneira, sim. E venho arquitetando um jeito de fazer isso corretamente – a sereia fez um sinal para a prima, voltou-se para Cosmo e prosseguiu com sua narração: – Primeiro precisávamos nos comunicar. Sabia que Sanur tinha usado a água para rastreá-los. Uma hora ou outra vocês cederiam e tocariam em alguma lagoa, piscina natural ou cachoeira que fosse. Isso daria a eles a localização exata de vocês – Pedro e Cosmo se entreolharam. – Pedi que Faunim me informasse onde ficava a morada da Zaori e coloquei meus Galafuzes para monitorar todo e qualquer aquífero próximo ao local. Se algum de vocês encostasse na água, eu seria a primeira a saber – Cosmo sorriu. Pedro entendeu que elas não só queriam ajudá-los com a missão, como já estavam fazendo isso havia algum tempo. – Mas isso não impede que os outros também saibam, portanto temos pouco tempo aqui – avisou Naara.

– Antes de qualquer coisa, preciso saber. Meus primos e Faunim estão bem? – indagou Cosmo.

– Levando em consideração o perigo que vocês correm nessa missão para destronar o Carbúnculo, acredito que o pavão e os outros estejam em melhores condições, mas, sim, eles estão presos sob a vigilância severa de Sanur e seus subordinados – explicou Naara.

– Entendo – disse Cosmo engolindo em seco ao receber a notícia. Logo voltou ao assunto principal. – Depois de perdermos o rastro da Zaori, não sabíamos mais para onde ir, por isso precisei recorrer a vocês. Eram minha última opção – contou o boto.

– Bom, é justamente a respeito disso que venho discutindo com minha prima Saara. Talvez eu possa prestar auxílio exatamente nesse ponto, sobre qual caminho seguir. Não que eu saiba a resposta. Mas conheço quem sabe – comentou a sereia com penduricalhos azuis nos cabelos. – Já ouviram falar nos Bichos do Fundo? – indagou ela.

Cosmo assentiu animado antes de responder. Aos olhos de Pedro, o boto parecia ter renovado suas esperanças e, consequentemente, as de Malasartes se restauravam também.

– Sim, já! Os Caruanas, certo? Os primeiros de nosso mundo. Os seres que criaram a Travessia – respondeu Cosmo. E Malasartes se lembrou dos relatos do boto a respeito daqueles seres. Também eram chamados de Encantados. De acordo com sua memória, os Bichos do Fundo eram tidos como divindades por muitos habitantes das águas.

– Esses mesmo, jovem boto – confirmou ela. – As Iaras do princípio, que são as fundadoras do nosso mundo, descendiam diretamente deles, assim como os primeiros botos reis – completou Naara. – Os Caruanas interligaram todo o nosso povo. A Travessia é uma maneira de conectar todos os cantos do mundo subaquático. E, assim como foram capazes de nos conectar, eles também podem nos desconectar.

– Foi desse jeito que os Ciprinos conseguiram se isolar? – indagou o boto. – Você os levou até os Bichos do Fundo e eles ajudaram o povo Ciprino a se desconectar do restante de nossa gente?

Naara se espantou com as perguntas de Cosmo. Pedro sentiu medo por um instante. As sereias não pareciam tolerar presunções atrevidas. Pois foi assim que as observações do boto soaram para Malasartes. Um tipo de julgamento da parte de Cosmo, de certo modo ele acusara a sereia de ser responsável pelo desligamento de uma raça inteira.

Mas a sereia se mostrou serena novamente.

– Os Ciprinos me pediram – respondeu ela, confirmando a suposição de Cosmo. – Não queriam mais viver em conjunto. Estavam infelizes com o resultado da batalha na caverna da Alamoa. Quando nós, criaturas das águas como eles, optamos por não os ajudar na luta contra a terrível bruxa do Além – revelou ela. – Os representantes dos Ciprinos me procuraram. Disseram que era chegada a hora de migrar. Que eles *sentiam* isso – ela fez uma pausa significativa. – E então eu os ajudei. Quebrei um sigilo sagrado e os levei até um Encantado.

Naara olhou para a prima, como se buscasse algum incentivo para continuar. De alguma forma, aquele assunto parecia colocá-la em uma situação desconfortável.

– Apenas confie, Naara! – Saara disse em apoio.

Então Pedro entendeu que o contato da sereia com um ser das antigas, como um Encantado, era algo secreto e arriscado. Esse era o seu impasse. Parecia estar prestes a repetir o feito com os representantes dos Ciprinos e a ponto de quebrar o tal sigilo sagrado novamente.

– Posso levar vocês até um dos Bichos do Fundo – falou ela. – Mas não posso ir além disso. Vocês terão de convencer o Caruana do que realmente buscam. Se ele acreditar em vocês, poderá realizar suas encantarias para ajudá-los a encontrar os Ciprinos. Afinal, só os Bichos do Fundo são capazes de saber onde os Ciprinos estão e apenas eles podem levar vocês até esse lugar – concluiu Naara.

– Tudo bem, eu falo com Caruana – concordou Cosmo.

– Não será nada fácil – disse a sereia azul. – Ele não vai falar com você, pois ele não fala. Ao menos, não em sua língua! E não escuta – completou ela. – Também não enxerga, não como nós.

– E como devo falar com ele? – perguntou Cosmo confuso.

– Para a nossa sorte, é você quem está aqui e não outro boto – comentou Saara, animada.

– Desculpe! Não entendi – disse Cosmo.

– Você precisa sentir! – explicou Naara. – Com muito afinco. Assim, o Encantado terá acesso aos seus desejos mais profundos. E então resolverá se deve ajudá-lo em seu caminho ou não. No caso dos Ciprinos, os Bichos do Fundo devem ter achado a causa deles genuína – e ela mirou fundo nos olhos de Cosmo. – Não tenho dúvidas de que a sua também é.

– Tudo bem – decidiu-se o boto. – Eu vou. Quero me encontrar com o Caruana.

Naara notou Maria e Honorato parados à beira do lago.

– Vejo que tem amigos – comentou ela.

E Cosmo voltou-se para Malasartes e os outros, olhou para cada um deles, depois se virou para Naara.

– Sim, eles virão comigo! São meus aliados nesta missão.

Pedro abriu um sorriso largo e abanou a mão, chamando os irmãos para perto do grupo.

Maria e Honorato não perderam tempo. Aproximaram-se de Pedro e Cosmo enfiando-se na água e encharcando os trapos que vestiam.

— Também já ouvimos falar sobre os Caruanas — comentou Maria. — Existe uma lenda antiga sobre o peixe cascudo. Aquele que se alimenta das sujeiras do fundo dos rios.

Saara assentiu com a cabeça, confirmando a veracidade da existência da lenda.

— Disseram que, antes de ter sua carapaça dura e escura e viver se arrastando na lama, era um peixe de nome acari, que significa peixe belo. Dizem que ele se exibia como o peixe mais exuberante. Xingava as arraias que viviam chafurdadas na lama densa dos rios chamando-as de sujas. Atormentava os peixes de casca dura e escura, os batizava de cascorentos, já que suas próprias escamas eram brilhosas e distintas. Puxava também os bigodes dos camarões, nesse caso puxava de ruindade mesmo.

A água cobria até acima da cintura de todos. Honorato se remexeu onde estava.

— Até que, um dia, os Bichos do Fundo chamaram o acari em seus domínios mágicos. Que ficam para lá do barranco das terras caídas — continuou o irmão Honorato. Os dois pareciam conhecer aquela história de cor e salteado. — O Encantado disse para o peixe que o tinha feito belo, mas sua arrogância o tornava feio. Por conta disso, com uma encantaria, o acari teria a aparência que mais combinava com a sua personalidade. E então o peixe se transformou em um ser cascorento e com bigodes. Por não mais querer ser visto, passou a viver escondido na lama escura dos igarapés — contou Honorato. — Mudou até de nome, já que ninguém o conhece mais como acari. Agora é chamado apenas de cascudo. Os Caruanas lhe deram mesmo uma lição.

— Essa é a única história de que nos lembramos, nossa mãe costumava contá-la quando a gente a visitava. Gostávamos de ouvi-la — admitiu Maria com pitadas de saudade. — É uma das lendas mais antigas de nossa tribo. Um conhecimento passado adiante por várias gerações.

— Pois é. Nunca imaginei que conheceria um Encantado. Espero que ele não nos transforme em algo feio como o cascudo — observou Honorato.

— Se ele me transformar em uma cobra venenosa, ficarei muito feliz — sugeriu Caninana, baixinho. E o comentário não agradou em nada seu irmão.

Naara sorriu para os dois.

– Os Bichos do Fundo prezam pelo equilíbrio. Assim como os xamãs – explicou ela. – Os Encantados são criaturas do começo de tudo. Antes de um ser fantástico se tornar xamã, é necessário aprender diversas lições com os Caruanas. Foi assim que ganhei meu título de xamã das águas. Conheço alguns xamãs da floresta também, que buscam pela equivalência de todas as coisas – Maria e Honorato arquearam as sobrancelhas. Pareciam já ter escutado algo a respeito dos xamãs aos quais ela se referia. – São xamãs poderosos. Um deles vive com seu arco de flechas certeiras e com seus pés para trás. O outro pita ervas em seu cachimbo e vaga por aí em uma perna só, vestindo seu gorro mágico – Pedro tentou imaginar como seriam aqueles dois xamãs que a sereia mencionara. De alguma forma, já tinha ouvido falar sobre eles, mas eram apenas personagens do imaginário popular, assim como a própria figura da sereia. No entanto, havia duas delas diante de Malasartes.

– Os Caruanas também auxiliam os pajés em suas benzeduras ao revelar os segredos da mata para eles. Também ajudam os feiticeiros do mundo das águas ao ensinar-lhes as curas por meio das corredeiras – revelou Saara. – São divindades poderosíssimas.

Algo chamou a atenção das sereias. Entreolharam-se temerosas. Pedro não conseguiu perceber nada além da agitação de Naara e Saara.

– É hora de ir! Bênu e seus cavalos-marinhos, montados em hipocampos, se aproximam depressa – avisou a sereia dourada.

Naara mandou que mergulhassem no lago. Os quatro obedeceram prontamente. No momento em que se acobertaram de água, as bolhas confusas da Travessia os alcançaram e os carregaram para outro lugar. Foi uma viagem subaquática leve. Nada parecido com as Travessias anteriores. Pedro identificou uma melodia que os guiava. Eram cânticos. Músicas de sereia. Já tinha ouvido falar a respeito do canto das sereias, mas era a primeira vez que o escutava. As sereias cantavam conduzindo-os calmamente pelo mundo submerso.

Ao saírem da Travessia, encontraram-se em águas escuras. Os quatro pareciam estar no fundo de um rio caudaloso. Tudo tinha uma tonalidade esverdeada e barrenta. Viram arraias do fundo se dispersarem com a chegada do grupo e alguns camarões barbudos.

— O cascudo deve estar se escondendo — comentou Maria com os cabelos esvoaçantes, aludindo à lenda do acari.

As sereias rumaram por um caminho bem íngreme, que descia para o ponto mais escuro do lugar. Pedro reparou em alguns troncos tombados no fundo do rio. Entre seus galhos, sombras de criaturas, às quais ele não saberia dar um nome, se moviam para sumir da vista deles. Era como se não vissem caras novas por ali havia muito tempo. Apesar de tudo, Cosmo parecia mais calmo. Talvez isso se devesse ao fato de estar em água doce, seu hábitat natural, pensou Pedro.

A cada passo, tudo escurecia mais. Era sufocante ver a luz ficando para trás. As sereias remavam com suas caudas logo à frente e quase já não podiam ser vistas. E então estacaram no lugar, flutuando diante deles.

— É aqui! — afirmou a sereia mais nova. — A partir deste ponto é com vocês. Saara e eu vamos atrasar e despistar qualquer um que venha por estas bandas no encalço de vocês — Naara voltou-se para Cosmo e deu-lhe uma última recomendação: — Não se esqueça de sentir, jovem boto. Diante de um Encantado, concentre seus pensamentos com afinco no que você quer e deixe sua fé fazer o resto — ela voltou-se para Pedro e ele pôde ouvi-la falar em sua mente, pois não abriu a boca ao dizer: — Você também, Malasartes. Sinta!

Pedro desviou-se, sem jeito, do olhar de Naara. Percebeu que Honorato chamava a atenção da irmã. Pedia para que Maria se atentasse às recomendações da sereia. Malasartes sabia que Honorato se referia à maldição da personalidade violenta que o Canhoto infligira à sua irmã. Honorato pedia a Maria que se concentrasse em seus pensamentos mais genuínos, assim o Caruana poderia atender o pedido e ambos parariam de buscar incessantemente uma solução e uma vingança contra o Coisa-Ruim. Poderiam aproveitar a vida em paz.

— Boa sorte com o Carbúnculo — recomendou, por fim, Naara. A prima mais velha apenas lhes assentiu com a cabeça.

Cosmo pareceu gelar. A menção do nome Carbúnculo trouxe de volta algo que o preocupava. Pedro imaginou que seriam os pesadelos que o amigo tivera ainda há pouco. Sem dizer uma palavra, Cosmo seguiu adiante, dirigiu-se para o negrume sem fim que se estendia à frente. Pedro foi logo atrás, com Maria e Honorato. Os quatro desapareceram juntos no breu.

Ficaram um tempo na escuridão. Pedro não sabia mais se caminhava em linha reta, muito menos se ainda estava ao lado de seus amigos. Após um breve espaço de tempo naquele limbo, sentiram no entorno que algo grande se movia. Logo depois, uma claridade emanou desintegrando a obscuridade. Uma luz branca intensa surgiu. Com a claridade emitida por ela, Pedro pôde ver que os irmãos e Cosmo ainda estavam por perto. A cintilância provinha de uma criatura gigantesca. Era um ser colossal e se prostrava diante deles naquelas águas turvas.

Malasartes se concentrou em não gritar. Tentou ocupar a mente com a tarefa de identificar aquele ser. Parecia uma água-viva de grandes proporções. De sua pele fantasmagórica e luminescente é que provinha o esplendor que clareava todo o ambiente ao redor. No fundo daquele rio, um lamaçal denso e escuro se espalhava como se um vento vagaroso o empurrasse. Provocavam o mesmo efeito de gotas de tinta que se propagam em um copo d'água, de acordo com a associação feita pela mente de Pedro.

Uma infinidade de tentáculos pendia do Encantado como uma extensa cortina brilhante. Algo vibrava a partir dele. Era como se muita energia estivesse concentrada ali. Sentiam a tremenda força que irradiava do Caruana.

Então era isso. Pedro estava diante de uma divindade aquática. Estava com medo. Ao mesmo tempo, admirava a visão como se estivesse hipnotizado. Sentiu-se culpado por ter experimentado água-viva cristalizada lá na Festa no Céu.

Cosmo tinha de conversar com a criatura para dar continuidade à missão. Mas como ele realizaria uma proeza daquelas? Olhou para o amigo e percebeu que o boto mantinha seus olhos fechados. Estava concentrado. Como se meditasse profundamente. Um tempo se passou. O Encantado continuava sobrenadando, sem muitos movimentos, diante deles. Uma sensação de algo belo e terrível fluía de seu corpo aceso. Após um tempo, Pedro começou a se preocupar. Nada mais acontecia. Não poderiam ficar ali para sempre.

– PRECISO... SALVAR... CIPRINOS!

Malasartes ouviu Cosmo dizer. Mas algo pareceu diferente. O boto soou como uma criança que balbucia suas primeiras palavras.

– POVO... SOFRE... MUITO... TEMPO! – falou Cosmo outra vez. Mais alto e mais forte. Foi então que Pedro percebeu. O boto não abriu a boca para dizer aquilo. Muito pelo contrário. Continuava com os olhos e a boca fechados, ainda em uma meditação profunda. Malasartes também se deu conta de que não se lembrava do som do que fora dito. Foi mais como se ouvisse aquilo dentro de si. Como se Cosmo falasse em sua mente. Fora assim que soara o último aviso de Naara em sua cabeça, mas, ao mesmo tempo, diferente. Foi mais intenso. E então Pedro entendeu. Ele estava ouvindo o *sentir* de Cosmo. O boto se concentrava em seus desejos com tanto afinco que Pedro era capaz de escutar seus pensamentos mais profundos e seus desejos mais genuínos. Malasartes percebeu que os gêmeos também tentavam entender de onde vinha a voz do boto.

Não pôde deixar de admirar o amigo ainda mais. Era como se Pedro tivesse acesso aos segredos mais sigilosos de Cosmo. E "salvar os Ciprinos" era o seu desejo mais íntimo. Sentiu vergonha ao imaginar o contrário. Se Cosmo escutasse os desejos mais profundos de Malasartes, com certeza o boto veria uma pedra preciosa e toda a riqueza que ela poderia prover. Pedro lutou para mudar o que tinha na mente. Olhou em volta a fim de desviar seus pensamentos para outra direção.

– PRECISO... ENCONTRAR... CIPRINOS. INTERLIGAR. TIRAR... PODER... CARBÚNCULO... – o "sentir" de Cosmo ecoou na escuridão.

O silêncio imperou na profundidade em que estavam. O boto ainda mantinha os olhos fechados e apertados. Aparentava utilizar extrema força. O Caruana agitou seus finos braços que se amontoavam em muitas ramificações. Um deles saiu da multidão de tentáculos idênticos, como um braço delicado, e alcançou Cosmo. Encostou em seu peito como uma mão pousada de leve sobre o seu coração. Então uma voz intensa vibrou no âmago de cada um dos presentes, pegando-os de surpresa. Era o Encantado respondendo à solicitação sincera do boto.

– CONFIO! – proferiu o Bicho do Fundo.

Pedro mal piscava, mas foi em um dos breves momentos em que piscou seus olhos que a encantaria do Caruana os interligou com alguma coisa e fez com que viajassem das profundezas daquelas águas escuras para um canto inóspito do planeta.

Capítulo 12
A Nau da Confraria

Uma embarcação surgiu diante de todos.

Parecia ter saído de um passado remoto, diretamente para o presente. Como se atravessasse as cortinas que separam todas as épocas. Pedro, Cosmo, Maria e Honorato nadavam em águas salgadas. A impressão que tinham era a de que haviam viajado meio mundo em questão de segundos. Estavam muito distantes do local onde se encontravam um piscar de olhos atrás. Um sol forte pesava sobre suas cabeças. Não tiveram muito tempo para pensar a respeito da experiência que tinham acabado de vivenciar com a divindade das águas. O Bicho do Fundo tinha feito uma encantaria e soltado todos eles em alto-mar, conectando-os àquele lugar. Existia algum motivo para isso.

Procuraram por algum tipo de caverna, mas, além da embarcação, viam apenas água e uma ilhota de pedras ao longe. Cosmo fez sinal para o grande navio. Precisariam de ajuda, não tinham certeza se estariam seguros dentro da água. Mas Pedro não reagiu bem ao dar uma segunda olhada na embarcação. Pareceu ter sido vítima da mesma maldição que assolava Caninana, pois algo fez com que se alterasse completamente, alarmando os outros três.

– Cosmo! Não chame a atenção deles – suplicou Malasartes desesperado.

– Por que não? – indagou Cosmo.

— Essa é a Nau da Confraria – explicou Pedro. – Precisamos sair daqui antes que eles nos vejam.

— E para onde nós vamos, Pedro? Olhe em volta. Não há nada aqui – rebateu Cosmo.

Pedro teve de admitir a realidade. Não havia um pedaço de terra por perto e, sem o auxílio daquela caravela, morreriam tentando nadar antes de conseguir encontrar terra firme. Malasartes ainda esquadrinhou o entorno com ínfima esperança nos olhos, mas era tarde demais. A nau já ajustava suas velas, presas aos grandes mastros, mudando a direção da embarcação e embicando seu nariz diretamente para onde estavam.

Fitaram a caravela. Era a réplica de uma embarcação de outros tempos. Tempos de descoberta de novas terras. Como um fantasma que havia muito não cortava a superfície dos mares. Estavam ali as suas velas impelidas pelo vento, atreladas a três mastros apontados para o céu, a popa salpicada de janelinhas, o convés apinhado de sombras que os observavam e a proa com uma espécie de mastro apontado para a frente, o chamado gurupés. Ainda assim, alguns elementos não condiziam com uma nau de verdade. No convés, um bote salva-vidas vinha pendurado do lado de fora do diâmetro da barcaça, como em embarcações mais modernas. Isso dava a impressão de que a nau estava desequilibrada para um dos lados. Talvez não fosse projetada para sustentar botes em suas laterais. E, no nariz da nau, justamente na ponta da proa, abaixo do gurupés, havia uma carranca entalhada em madeira. A intenção da carranca parecia ser a de assustar quem a avistasse. Pois foi o que aconteceu com os quatro ao notarem seus dentes à mostra como um animal que rosna em advertência. A embarcação era toda de madeira e pintada de preto, com suas velas em tecido branco. Já a carranca era um misto de preto, branco e vermelho, o que a destacava de todo o restante. Era como um rosto esculpido para a nau. Um rosto intimidador e feroz.

— Conhece esse barco, Pedro? – perguntou Cosmo, segundos antes de a nau os alcançar. Honorato e Maria o observaram, esperando uma resposta.

— Conheço, sim, Cosmo. Já estive nesse barco antes. Eles são caçadores – explicou Malasartes com certo receio de falar mais sobre aquela nau. Todos perceberam sua hesitação e esperaram por mais explicações. – Caçadores de tesouros – completou Pedro.

– Caçadores de tesouros? – repetiu Honorato. – Espero que não achem que a cabeça do Canhoto seja um tesouro, pois vão ter que entrar na fila.

– Não! Acho que eles não sabem nada sobre o Canhoto – disse Pedro quase gaguejando. – Mas sabem a respeito do Carbúnculo.

– O quê? – espantou-se Cosmo. – Como assim eles sabem a respeito do Carbúnculo? Quem são eles?

Pedro Malasartes não teve tempo de responder. A nau já estava colada em cima de suas cabeças. Não tinham para onde fugir. Alguém, lá do alto do convés, gritou algum tipo de ordem. Logo após, uma espécie de rede foi jogada sobre o quarteto e passou a içá-los do mar para a embarcação.

Dependurados e encharcados, os quatro tinham sido pescados pela rede de cordas entrelaçadas em nós bem firmes. Estavam todos enroscados próximos uns dos outros. Maria Caninana arreganhou o rosto, e as presas afiadas de cobra despontaram de seus caninos. Em seus olhos, a maldade se anunciou.

– Vamos atacá-los juntos, irmã! – convocou Honorato, ficando vermelho como se prendesse a respiração. E Pedro imaginou o homem tomando a forma de uma imensa anaconda e apertando-os naquela diminuta rede de pesca.

Uma cabeça apareceu na amurada do convés para observá-los enquanto eram içados.

– Nivolomeu? – disse Cosmo para si mesmo ao ver a cabeça. No instante seguinte, quem quer que fosse, desapareceu de vista. O boto voltou-se para os irmãos e pediu categórico: – Não ataquem!

– Como é que é? – vociferou Caninana com seu rosto enrugado em uma careta amedrontadora e repleta de ira. Maria imaginou outro jeito de reagir e sacou o punhal que carregava às suas costas, querendo cortar as cordas. Mas Cosmo voltou a pedir que ela não prosseguisse.

– Por que não devemos atacar? – esbravejou Honorato prestes a se tornar Cobra-Grande. – O que foi que você viu?

– Eu vi... Acho que os conheço – contou o boto preocupado. – Também acho que já vi esse navio antes – o boto olhou no fundo dos olhos de Pedro. – Como conhece essa embarcação, Malasartes?

A rede que os sustentava continuava subindo, distanciando-os da superfície do mar e alcançando a altura do convés. Pedro respirou fundo antes de retomar a palavra.

– Os tripulantes dessa nau me expulsaram! – confessou ele. – Eles me condenaram a um bote velho e furado – sorriu temeroso para Cosmo. – Foi assim que a gente se encontrou, Cosmo. Eu tinha acabado de ser banido da Confraria.

– Mas o que é essa maldita Confraria? – indagou Maria nervosa.

Pedro não respondeu. Continuou preso ao olhar do boto.

– Eu sei onde você viu essa nau – Pedro arriscou um palpite. – No ateliê do Faunim, não foi? – Cosmo assentiu com a cabeça. – Eu também a vi por lá, pouco antes de escaparmos dos guardas de Bênu. Estava retratada em um quadro. Uma pintura grande. Só não entendo a ligação do pintor com a Confraria. Ele fez um barco para eles? Por que ele faria uma coisa dessas?

– Não estou entendendo nada – comentou Honorato confuso. Nem ele nem a irmã tinham conhecimento sobre Faunim e suas habilidades com pincéis e tintas. Também não sabiam a respeito do passado recente de Cosmo e Pedro. Os irmãos tinham feito apenas um acordo de viajarem juntos até encontrar o Canhoto. Mas, agora, estavam sendo capturados por desconhecidos. – Quem são essas pessoas? – voltou a perguntar Honorato impaciente.

Cosmo se voltou para os irmãos. Seu semblante denunciava que queria acabar com a confusão dos gêmeos.

– São botos!

Pedro ficou boquiaberto. Não esperava por essa revelação.

– Botos? – repetiu Maria. – Botos como você?

– Não. Não como eu – explicou ele. – Esses são os botos originais.

A rede os soltou abruptamente no chão de tábuas do convés. Pedro até suspeitou ter trincado alguma parte de seu corpo com a queda. O pulso ou o tornozelo... ou os dois.

Em volta dos quatro viajantes, um cerco de homens mal-encarados se formou. Todos trajavam roupas que um dia tinham sido brancas, mas agora estavam manchadas de muitas cores, além de amarrotadas, sujas e rasgadas. Eram como piratas.

Então, pouco antes de encontrar Cosmo, ficara um tempo entre criaturas das águas, não meros botos cor-de-rosa, mas sim os botos originais, constatava Pedro. Como não havia percebido nada?, indagou a si mesmo.

– Ora, mas o que é que nós temos aqui? – falou um deles se aproximando dos quatro. Maria e Honorato, apesar de respeitarem o pedido de não atacar seus captores, não deixaram de silvar ameaçadoramente, como cobras prestes a dar o bote. O gesto deles fez com que os botos emitissem outra ordem e os quatro foram amarrados, com fortes nós, ao mastro principal, que sustentava as maiores velas da nau.

Presos no centro do convés, puderam observar a embarcação como um todo. Na parte de trás, havia uma porta que levava a algum tipo de cômodo, cujas janelinhas davam para o lado de fora da caravela. No teto desse cômodo, um timão bem fixado ao chão se apresentava imponente, como o volante que ditava a direção daquele barco. Já do lado oposto, na proa, havia outro cômodo. Este não tinha porta, apenas um portal. Muitos barris com mantimentos para vários dias estavam armazenados ali e formavam uma espécie de corredor, ladeado por tonéis, que seguia até o topo de uma escada. Essa escada levava para o piso inferior.

No convés onde estavam, bem ao lado deles, havia uma escotilha, um tipo de janela no chão. Por ela era possível observar o piso de baixo. Muitas camas improvisadas, com colchas e redes, e mais barris com mantimentos, amontoavam-se ali. Era como se toda a tripulação estivesse preparada para não sair da nau por um longo período.

– Olá, Nivolomeu – cumprimentou Cosmo. – Posso saber que raios estão fazendo aqui tão longe de casa?

– Eu perguntaria a mesma coisa a você, jovem boto – retrucou rudemente o homem.

– Bom, eu estou em uma missão. Se tivesse participado da reunião para a qual todos os botos originais foram convocados, saberia – declarou Cosmo, afiado como o punhal que Maria carregava às costas. – Achei que poderia ter o aval de vocês. Isso faria a diferença no conselho. Somos mais fortes juntos.

A porta do cômodo da popa se abriu de maneira teatral. Dela saiu outro boto, com andar mais imponente e triunfante. Parecia o líder de todos aqueles homens de branco. O boto que Cosmo havia reconhecido como sendo Nivolomeu misturou-se aos demais, dando espaço para o boto recém-chegado ao aglomerado no convés.

– Acontece que estamos em nossa própria missão aqui. Não poderíamos nos dar ao luxo de parar o que estávamos fazendo para participar de um conselho formado por hipócritas – disse o homem, juntando-se ao cerco.

– Esse aí é o capitão deles – Pedro cochichou para os outros.

– Olá, Pedro! Confesso que não imaginei que sobreviveria àquele bote furado – e todos os tripulantes da nau riram dos comentários do homem. – Graças ao grande Cosmo aqui, creio eu – ironizou, arrancando mais risadas de sua plateia.

– Olá para você também, Humbertolomeu – cumprimentou Cosmo de má vontade.

A cabeça de Pedro deu um nó.

– O quê? Esse é o Humbertolomeu? O capitão da Confraria? – Pedro fazia as conexões em sua cabeça. Agora as coisas passavam a fazer sentido. Faunim era uma espécie de pai para Cosmo e para Humbertolomeu e, assim como auxiliou Cosmo e seus primos, desenhando corpos humanos para sua missão, provavelmente não pôde deixar de ajudar Humbertolomeu em sua empreitada também. Essa era a explicação para a tela com a pintura da embarcação no ateliê do pintor.

– Faunim desenhou esta nau para você? – tentou adivinhar Cosmo, ilustrando as deduções de Pedro.

– Ah! Mas é claro que sim. Ele não me negaria um pedido, não é? Afinal, eu fui o boto que o salvou das garras de um rei tirano e invejoso, eras atrás – Humbertolomeu estudava os quatro enquanto falava. – Também fui eu quem brigou por ele quando pediu asilo permanente em nosso mundo.

– Sabe que ele gosta de você como se fosse seu pai, não sabe? – alfinetou Cosmo.

– Sei, sim. E isso é ótimo. Sempre achei que ter um pintor com tais habilidades como um aliado era algo poderoso. Posso tirar grande proveito disso – e ele caminhou pelo convés com os braços abertos. – Veja só! Achamos os destroços de uma antiga embarcação dos provincianos. Completamente esquecida no fundo do mar – ele acarinhou um dos mastros da caravela demonstrando apreço pelo seu achado. – Sempre ouvimos histórias sobre essas embarcações. Eram poderosas e foram utilizadas para descortinar novas terras para eles – então apontou para Malasartes. – Por que não usar o talento de Faunim para conseguir uma dessas e nos carregar rumo à nossa salvação? Você também deveria saber tirar proveito do velhote, Cosmo – sugeriu Humbertolomeu parando abruptamente, numa atuação malfeita. – Ah! Já tirou, não foi? Esse corpo não é verdadeiramente seu, não é verdade?

– Ele nos ajudou, Humbertolomeu! Você e eu. Ele nos deu uma chance de seguir com nossos objetivos. Confiou em nossos instintos, sem se importar com o que era certo ou não – despejou Cosmo enraivecido. – Pois saiba que ele pagou o preço. Está preso, sob forte vigilância de Sanur.

Humbertolomeu deixou-se afetar pela informação por alguns milésimos de segundo. Depois, deu de ombros e continuou seu discurso.

– Claro que solicitei a ele algumas coisinhas a mais. Na proa, pedi uma carranca, como as que colocavam nas embarcações que subiam e desciam o curso do rio São Francisco. Essas carrancas são chamadas de cabeça de proa – apresentou. – Servem para espantar criaturas das águas. Mal sabem os provincianos como elas realmente são eficientes! Têm protegido nosso grupo de muitos seres que poderiam comprometer nossa missão. Infelizmente ela não surtiu muito efeito em vocês, ou não estariam aqui em nosso convés – disse ele. – Também sabíamos que, no momento que deixássemos o mundo subaquático para trás, seríamos rastreados. Portanto, não tocaríamos na água por um bom tempo – e apontou para um barco idêntico ao que Pedro Malasartes estava quando Cosmo o encontrou. – Botes salva-vidas para que pudéssemos alcançar as praias sem nos arriscar. Infelizmente, um de nossos botes foi perfurado pelos dentes de um colosso dos rios. Um jacaré-açu gigante! – Pedro nunca tinha ouvido falar em tal criatura. – Mas foi apenas um contratempo muito bem-vindo. No final das contas, encontramos uma utilidade para o barco furado. Presenteamos nosso querido guia Pedro Malasartes com o bote. Nunca pensamos que conseguiria se safar. Me lembro bem dos sulcos que os dentes do jacaré-açu abriram no casco daquele velho barco – e deu um tapa de leve no rosto de Pedro, com a intenção de humilhá-lo diante dos botos. – Como as coordenadas indicadas pelo senhor Pedro Malasartes não surtiam efeito algum, já que nos carregava para cima e para baixo e não chegávamos aonde queríamos, achamos justo dar a ele um bote que também não o levaria a lugar nenhum – e todos gargalharam.

Pedro se sentiu envergonhado por um instante. Quando Cosmo lhe dirigiu a palavra, se envergonhou um tanto mais.

– Você disse a eles que sabia onde ficava a caverna do Carbúnculo, não foi? Mentiu para eles, assim como mentiu na Bolha das Discussões e Decisões, estou certo? – indagou Cosmo.

Malasartes apenas assentiu com a cabeça. E todos os botos originais debocharam da dupla.

– Então foi assim que ele entrou para a sua pequena expedição, Cosmo? Mentindo para você também? – alfinetou Humbertolomeu de maneira displicente. – Por sorte, agora temos nossa própria bússola indicando a morada do Carbúnculo – e ele apontou para as portas abertas de seu cômodo.

As pupilas, ardidas com o sal do mar, tiveram de fazer força para enxergar. Havia ali uma pessoa, presa a uma cadeira, diante de uma imensa mesa cheia de papéis. Pedro imaginou que a mesa devia estar apinhada de mapas. Já tinha visto aquela grande bancada em um dos raros momentos em que o cômodo ficara aberto. Por todo o tempo que fez parte da tripulação, suspeitou que algo precioso estivesse guardado em segredo ali dentro. Mas nunca havia visto aquela pessoa.

– A última Zaori? – perguntou Cosmo.

– A Moura! – esbravejou Maria forçando, com raiva, os nós da corda.

– Acalme-se, irmã! – pediu Honorato.

Humbertolomeu passou a rodeá-los.

– E que time é esse que você arranjou, Cosmo? – zombou ele. – Acho que já ouvi falar de vocês dois – disse, referindo-se aos gêmeos. – São amaldiçoados, não? Dizem que são uma espécie de monstro. Só existem vocês dois do tipo. Aberrações, estou certo? – e Maria não se conteve em seu lugar, mas seu esforço mostrava-se inútil contra todos aqueles nós atados que a restringiam. Honorato encarava Humbertolomeu sem desviar o olhar, buscando intimidá-lo com sua valentia, já que era a única coisa que podia fazer. – Já você, Pedro, que perda de tempo foi tê-lo em nossa campanha. Me responda uma coisa. Já contou ao seu amigo Cosmo qual é a sua verdadeira motivação nessa missão?

E Pedro mordeu os lábios, odiando o capitão por tê-lo colocado naquela situação. Preferia mil vezes que o jogassem no outro bote e o deixassem novamente à deriva.

– Ainda não? – continuou o líder dos botos originais. – Ora, Cosmo. Saiba que esse provinciano é como todos os provincianos que existem. Pedro Malasartes é uma criatura humanoide inescrupulosa e decadente, em busca da pedra do Carbúnculo para ficar rico – Pedro sentiu náuseas. Não sabia como lidar com seus desejos mais profundos sendo expostos daquela maneira. – Foi o que constatamos e por esse motivo o expulsamos daqui. Provavelmente ele ouviu alguém mencionar algo sobre uma pedra valiosa e se ofereceu para ajudar, não foi? – Pedro queria dizer que aquilo era mentira, mas sabia muito bem que o argumento de Humbertolomeu era válido.

– Cosmo, não é verdade. Eu... – ele tentou argumentar.

– E no que você é diferente dele? – Cosmo cortou o que Malasartes dizia e afrontou Humbertolomeu.

– No que eu sou diferente? Em tudo, ora! – respondeu o boto original nervoso. – Nosso motivo é genuíno. Estamos em busca da gema do Carbúnculo para desfazer uma maldição que foi lançada contra os botos nos tempos antigos. Nos obrigaram a assumir a aparência humana. Na época da quaresma, somos forçados a nos transformar e a viver em meio aos humanos. Como se fôssemos iguais, e isso é uma afronta à nossa espécie. Os humanos são sujos e incompetentes! – rugiu Humbertolomeu. – E não se faça de desentendido, Cosmo. Faunim sempre me contou da admiração que você tem para com os botos originais. Até o chapéu que você usa é uma tentativa de ficar parecido com um de nós – Pedro sabia que aquilo bem podia ser verdade. Cosmo se agitava incomodado ao seu lado. – É engraçado pensar nesse suvenir. O chapéu. Ele acabou virando algo que nos caracteriza. Um símbolo daqueles botos que se transformam em humanos. Mas ele sempre foi apenas uma maneira de nos misturarmos sem chamar a atenção – revelou o boto. – Usamos o chapéu para lidar com o mundo novo deles. O mundo sem a magia. Após a era de navios como este, novas terras foram sendo descobertas, ao mesmo tempo que a pureza das coisas foi se convertendo em algo podre. Os xamãs e os seres fantásticos passaram a ser encontrados e exibidos como troféu. Os próprios Carbúnculos foram vítimas disso. Ou então passaram a ser dizimados. O mundo deles... – e parou para engolir em seco, depois continuou: – Correção! O pequeno mundo deles, formado apenas por essas ilhas continentais – ressaltou com o dedo em riste –, tornou-se apinhado de humanos idênticos, que procuram maneiras de afetar o nosso mundo sem igual. Criam suas próprias regras, desrespeitando as leis da natureza, que já estão estabelecidas aqui. Destroem rios e florestas inteiras. Destroem espécies de animais que trazem o equilíbrio. Constroem florestas de pedra, onde o que brota é apenas ganância e orgulho. Pior! Seus feitos são tão catastróficos que alteram os rumos do próprio planeta. Os representantes do mundo subaquático sabem muito bem dessas coisas e sentem medo do que isso pode representar para o futuro das criaturas das águas – contou o boto. – Não é à toa que consultaram um ser fantástico que consegue olhar para o futuro e revelar o que vê. É conhecido como o Pai das Matas. E o que ele disse às criaturas das águas foi tenebroso. Enxergou que, num futuro muito próximo, o clima do mundo vai mudar drasticamente. Haverá veneno pairando no ar. Poluição fabricada por engenhosas máquinas que os provincianos inventarão. E, mesmo nós, criaturas das águas, sentiremos o efeito disso – e olhou para Cosmo. – Por acaso, já nadou pelas antigas cidades subaquáticas, jovem boto? Talvez nunca tenha ouvido falar delas. Eram lindas instalações entre os corais mais antigos e vibrantes que já se viu. Naara nasceu lá, em uma dessas cidades. No futuro, tais lugares não existirão mais. Assim como Saara perdeu um território imenso, de acordo com as previsões do Pai das Matas essas cidades serão todas dizimadas. Os corais morrerão. Serão apenas esqueletos de uma era antiga e plena. A ação dos humanoides será responsável por essa destruição. Hoje, não podemos mais visitar as cidades dos corais porque, depois das previsões, as criaturas abandonaram esses lugares como forma de se preservar – Humbertolomeu suspirou profundamente. – Os corais serão afetados pelo veneno tóxico que se espalhará por todo o mundo. Serão apenas restos de corais doentes. Quando Faunim apareceu, o salvei das garras do rei que queria esfolá-lo vivo em praça pública. Fizemos uma troca. Por tê-lo salvado no passado, o Pavão Misterioso estava em dívida comigo. Pedi a ele que usasse seu talento e sua magia para inventar um jeito de reaver as cidades antigas quando fossem dizimadas. Ele tentou pensar em algo, mas foi inútil. Segundo ele, precisaria de tempo. Portanto, dei um jeito de conseguir asilo para ele em nossos domínios – Cosmo espantou-se com tais revelações. – Faunim é um ser fantástico. Não vive o tempo de vida dos humanos, e o mundo subaquático ajudou-o a aumentar esse tempo. Ainda assim, as habilidades do pintor até hoje não foram capazes de criar uma solução que pudesse salvar da destruição os corais das antigas cidades.

– Foi por isso que ele pintou esta caravela para você? – quis saber Cosmo.

– Sim – confirmou Humbertolomeu. – Se sentiu em débito comigo. Pôde ter acesso a tudo o que provincianos como ele farão ao nosso mundo. Entendeu quão prejudiciais ele e toda sua raça são. Veja só. Nem mesmo a magia será capaz de reverter os danos que eles causarão. O que pode ser mais forte que a magia? – Pedro abaixou a cabeça para refletir. – Com o passar do tempo, as novas gerações subaquáticas fizeram de conta que isso nunca aconteceu. Se afastaram dos locais onde os corais cresciam. Você provavelmente nunca ouviu falar dessas grandes cidades, não é, Cosmo? Eu já. Foi em uma delas que nós, os botos originais, fomos condecorados e recebemos as bênçãos dos botos reis para nos tornarmos humanos. Tínhamos a missão de vir para a Província a fim de trocar experiências com os humanos verdadeiros. O tempo passou e constatamos o terror que eles são. Nossa bênção se tornou maldição. Eu vi. Estive diante do Pai das Matas como convidado. Recebi esse privilégio por pertencer à linhagem dos botos reis. Portanto, tive acesso à visão do xamã que enxergava o futuro. Nela, visitei os esqueletos que as antigas cidades se tornarão. Seus restos mortais continuarão a crescer e transformarão nosso passado em um grande cemitério submerso.

Os olhos de Humbertolomeu ardiam em chamas. Pedro sobressaltou-se quando o capitão se voltou para ele.

– Se acham deuses, mas são pragas! – e o líder dos botos balançou a cabeça ao se lembrar de algo que lhe pareceu absurdo. – Eles têm regras que proíbem até as expressões genuínas de amor. Matam outras pessoas por causa da cor da pele ou por acreditarem em coisas diferentes. Não são mais parte integrante da natureza. Eles são a mais pura incoerência e precisam ser erradicados.

E essa frase colocou medo no coração de Pedro. Ser um humano era algo tão odioso assim? Entendia muito bem os argumentos levantados pelo capitão, porém nunca tinha visto as coisas daquele jeito.

– Mas não sou eu o justiceiro que fará isso – avisou Humbertolomeu. – Não quero sujar minhas mãos. Nenhum de nós quer isso, não é Confraria? – e todos responderam com um sonoro "é". – Pois então. Nosso papel nessa história toda é apenas pegar a pedra desse detestável Carbúnculo. Veja bem – então se voltou para Cosmo –, você me perguntou no que é que nós, botos, somos diferentes. Diante de tudo o que foi dito, nós não somos os vilões aqui – e o cinismo mostrou-se presente em suas palavras. – Somos as criaturas mais neutras que é possível existir. Não assumimos nenhum lado que não seja o nosso. Não queremos salvar os Ciprinos nem julgar os humanos, entende Cosmo? Queremos apenas desfazer nossa maldição e viver longe de tudo o que nos enoja, ou seja, de tudo o que é provinciano – declarou ele fitando Pedro de canto de olho. – Estamos bem perto de conseguir isso. Decidimos nos livrar do símbolo que nos marca. Decidimos nos livrar do chapéu. Como vê, nós não o usamos mais.

Olharam ao redor. Todos os botos tinham a cabeça descoberta. Mas Pedro notou algo estranho. No topo da cabeça dos botos originais havia um buraco. Como um grande furúnculo aberto.

– O chapéu servia para esconder nosso espiráculo, o orifício respiratório que temos na cabeça. E, como estamos próximos de nos tornar botos outra vez, por que não curtir esse restinho de maldição que nos assola? Como uma despedida. Resolvemos nos desfazer do chapéu para assumir de vez quem nós somos – e ele tirou o chapéu que cobria a cabeça de Cosmo. – Entende como somos diferentes? O seu chapéu é apenas um suvenir interpretado de maneira equivocada. Você não é um de nós e nunca será, Cosmo. Sua cabeça não tem nem o espiráculo de um boto – os botos que os cercavam miraram Cosmo com desprezo. – Em sua vontade de se parecer com um de nós, se aproximou mais de nossos inimigos do que de um boto original. Temos aqui o Nivolomeu, também temos o Odilomeu, o Ubaldinolomeu e o Nulfolomeu. Ou seja, nem o nome que sua mãe lhe deu, Cosmo, é digno de um nome de boto. E seu corpo não passa de um rascunho desenhado por Faunim.

Humbertolomeu virou as costas e começou a se afastar deles, como se abandonasse a conversa. Parou no meio do caminho e voltou-se para Cosmo novamente.

– Já que nos admira tanto assim, por que não deixa que a gente tome conta desta missão daqui para a frente, hein? Para você, pode ser uma missão suicida, veja só os seus aliados. Ridículos! Por acaso notou aquilo?

E apontou para algo que estava além do barco. A ilhota, que tinham vislumbrado no instante em que a encantaria do Caruana os deixara à deriva, estava bem próxima agora. Era uma ilha de pedra. Tinha uma grande caverna escancarada em seu centro e nada mais.

– Segundo os apontamentos de nossa guia verdadeira – continuou Humbertolomeu fazendo questão de ressaltar a palavra "verdadeira" –, ali é uma das cavernas da Alamoa. Essa caverna, em especial, tem um acesso para o covil em que o Carbúnculo se esconde com sua sociedade de Ciprinos alienados.

Cosmo se espantou ao observar a caverna. Vê-la foi como acordar para uma realidade sombria dentro de si. Pedro pôde perceber isso no semblante do amigo boto. Era como se ele soubesse de algo mais.

– Bom. Sinto muito, senhores – e virou-se para Nivolomeu: – Prepare o barco! Vamos desembarcar na ilha, deixe apenas alguns botos de olho neles, os outros irão para ilha de pedra – em meio a uma dezena de ordens, apontou para os prisioneiros. – Prendam esses infelizes no porão! Quero que assistam quando voltarmos para desfazer nossa maldição. Ah! Traga a Zaori também. Se ela tiver nos indicado o lugar errado, vai cair com a gente na armadilha que aprontou.

Alguns botos os soltaram do mastro. Como uma cobra que dá o bote, Maria tentou abocanhar um deles num ataque rápido que, por pouco, não atingiu o alvo. Humbertolomeu deu-lhe uma pancada na cabeça com o remo do barco salva-vidas e derrubou a prisioneira. Honorato não deixou barato. Estava prestes a se transformar na imensa cobra, mas o capitão dos botos foi mais rápido e o golpeou da mesma forma.

Os botos originais reunidos conseguiram carregar os gêmeos desacordados até o porão. Pedro pôde vê-los pela gaiuta, a janela no chão do convés que dava acesso ao piso inferior. Maria e Honorato foram presos a uma coluna, entre diversos barris com mantimentos. E, agora, aqueles botos voltariam para levar Pedro e Cosmo ao mesmo lugar.

– Precisamos ganhar tempo. Não podemos deixar que eles alcancem a caverna sem a gente – Cosmo sussurrou ao pé do ouvido de Malasartes.

O cérebro de Pedro formulou algo rápido e praticamente cuspiu uma pergunta para o capitão Humbertolomeu, segurando-o à nau.

– Como foi que soube que minhas instruções para encontrar a localização da caverna do Carbúnculo não eram verdadeiras? – indagou Pedro. – Vocês simplesmente me atiraram do barco. O que foi que me delatou? Tenho o direito de saber, não?

E Humbertolomeu caminhou lentamente até ele. Pelo jeito, Malasartes tinha ganhado mais tempo.

– Ora, foi simples. Quando cruzamos com você, tínhamos acabado de trazer a Zaori a bordo. Ela entrou como convidada, mas, uma de suas coordenadas nos colocou frente a frente com um monstro de água doce. O jacaré-açu gigante – contou o capitão da nau. – Esse obstáculo nos fez repensar se ela estava, de fato, nos dando as coordenadas corretas. Aprisionamos a Zaori na minha sala até descobrirmos uma forma de testá-la. Foi então que você apareceu dizendo que poderia nos indicar o caminho certo até o Carbúnculo. Pensamos que seria nossa salvação. E uma grande ironia. Um provinciano legítimo nos ajudando a acabar com a maldição que é nossa "humanidade" – zombou Humbertolomeu. – Trouxemos você a bordo e, cada recomendação sua era levada em segredo até a Zaori, para que ela pudesse confirmar se estava correta ou não. Com o passar do tempo, suas instruções nos fizeram navegar em círculos, e a Zaori nos alertou para a sua cobiça. Disse que você seria uma ameaça com relação ao destino da gema preciosa – contou o capitão. – Decidimos colocá-lo para fora da nau e confiar de vez em nossa prisioneira – e olhou para a caverna. – É! Parece que acertamos até aqui – subiu no teto da popa, um patamar mais alto, pedindo a atenção de todos. Havia botos em cada canto da caravela. Pendurados no alto e trepados nas enxárcias, que são os emaranhados de cordas e nós entrelaçados que sustentam as velas e servem como escadas. Todos pararam para escutar o que ele tinha a dizer. – Termina aqui uma etapa de nossa primeira missão como Confraria – começou seu discurso Humbertolomeu, despertando exclamações positivas entre a tripulação. – Juntos, somos imbatíveis! Até aqui ficou claro que não há nada que possa nos impedir de dar fim à maldição que nos assola por eras. Nossa investida será um sucesso. Logo seremos botos. Apenas botos – ressaltou o capitão. – Não seremos mais forçados a regressar a este lugar. Voltaremos para nossas casas para todo o sempre.

E Pedro percebeu que o tempo que ganhou mantendo Humbertolomeu na embarcação não tinha sido suficiente, muito menos eficaz. Pois logo depois o capitão apontou para a boca petrificada da caverna, puxou o ar, enchendo seus pulmões, e proclamou com vontade:

– Vamos invadir aquela caverna e completar nossa Missão Carbúnculo – a palavra "nossa" soou estranha aos ouvidos de Pedro. Era como se alguém tirasse algo dele. Algo que era de sua responsabilidade e não daqueles botos. – Nós somos a Confraria dos Botos Originais e ninguém pode se colocar em nosso caminho.

Capítulo 13
Arauto

*Foram colocados com os
outros dois prisioneiros no porão.*

Pedro e Cosmo não tinham conseguido fazer nada durante o pouco tempo que ganharam e agora perdiam o pouco que tinham. Estavam amarrados no interior da nau, praticamente um grande caixote de madeira flutuante, enquanto a Confraria invadia a caverna, assumindo a Missão Carbúnculo à força. Estavam apenas os quatro no porão. Os outros botos perambulavam pelo convés se preparando para subir nos botes e desembarcar na orla da ilha. Aos poucos, o som dos passos no piso superior diminuiu, assim como o número de botos originais presentes a bordo. Já havia mais integrantes da Confraria na ilha do que na nau.

– Aquela caverna é a mesma da minha visão – falou Cosmo. E Pedro entendeu a expressão assustada que se estampara no semblante do boto quando Humbertolomeu lhes mostrou a caverna.

– Do seu sonho? – perguntou Pedro.

– Não, meu sonho, não.

– Tá bom! Pesadelo, que seja – rebateu Malasartes.

– Também não foi um pesadelo. Foi um arauto! – disse Cosmo.

– Arauto? O que é isso?

– Um sonho com um aviso. Eu vi a caverna e enxerguei muito além dela – contou o boto.

– O que foi que você viu? – quis saber Pedro. Estava curioso desde o momento que Cosmo reclamou ter tido um sonho estranho. Foi na noite em que acenderam a fogueira de fogo morto. Já suspeitava que aquilo poderia ser algo além de um sonho comum. E tinha razão. Cosmo tinha acabado de confirmar ser um aviso.

– Lembra quando Bênu, o senhor dos cavalos-marinhos e dos hipocampos, comentou sobre a maldição do Carbúnculo? – indagou Cosmo. – Ele tinha dito que a criatura roga uma praga em quem o caça – Pedro assentiu. – Pois é! O Carbúnculo sabe que estamos aqui. Os relatos contam que quem ousa enfrentá-lo recebe a maldição. Ele nos condenou a uma. Eu vi – Malasartes foi acometido por um de seus costumeiros arrepios. Não gostava deles. Sempre gelavam sua espinha quando se sentia fora de sua zona de conforto. E, desde que conheceu Cosmo, tais calafrios começaram a aparecer com uma frequência perturbadora. – Não será nada fácil no interior daquela caverna. Há perigos esperando por nós.

Ficaram um tempo em silêncio. De onde estavam conseguiam ver a movimentação no convés superior pela grande janela que tinham sobre a cabeça.

– Escuta, Cosmo! Aquilo que Humbertolomeu falou sobre eu buscar a pedra para ficar rico. Eu...

– Agora não, Pedro – cortou-o Cosmo secamente. – A gente precisa sair desta nau. Vamos acordar Maria e Honorato. Acho que eles podem nos ajudar.

Os dois puseram-se a chacoalhar as cordas para despertar os gêmeos. Conseguiram depois de muito esforço.

– Honorato – chamou-o Cosmo. – Acho que é hora de você se transformar naquela Cobra-Grande e livrar a gente dessas cordas.

Pedro imaginou o tamanho da cobra e fez uma medição mental, comparando-a com as dimensões da nau. Constatou ser bem possível que aquilo não acabasse bem. Mas já tinha causado uma má impressão para o boto e tudo o que não queria era contradizê-lo. A pedra e seu valor exorbitante ainda figuravam em sua mente e ele não sabia como tirar a gema de seus pensamentos.

Os nós apertavam enquanto Honorato se agigantava ao lado dos outros. Pedro sentiu como se a corda que o abraçava fosse fatiá-lo em dois. O aspecto de Honorato já não era mais humano. Sua pele tinha rachado em diversas fissuras, deixando a cobra brotar de seu corpo. Apresentava-se viscoso e com escamas pretas. Para grande alívio dos outros prisioneiros, um a um os nós começaram a rebentar. Alguns dos poucos botos que ainda estavam na embarcação perceberam a agitação no porão e desceram para pôr ordem no que quer que fosse, mas não houve tempo hábil para que fizessem algo. Os prisioneiros se soltaram e atacaram os botos assim que estes desceram as escadas. Pedro empurrou barris para cima deles e Maria os mordeu ferozmente. Cosmo já subia as escadas que davam na sala do capitão, o cômodo de Humbertolomeu. Pedro se espantou com o tamanho da cobra. Vê-la preencher todo o porão do navio com seu corpanzil, empurrando barris e todos os pertences e colchões dos botos originais contra as paredes curvas da nau, foi um choque. O barco balançou com violência e pendeu para um lado, fazendo camas e tonéis tombarem e rolarem.

– Ei, Honorato! Acho que está na hora de parar de crescer, não? – sugeriu Pedro percebendo que a Cobra-Grande dobrava de tamanho.

– É isso mesmo, Honorato. Destrua a caravela deles! – incentivou a irmã, tresloucadamente feliz.

A cobra saltou pela abertura no teto e surgiu feroz no convés, fazendo chover cacos de vidro. Abocanhou um dos botos e o jogou para fora do navio. Tudo se balançava como se estivessem sob uma forte tempestade, no entanto o sol estava alto no céu limpo e a superfície do oceano mostrava-se tão calma quanto o mais tranquilo dos marasmos. Pedro e Maria subiram com dificuldade para o andar superior. Adentraram a sala do capitão, e Pedro percebeu estar certo. Era uma espécie de sala de operações do navio, com infinitas anotações e coordenadas. Todas detalhadas em mapas espalhados pela mesa, de diversos tipos e tamanhos. Com as oscilações que balançavam a nau, pesos de papel caíam no chão acarpetado, bagunçando planos e desorganizando as estratégias traçadas pelos botos originais. Cosmo estava na amurada do convés olhando nervoso para vários botos já na entrada da caverna. Entre eles, pôde distinguir Humbertolomeu.

– O bote já partiu, Cosmo – anunciou um boto com um porrete nas mãos. – Vocês vão dar um jeito nessa cobra e vão voltar para o porão onde estavam.

Honorato se sacudiu mais e fez a embarcação pender para o lado contrário. O boto atacante desequilibrou-se soltando o porrete. A Cobra-Grande golpeou com o rabo, atingindo uma extremidade da nau, e um enorme estrondo anunciou que o casco se rompera. Os poucos botos originais que ainda estavam na embarcação tentaram atacar o couro impenetrável da cobra. Honorato sabia que não seriam capazes de lhe ferir, mas estava nervoso. Mordeu e arrancou o mastro principal enquanto uma grande quantidade de água salgada inundava o porão. Em questão de minutos, barris já boiavam aos montes. Alguns botos xingavam lá da ilha de pedra, ao testemunhar sua nau ser engolida pelo mar sem que pudessem fazer nada.

– É hora de sair daqui! – gritou Maria pouco antes de saltar pela amurada.

Pedro imaginou algo: se Cosmo havia visto que perigos os aguardavam naquela caverna, e era para lá que acabariam indo, seria bom encontrar algo que pudesse usar como arma. Duvidou que conseguiria encontrar no caminho. Portanto, antes de a caravela afundar, passou a procurar no convés alguma coisa que pudesse servir como arma.

– O que foi, Pedro? Procurando algo que possa lhe render algum dinheiro? – indagou Cosmo decepcionado. – Não há tempo para isso – e se preparou para saltar no mar.

Malasartes se sentiu ofendido. Quis contar ao boto que ele estava errado. Quis pedir a Cosmo que o ajudasse a procurar também, que se armasse, para que tivessem uma chance na caverna. Mas não teve tempo. Uma grande peça de madeira soltou-se de alguma parte do navio e caiu na água. A peça de madeira que se desprendeu estava atrelada a uma porção de outras partes e, por conta do seu peso, começou a puxar tudo consigo. Pedro tentou sair do caminho para que não fosse levado com os destroços, mas seu pé ficou preso nas enxárcias. Malasartes escorregou com velocidade para a extremidade da nau que naufragava descompensada. Ainda viu Cosmo, de costas para ele, saltando para o oceano do outro lado da caravela. E então caiu no mar.

Pedro tentava, em vão, soltar sua perna do emaranhado de cordas. Passou a afundar rápido, como se uma âncora o puxasse para o fundo. Não tinha conseguido tomar fôlego antes de cair na água. Isso diminuiria o tempo disponível antes que acabasse o ar que havia em seus pulmões. Afundava com rapidez e isso aumentava a pressão em seus ouvidos. Era como se sua cabeça fosse implodir. Se afogava depressa. Desejou mil vezes estar em uma Travessia, o transporte subaquático, do que ter seus bofes invadidos mortalmente pela água salgada. Cosmo não tinha visto ele cair. O boto e Maria já deviam estar a meio caminho da ilha de pedra. A Cobra-Grande também, pois o que restara da caravela estava lá em cima, totalmente tomado pelas águas. Era sinal de que o trabalho de Honorato estava completo. Tinha afundado a nau da Confraria.

Ainda pôde ver os botos originais que haviam sobrevivido ao naufrágio se transformarem em sua forma original e nadarem para longe dos escombros da embarcação

Quando não restava uma gota de esperança sequer, um golfinho cor-de-rosa surgiu. Uma mulher estava presa em suas barbatanas. Eram Maria e Cosmo. Caninana sacou da parte de trás do cinto a lâmina afiada e serrou a enxárcia que prendia sua perna. Já o boto, com o nariz proeminente, empurrou Pedro para longe de outros possíveis destroços que o pudessem atrapalhar. Malasartes, num último esforço, segurou as barbatanas do boto, Maria o ajudou. Sentiu os tremeliques do amigo. Sabia que estava se arriscando demais ao descer ali. Aquelas águas eram salgadas, portanto seus espasmos eram de dor.

Alcançaram a margem de pedra. Cosmo voltou à sua forma humana pintada por Faunim, mas não parecia muito bem. Cuspiu grande quantidade de água. Pedro também. Espantou-se com a quantidade de água salgada que saía de dentro de seus pulmões. Honorato, já não mais em sua versão anaconda, os alcançou e se sentou ao lado da irmã. Apesar de serem gêmeos não muito parecidos, tinham mais em comum do que Pedro imaginava. Eram ferozes e eficientes em se tratando de atacar seus inimigos.

Enquanto retomavam o fôlego, os quatro observavam calados os destroços da nau ondejarem à deriva. Foi Cosmo quem quebrou o silêncio.

– Bom. Não temos como ir embora deste lugar. Só temos a caverna, e ela está logo ali. Os botos originais já entraram em busca da pedra – disse ele. E todos notaram que não havia nenhum boto à vista na ilha. Àquela altura, os remanescentes do naufrágio haviam se juntado aos outros e toda a Confraria e a Zaori já tinham adentrado o possível covil do Carbúnculo.

– Então vamos logo, jovem boto! Eu sinto que o Canhoto está lá dentro – disse Maria Caninana sedenta por algo em que pudesse enterrar suas presas. – Se ele não estiver, a Moura está! E ela pode nos levar até o Jurupari – Honorato assentiu com a cabeça, mostrando apoio aos argumentos da irmã.

– E quanto a você, Pedro? – indagou o boto. – Este é o lado bom que enxergou quando escutou sobre a Missão Carbúnculo na Bolha das Discussões e Decisões? O lado financeiro?

– Isso *responsa* muita habilidade! – soltou Pedro como se tomasse fôlego antes de prosseguir. – Olha, Cosmo, confesso que Humbertolomeu tem muita razão quando descreve os seres humanos. Até demais – comentou Malasartes com sincero pesar. Era difícil dizer tais palavras. – Somos mesmo esse tipo de gente que ele descreveu. Mesquinha e orgulhosa.

Cosmo cruzou os braços como se tentasse descobrir aonde Pedro queria chegar com aquele discurso.

– Mas também existem pessoas boas. Não digo que eu seja uma pessoa boa... talvez eu não seja. Talvez ninguém seja! – bradou com franqueza. – Somos um misto de muita coisa. Acho que faz parte da nossa natureza. Fomos feitos assim. No barco, pouco antes de cair na água, eu procurei armas para que pudéssemos enfrentar o que quer que nos aguarda na caverna. Mas fui vencido pelos destroços do navio e o resto vocês já sabem, porque acabaram de evitar que eu me afogasse.

Pedro imaginou que Cosmo fosse demonstrar algum tipo de arrependimento, já que, enquanto procurava armas, o boto o acusara de estar em busca de tesouros valiosos que pudesse vender. Mas o amigo das águas não mudou um milímetro de sua feição.

– Tenho um lado bom e um lado ruim dentro de mim – disse Pedro, buscando ser o mais honesto possível. – E eu sei que isso está dentro de vocês também. Somos iguais nesse ponto – os gêmeos assentiram com a cabeça, enquanto Cosmo se mantinha impassível. – Não vou mentir que o assunto da pedra preciosa me saltou aos olhos. Aos olhos de quem não saltaria?

– Aos meus! – rugiu Cosmo como se aquilo o ofendesse.

– Eu sei! Aos seus... – retomou a palavra Pedro. – Percebi isso quando passamos pela experiência mais maluca até o momento. O nosso encontro com um Bicho do Fundo. Ouvi seus desejos e eles só falavam em salvar os Ciprinos – relembrou Malasartes. Mais uma vez os gêmeos assentiram com a cabeça, confirmando que também haviam escutado o "sentir" de Cosmo. – Aquilo me fez pensar que é possível.

– É possível o quê? – indagou o boto sério.

– É possível ser diferente. Ser melhor!

E todos quedaram calados, observando Pedro.

– Sabe, é assim que estou encarando a Missão Carbúnculo. Como uma forma de me tornar alguém melhor – finalizou Malasartes.

Sabia que tinha feito um belo discurso, assim como estava ciente de que teria de colocar a mão na massa para que tudo o que dissera se concretizasse. E isso significava estar ao lado de Cosmo pelo propósito principal, ou seja, tinha que abrir mão de querer a gema do Carbúnculo para fazer fortuna, mas isso ainda era um assunto nebuloso em sua mente. Porém achava que daria um jeito. Tinha que dar.

Cosmo demorou, mas assentiu com a cabeça. Mordeu os lábios como se as engrenagens em seu cérebro trabalhassem a todo vapor para formular uma decisão de extremo significado.

– Antes de entrar naquela caverna, vocês todos precisam saber de uma coisa – iniciou ele. Pedro suspirou aliviado, pois percebeu que convencera o amigo a deixá-lo seguir adiante. – Preciso lhes contar sobre o arauto. O sonho que tive naquela noite em que acendemos o fogo morto.

– Sete desafios? – ponderou Honorato.

– Sim – afirmou Cosmo. – No sonho arauto, eles vieram como charadas. Não sei bem o que querem dizer. Pensei por muito tempo sobre isso, mas não cheguei à nenhuma conclusão. A única coisa que entendi é que são sete os desafios pelos quais temos que passar no interior da caverna, antes de encontrar o Carbúnculo. Essa é a maldição que ele nos rogou. Sabe que estamos aqui. Provavelmente os botos originais vão ter de passar pelas sete provações também.

– Consegue repetir essas sete charadas? – indagou Pedro.

– Consigo, sim. A primeira falava de espadas ocultas na sombra.

Um arrepio tomou-lhes de assalto, e não foi por causa de suas roupas molhadas. Pedro odiou aquele calafrio muito mais que todos os outros que já havia sentido.

– A segunda estava relacionada a jaguares e pumas furiosos – continuou Cosmo. Pedro pôde ver pitadas de medo nos olhos do boto. – A terceira falava sobre a dança dos esqueletos. A quarta era sobre um jogo – e Cosmo se esforçou para se lembrar. – O jogo das línguas de fogo e das águas ferventes.

Honorato segurou a mão da irmã. Malasartes notou que Maria parecia assustada por trás de sua aparência feroz. E o irmão buscou dar-lhe certo apoio para que se mantivesse firme.

– A quinta charada falava sobre uma cascavel amaldiçoada. Depois, vinha um convite de donzelas cativas e, por fim, o cerco dos anões.

Ninguém falou nada por um tempo. Buscaram o companheirismo nos olhos de cada um. Aquela podia muito bem ser uma missão suicida, como Humbertolomeu lhes dissera, mas já tinham ido longe demais para desistir naquele ponto. Precisavam seguir em frente.

E, como se combinassem via pensamento, os quatro passaram a caminhar pelos caminhos pedregosos da ilha, em direção à antiga caverna da Alamoa.

PARTE 2

OS SETE DESAFIOS

Capítulo 14
Sombras

A entrada da caverna os engoliu.

Não havia outra maneira de interpretar aquilo. Cosmo imaginou que a caverna era como a boca gigante e faminta daquela ilha de pedra. A refeição principal tinha sido a Confraria dos Botos Originais e a Zaori. Já a sobremesa eram eles quatro.

Cosmo vinha pensando em destino, enquanto caminhavam devagar para as entranhas da ilha. Acreditava que o destino era o responsável por todas as situações, como se já tivesse tudo planejado. Desde o sonho arauto, aquele que lhe colocou a par de todo o perigo vivido pelos Ciprinos, ou quando se sentou com os primos para elaborar um plano que levasse à então chamada Missão Carbúnculo, ou o momento de decidir convocar a Bolha das Discussões e Decisões para pedir ajuda, ou até mesmo cruzar, em pleno mar aberto, com o misterioso Pedro Malasartes. Tudo estava interligado de alguma forma e o trouxera até o momento presente. Para aquele boto, nada era em vão. Tudo tinha um motivo de ser. Tentava descobrir o que precisava aprender daquela situação toda que viviam no momento. Para isso, ponderava o que tinha consigo: seus aliados. Elencou cada um deles na cabeça. Tinha o seu "achado", Pedro Malasartes, cuja índole sempre lhe parecia duvidosa. Pedro era um provinciano inteligente e de pensamento rápido, mas suas mentiras eram algo alarmante, assim como sua cobiça por riqueza. Tinha imensas dúvidas morando em seu coração de boto. Mas o destino não havia colocado Pedro em seu caminho de bobeira. Para Cosmo, o motivo ainda se revelaria mais à frente. Já Honorato e Maria Caninana o boto via com bons olhos. Sabia que os ter como aliados era algo temporário, até que o Canhoto surgisse. Se isso acontecesse enquanto estivessem na caverna, sabia que eles assumiriam a responsabilidade de subjugar o inimigo e, caso nada saísse do controle, o Coisa-Ruim seria um problema a menos com que se preocupar. Sem mencionar que, enquanto ele não aparecesse, poderiam contar com a ajuda dos irmãos. Honorato, sendo a Cobra-Grande, já trazia certa segurança ao grupo, pois sua força descomunal aumentava muito as chances de apenas quatro pessoas enfrentarem as sete provações impostas por um Carbúnculo com sede de poder. Havia ainda Maria Caninana, que até então se mostrara uma ótima aliada; além disso, os gêmeos trabalhavam de maneira formidável juntos. Mas a personalidade violenta que sempre ameaçava dominar Maria era uma bomba relógio. Enquanto ela não explodisse, tudo ficaria bem. Mas, caso o pior acontecesse, isso representaria grande problema para a Missão Carbúnculo.

Quanto a ele próprio, contava apenas com sua intuição de boto. Confiava nisso. Era uma arma que o destino lhe concedera. E precisava ser usada!

Fizeram uma curva mais adiante e, aos poucos, a luminosidade do dia foi deixando de segui-los, como se os abandonasse naquele ponto da jornada. Dali por diante, estariam a cargo das sombras. E foi isso que aconteceu. A escuridão os abraçou como quem dá as boas-vindas a visitantes em sua própria casa, que, naquele caso, era a imensa caverna. Fria, úmida e escura. Não viam mais nada diante deles. Nem ouviam nada além de seus próprios passos.

— A última vez que tive essa sensação de claustrofobia estávamos no estômago de Honorato — disse Cosmo acompanhado de um eco que amplificou e repetiu suas palavras.

— Ainda sinto o gosto da sola de seus sapatos na minha língua — declarou Honorato; em seguida, suas palavras retumbaram pelas paredes frias da caverna, da mesma forma que acontecera com as do boto.

— Tem razão, Cosmo. Estou desnorteado aqui — comentou Malasartes. — Ei, Maria! — sua voz ecoou no breu total. — Naquela ocasião, você jogou uns grãos que iluminavam, lembra?

– Claro que sim! – a voz dela foi ouvida ao lado de Cosmo. – Estou caçando algum resquício de pó de estrela na minha bolsa desde o momento que fizemos aquela curva lá atrás.

A intuição de Cosmo gritou em seu íntimo. Parou abruptamente, e Pedro deu-lhe um encontrão.

– O que foi? O que houve? – quis saber Pedro.

– Conseguem sentir? – indagou o boto.

– Sentir o quê? – questionou Pedro.

– Este lugar está repleto de dor. Algo ou alguém sofreu diante dessas paredes de pedra. A dor está impregnada a toda a nossa volta – revelou Cosmo.

E todos quedaram em silêncio. Cosmo sentiu que os outros pensavam no que ele dissera. Era bom que refletissem. Entender a dor é algo benéfico a todos os seres vivos, considerava Cosmo. Uma imagem lhe veio à cabeça. Uma memória. Algo do passado que o ensinou muito. Era alguma coisa relacionada ao seu pai. Toda vez que tentava se lembrar do pai, um túmulo surgia em sua mente. Uma lápide cravada em uma encosta, à beira de um lago. Seu pai não viveu por muito tempo. Não o conheceu muito bem. O pouco que tinha na memória, sua mãe completou com histórias de que ela se lembrava. Cresceu querendo conhecê-lo, mas não foi possível. Tinha chegado tarde a esta vida. No entanto, visitava a lápide de seu pai na superfície sempre que podia e levava esses questionamentos consigo. Só não entendia por que seu pai fora enterrado em território provinciano. Ao menos, não naquela época. Aquelas memórias já tinham lhe causado muita dor. Não mais! Havia dado um jeito de vencê-las. Ele as confrontou. Jogou luz em pontos dentro de si nos quais só havia escuridão. Uma escuridão como aquela que os assolava no interior da caverna. Cosmo ainda não via o motivo de aquela memória ter surgido. A dor impregnada nas paredes o impeliu a se lembrar do pai? Por quê?, perguntava-se Cosmo.

Além da escuridão, o silêncio. Onde estavam os membros da Confraria que tinham entrado na caverna momentos antes?, refletiu o boto.

Uma lâmina cortou o ar. Seu retinido se fez mais evidente quando o eco o potencializou em seus ouvidos. Após o golpe, um gemido de dor. Mesmo no negrume, puderam voltar-se para o local de onde viera o gemido. Logo adiante, algo luminoso desapareceu no escuro. Foi como o vulto amarelado de alguém. No pouco que sua luminescência permitiu, viram o corpo pesado de uma pessoa tombar como um saco de batatas.

— O que foi aquilo? — indagou Pedro para a escuridão.

Outro golpe cortou o ar. Como se uma espada ou um facão descesse rápido tentando cortar alguma coisa. E conseguiu. O berro da vítima foi dolorido de se ouvir.

Em outro ponto do breu, uma nova forma amarelada surgiu. Parecia um fantasma, pois se apresentou translúcido. Quando voltaram seus olhos para a luz corpórea, ela desapareceu, deixando outro corpo no chão, recém-golpeado.

— A Confraria. Eles estão sendo atacados! — afirmou Honorato.

— Alguém espreita nas sombras — anunciou Maria.

— Irmã! Comigo. Costas com costas — bradou Honorato. E Cosmo não os viu, mas os imaginou juntos, em posição de ataque. Um de costas para o outro. Eram, de fato, formidáveis. Devia fazer o mesmo com Pedro? Não sabia onde ele estava naquele breu e muito menos se confiaria em Pedro a ponto de dar e receber cobertura.

Dessa vez, o ataque foi muito próximo a eles. Bem diante de Cosmo. Um capitão de antigas naus, como a embarcação da Confraria, despontou à frente. Por um momento, Cosmo pensou ser o próprio Humbertolomeu, líder dos botos originais, mas em uma segunda olhada, percebeu se tratar de um capitão completamente desconhecido. Sua forma era meio apagada. Foi possível enxergar a escuridão através dele. Vestia um jaleco azul-marinho abotoado do pescoço até o meio das coxas, preso por um cinto branco. Um bigode talhado à moda antiga estampava sua face. Em seus ombros, havia ombreiras com tiras de couro. Carregava uma espada de lâmina fina com um bojo que protegia os dedos de quem a segurava. Era uma assombração que habitava aquela caverna. Seu olhar foi de dor. Olhou fundo nos olhos de Cosmo. Apontou-lhe a espada e deu a estocada. Furaria o boto se não fosse pela intervenção de Honorato. O irmão de Maria estendeu o braço diante de Cosmo e a lâmina do capitão naval de outrora atingiu o bracelete de casco de tartaruga, que não sofreu nada além de um arranhão. E a forma fantasmagórica evaporou feito fumaça. Assim como todo o resto que fora possível enxergar, já que a escuridão voltou a lhes engolfar.

A luz se acendeu, agora, diante de Maria Caninana. Uma peixeira quase a atingiu, não fosse também por seu bracelete de tartaruga. O ataque veio da aparição amarelada de um guerreiro típico da Região Nordeste. Um cangaceiro. Seu chapéu de couro em formato de meia-lua tinha estrelas e alguns adereços sertanejos costurados. Um lenço lhe cobria o pescoço e feixes de ouro completavam o seu laço. Cartucheiras com diversas balas, dispostas lado a lado, eram o cinturão da assombração. Assaltou Maria com a peixeira uma segunda vez. Cosmo viu. Seria um golpe mortal. Mas Maria foi rápida e aparou o golpe com o bracelete novamente. A forma desvaneceu, ainda furiosa, enquanto seus cantis balançavam.

Escuridão outra vez.

Um borrão de luz passou à direita de Cosmo, na direção de Pedro Malasartes, que estava logo atrás. Essa aparição usava gibão de algodão e botas de couro pesadas. Seria um bandeirante?, pensou Cosmo.

– Ai! – gritou Pedro. – Algo me cortou.

Outro borrão e ouviu-se o som oco de um golpe cortante sendo aparado pela manilha que protegia os pulsos de um dos gêmeos. Logo depois, mais uma névoa luminosa passou perto de Cosmo. Ele sentiu aço frio e afiado lhe rasgar a carne das costas. Não sabia como o corpo que Faunim desenhara para ele reagiria a dilacerações. Ao menos, não até aquele momento. E foi doloroso.

Um borrão surgia, passava por eles deixando algum ferimento em um dos quatro e depois desaparecia. Maria e Honorato, pelos urros emitidos, não tinham sido capazes de repelir todas as investidas dos fantasmas.

Um vulto se iluminou longe deles. Estava seminu, com desenhos coloridos pelo corpo. Era uma índia de um seio só.

– Uma icamiaba! – reconheceu Maria.

Cosmo sabia quem eram as icamiabas. Uma antiga tribo de índias, tidas como as mais ferozes guerreiras que já existiram por toda a Província. Histórias sobre elas diziam que cortavam um dos seios para que os disparos das flechas, com seus arcos, fossem mais certeiros. Elas também eram chamadas de amazonas.

Aquela icamiaba em questão estava com uma lança nas mãos, derrubou duas sombras ao seu redor antes de mirar Cosmo. Sua luminescência era fraca, não puderam reconhecer quem ou o que caía a seus pés. A índia olhou para os quatro e arremessou a lança na direção deles. Cosmo desviou por muito pouco. Não tinha reflexos apurados, portanto, para ele, aquilo tinha sido obra do destino mais uma vez. No instante seguinte, a índia icamiaba estava diante dele. Cosmo não teve alternativa a não ser envolver-se numa luta corpo a corpo. Ambos, amazona e boto, se atracaram ferozmente. A mente de Cosmo tentava entender o que era aquela criatura. Não era uma icamiaba de verdade. Parecia um fantasma, mas ele conseguia tocá-la. Ouviu gemidos atrás de si, indicando que Pedro e os outros se ocupavam com suas próprias batalhas. Por um momento, Cosmo achou que tudo estivesse perdido. Foi quando tropeçou em alguém caído de barriga para baixo na escuridão. O espectro amarelado da amazona pulou por cima do boto com extrema agilidade e já buscava subjugá-lo com algo cortante que trazia nas mãos.

– Achei! – gritou Maria.

Grãos luminosos pairaram no ar acima de suas cabeças. A fraca luz do restinho de pó de estrela que ela encontrou foi o bastante para que pudessem enxergar seus inimigos.

E o que viram foi chocante.

– Humbertolomeu? – indagou Cosmo.

Não havia índia alguma em cima dele. Em vez disso, o próprio líder dos botos originais o atacava com uma pequena lâmina. Graças aos grãos luminosos, Humbertolomeu reconheceu Cosmo, parou de atacá-lo e se afastou.

Cosmo se levantou no momento em que Pedro e Honorato se desgrudavam. Pouco antes de os grãos iluminarem o ambiente, os dois estavam atracados como inimigos mortais. E Maria tinha derrubado dois botos originais antes de jogar o pó de estrela.

– O que está acontecendo aqui? – quis saber Humbertolomeu largando a lâmina no chão. – Onde estão nossos inimigos?

Então notaram uma porção de botos originais caídos no chão. Muitos estavam seriamente feridos, enquanto grande parte deles já não se movia. Seus machucados pareciam ter sido bem mais severos. Cosmo reparou em um boto, ainda em pé, que tremia feito vara verde e estava com o rosto pálido. Seus olhos arregalados indicavam extremo terror, como se esperasse pelo próximo corte surpresa que viria de qualquer direção e o talharia na escuridão. Aquele boto estava em choque. Parecia ainda não acreditar que agora havia luz no ambiente. Havia uma porção de sulcos ao longo de seu corpo. Tais ferimentos tingiam suas roupas de um rubro escuro. Cosmo olhou para seu próprio corpo desenhado por Faunim. Descobriu que era capaz de sangrar como qualquer provinciano. Também colecionava uma boa quantidade de incisões feitas por lâminas afiadas. Notou que Pedro Malasartes tinha tantos ferimentos quanto ele, mas Maria e Honorato haviam sofrido apenas alguns. Eram realmente incríveis! Mesmo no escuro, foram capazes de se esquivar da maioria dos golpes. Foi então que Cosmo entendeu e pôde responder à pergunta de Humbertolomeu sobre os inimigos que haviam desaparecido com o efeito luminoso dos grãos.

– Não há nenhum inimigo – concluiu Cosmo. – Nada além de nós mesmos.

– Éramos nós mesmos? – indagou Pedro.

– Creio que sim – respondeu Cosmo.

– Não é possível – indignou-se Humbertolomeu. – Confraria? – chamou o capitão.

E os gemidos de seus comparsas foram ouvidos ao longo de todo o chão da caverna. Apenas alguns conseguiam ficar em pé. Apoiavam-se uns nos outros para se levantar. O próprio Humbertolomeu correu para checar os que não se moviam e entrou em pânico diante de uma realidade terrível. Talvez nunca mais se levantassem dali por conta própria. E os olhos humanoides do capitão se encheram de lágrimas. Aquilo fez com que percebesse o perigo real que havia se tornado a Missão Carbúnculo.

– O que eram aquelas coisas? Alucinações? – perguntou ele, desolado.

– Com certeza eram fantasmas. Pude senti-los aqui – respondeu Maria.

– Não. Não eram fantasmas. Isso faz parte da charada – declarou Cosmo.

– Charada? – questionou Humbertolomeu.

— Sim — respondeu Cosmo. — Tive um sonho arauto sobre o que enfrentaríamos nesta caverna. São um total de sete provações ou charadas. E a primeira delas falava sobre espadas ocultas na sombra — explicou o boto.

— Mas, afinal de contas, o que eram aquelas criaturas? — indagou Honorato, confuso. — Antes de o pó de estrelas iluminar o lugar, Pedro Malasartes não era Pedro, e sim um cangaceiro sedento por sangue, querendo passar a peixeira na minha garganta.

— E você, Cosmo, era um velho bandeirante que tentava me matar — completou Humbertolomeu.

Cosmo refletiu sobre a recente experiência. Ele mesmo tinha visto Humbertolomeu sob a forma de uma amazona, e não como o costumeiro boto original da linhagem dos botos reis que ele conhecia. Um palpite lhe ocorreu.

— São memórias! — constatou o boto. — Memórias reprimidas.

— Memórias? Como sabe disso? Por acaso é algum tipo de adivinhação de boto? — quis saber Maria Caninana.

— Não — respondeu o boto, lembrando-se novamente do túmulo do pai.

Cosmo indagou-se sobre aquela lembrança. Ela o havia acometido por algum motivo. Tinha de ser. Confiava que o destino não brincava em serviço e a intuição também não. Apesar de ser apenas um jovem boto, vivera muito mais tempo que um provinciano comum. Portanto, já tinha passado por certas situações que uma pessoa levaria uma vida ou mais para conseguir apurar seus ensinamentos. Aquela lembrança da lápide do pai tinha levado o boto a tirar lições que carregava consigo. Lições que o tornaram alguém melhor. Lembrou-se de Pedro Malasartes dizendo, pouco antes de adentrarem a caverna, sobre encarar a Missão Carbúnculo como uma oportunidade de ser alguém melhor. Então compartilhar as lições que tirou das visitas ao túmulo de seu pai talvez ajudasse os outros a compreender a experiência com os atacantes que surgiram na escuridão.

— Meu pai morreu cedo. Não pude conviver muito com ele. Eu o visitava em seu túmulo. Fiz isso por muito tempo, repetidas vezes. Aquele era um local de dor para mim. Queria ter tido a chance de conhecê-lo.

– O que isso tem a ver com... – Maria começou a formular uma pergunta, mas Cosmo continuou sua explicação.

– Certa vez, ao me aproximar da encosta, vi alguém parado, bem onde eu costumava ficar. Quem quer que fosse, ficou um bom tempo lamentando-se diante da lápide. E depois sumiu. Como se fosse levado pelo vento. Demorei para perceber que não era ninguém além de mim. Eram representações minhas – e Cosmo viu os rostos confusos de todos enquanto ouviam suas palavras. – Minha dor, sofrida repetidas vezes naquele mesmo lugar, adquiriu uma espécie de forma física – explicou ele. – Uma representação daquele momento que se repetia, uma representação que sofria por mim mesmo quando eu não estava lá. Era apenas um reflexo da minha dor. Do meu trauma. Uma memória reprimida, aprisionada no tempo – os semblantes confusos se desfizeram pouco a pouco. – Era como um fantasma de mim mesmo, velando a cova de meu pai.

Um silêncio pairou na caverna, entre os grãos luminosos e flutuantes.

– Então de quem são as memórias reprimidas que nos atacaram agora há pouco? – Pedro questionou.

– Ora. Não é óbvio? Esta caverna era uma das antigas moradas da Alamoa – lembrou Cosmo. – Ela era um ser milenar, ou seja, fez vítimas por anos a fio. Isso significa que estas paredes testemunharam, repetidas vezes, cenas de desespero de pessoas tentando sobreviver e do ódio daqueles que buscaram vingança. Todos os guerreiros que vimos há pouco devem ser resquícios de ataques derradeiros contra a Alamoa. Uma espécie de sombra – concluiu o boto. – Vivemos o sentimento deles em seus últimos momentos. A cor de um espectro diz muito sobre ele. No caso, eram tão amarelados quanto o meu reflexo diante da lápide de meu pai. Só pode indicar serem memórias, e não espíritos reais. Apenas lembranças de seus momentos de dor. Tais memórias estão impregnadas aqui. Consigo senti-las em todas as paredes da caverna.

– Para mim ainda são fantasmas – confessou Maria. – Dá no mesmo! As duas coisas podem ser assustadoras – Cosmo se perguntou se a lembrança que Maria levava consigo, de Honorato sendo dilacerado pela própria tribo, não se apresentava para ela como um fantasma.

– Então essas coisas, memórias ou fantasmas, usaram a gente? É isso? – quis saber Humbertolomeu.

– Sim, usaram – deduziu Cosmo. – Este deve ter sido o primeiro desafio. Achamos que estávamos lutando contra assombrações do passado, mas na verdade enfrentávamos nós mesmos.

– Mas eu consegui ferir alguns deles – contou Humbertolomeu, desesperado com a possibilidade de ter machucado seus próprios companheiros. – Achei uma espada no chão e perfurei dois soldados de uma frota da marinha. Uma frota naval que não existe mais.

– Você provavelmente feriu dois integrantes da sua Confraria – explicou Cosmo.

E Cosmo viu Humbertolomeu olhar desolado para seu bando desfalcado. Mais da metade dos botos encontrava-se inerte no interior da caverna.

A luz de alguns grãos se apagou. Restava pouco pó de estrela flutuando na imensidão escura e garantindo um pouco de luminosidade ao local.

– Esta lança é da nossa tribo – declarou Maria segurando a arma que havia sido lançada pela amazona. Honorato se aproximou da irmã para conferir.

– É mesmo. Isso significa que algum guerreiro da nossa tribo já enfrentou a Alamoa? – quis saber Honorato.

– Provavelmente – imaginou Cosmo. – Olhem a quantidade de armas espalhadas pelo chão. Guerreiros de lugares e épocas diferentes perderam a vida aqui. Com o tempo, o que sobrou foram apenas suas dores e suas armas. Esta é a primeira charada. As espadas ocultas na sombra – repetiu o que tinha ouvido em seu sonho. – Isso nos dá uma boa noção do que nos aguarda adiante, não?

– Ou noção nenhuma – comentou Pedro.

Honorato pareceu concordar com essa observação e indagou:

– E como sabemos que terminou?

– Acho que sabemos por conta da luz – respondeu Cosmo. E todos admiraram os grãos luminescentes que ainda restavam. – No meu caso, aquela sombra que visitava a lápide de meu pai só pôde sair de lá quando eu a confrontei. Eu não podia deixar que minha vida toda seguisse em função da morte de meu pai. Aquela memória reprimida era um trauma que precisava deixar de habitar as sombras. Era preciso jogar luz sobre ela. Entendê-la e superá-la. Quando consegui fazer isso, ela foi embora – contou ele. – Isso não significa que estamos seguros! Depois de muito tempo, regressei ao local onde meu pai foi enterrado. A aparição não estava mais lá. Mas eu ainda era capaz de senti-la dentro de mim. Se eu quisesse me atirar na escuridão para trazê-la de volta, eu poderia. Sabia como fazê-lo. Eu conhecia o caminho. Era só reviver as dores e os questionamentos em torno da morte de meu pai. Mas preferi deixar isso às claras – e todos o observavam buscando entender o que ele queria dizer. – Vejam bem, a luz sempre é a opção mais viável. Isso não significa que é a mais fácil. É assim que me mantenho até hoje – revelou ele. – Colocando luz onde moram as dores. Entendendo, compreendendo e seguindo em frente. Só assim é possível deixar as sombras do lado de fora.

Foi então que Cosmo entendeu parte daquilo tudo. O destino queria que todos compreendessem aqueles sentimentos. E, de alguma forma ainda misteriosa para ele, o Carbúnculo também desejava a mesma coisa, já que tinha colocado aquela provação, com espadas ocultas na sombra, como o primeiro dos sete desafios.

Mais alguns grãos se apagaram, alarmando a todos. Não queriam retornar à escuridão e ser dilacerados pelas memórias invisíveis e traumáticas da Alamoa.

– É bom pegarmos algumas armas do chão – sugeriu Pedro.

Humbertolomeu muniu-se de uma peixeira de cangaceiro.

– Uau! Este arco não pode ser o que imagino que é – surpreendeu-se Maria, erguendo um arco para aproximá-lo do pó de estrelas que pairava no ar e enxergar melhor a arma. – É mesmo o que eu penso que é.

– E o que seria, irmã?

– O arco do Pai das Matas! – anunciou ela.

– Quem é o Pai das Matas? – perguntou Pedro.

– Lembra quando Naara contou sobre alguns seres que passaram pelos Caruanas e se tornaram xamãs? – Pedro assentiu. – Ela comentou especificamente a respeito de um deles, que tem os pés voltados para trás.

– Foi esse o xamã que previu o fim das antigas cidadelas de corais – completou Humbertolomeu.

E Cosmo se lembrou de Humbertolomeu acusando os provincianos de, em um futuro muito próximo, destruir as cidades feitas de coral. Cidades de extrema importância para o mundo subaquático. Naara tinha uma ligação com o lugar, pois nascera lá, e os botos originais também possuíam tal ligação, já que foi lá que receberam a bênção/maldição de se transformar em humanos durante a quaresma.

– Os boatos são muitos. Seu nome é Curupira – prosseguiu Honorato. – Um ser fantástico que protege as matas. Sempre ouvimos falar sobre ele. E os relatos geralmente mencionam um arco como esse.

– É feito de uma palmeira que não existe mais. Extinguiu-se ao longo do tempo. Uma palmeira cujas propriedades eram mágicas – disse Maria. – Ele é todo revestido por tiras da casca dessa mesma palmeira e de cera de insetos antigos, que também não existem mais. Foram extintos como resultado da ação humana – seus olhos brilharam ao admirar o tesouro encontrado. – É o único arco que nunca erra o alvo. Nunca – ela andou mais adiante como se procurasse por algo no chão. Chutou espadas e adagas, punhais e facões. Nada lhe interessava. – Aqui! – exclamou ao lhes mostrar uma flecha. – A seta do Curupira! Esta será a arma que carregarei comigo. Acertarei a testa do Canhoto com ela, caso ele não me liberte da maldição que me atormenta.

– Precisamos seguir depressa, se pretendemos avançar nesta caverna. Os últimos grãos luminosos estão se apagando – observou Honorato. – De acordo com essa história toda sobre a lápide do pai do Cosmo, isso não é bom sinal, certo?

Se ajeitaram como puderam. Assim que encontrassem lugar seguro adiante, parariam para cuidar de seus ferimentos. A prioridade ali era partir com urgência do local.

– Capitão! – chamou um dos botos da Confraria que conseguiu ficar em pé. – Não podemos seguir adiante – avisou pesaroso.

– O quê? Por que não? – quis saber Humbertolomeu.

– Vimos a morte diante de nós, capitão – argumentou o boto. – Mais da metade dos integrantes da Confraria perdeu a vida hoje.

– Mas e quanto a nossa maldição? – a expressão no rosto de Humbertolomeu indicava que sentia seus planos escoando pelo ralo.

– Talvez esteja na hora de assumir quem nós somos. Não foi tão ruim quando abandonamos o chapéu, não é mesmo? – comentou o boto ferido.

– Mas abandonar o chapéu era apenas uma forma de nos despedirmos do que representa a nossa maldição. Como se déssemos adeus ao que nos obriga à mutação humana – contestou Humbertolomeu.

– Talvez não seja uma despedida, e sim uma mensagem de "boas-vindas". Já pensou nisso? – declarou o boto apontando para os colegas estirados no chão. – Veja, capitão! Não sou apenas eu – e Cosmo presenciou muitos deles assentirem em apoio ao que o companheiro falava. – Talvez seja preferível viver amaldiçoado a ser um humano de vez em quando do que não viver – finalizou o boto.

E Humbertolomeu percebeu, no semblante dos poucos membros restantes da Confraria, que eles haviam tomado a mesma decisão daquele boto.

– Entendo seus motivos. Entendo mesmo – declarou Humbertolomeu. – Só não consigo aceitá-los para mim – o boto, então, dirigiu-se aos demais. – Quem de vocês ainda está comigo?

Menos da metade dos sobreviventes se manifestou. Entre eles estava Nivolomeu. Os outros viraram as costas e seguiram de volta pelo caminho rumo à entrada da caverna, aproveitando a luminosidade dos últimos grãos de pó de estrela. Antes de partirem, ainda desejaram boa sorte aos remanescentes da Confraria e a Cosmo e seus companheiros. Cosmo sentiu que os votos dos botos originais eram sinceros. Tanto no que se referia aos objetivos de Humbertolomeu quanto no que dizia respeito aos seus.

– E quanto aos mortos de vocês? – quis saber Pedro, referindo-se aos botos originais imóveis caídos no chão da caverna.

– O que tem eles? – indagou Humbertolomeu.

– Ora, vocês não vão enterrá-los? – estranhou Malasartes.

O capitão da recém-extinta Confraria sorriu em declarado deboche.

– Enterrar é coisa de provinciano! – e olhou de soslaio para Cosmo.

Pedro notou a olhadela e, depois, somou dois mais dois em sua cabeça. Não deu outra. Voltou-se para Cosmo:

– Você é filho de um provinciano? – perguntou ele.

– Sim – revelou Cosmo sem delongas. – Minha mãe era um boto. Ela se apaixonou pelo meu pai quando veio pela primeira vez para a superfície. Só assim conseguiam se encontrar, pois meu pai era um provinciano, como você. Por isso a superfície se tornou o símbolo do namoro dos dois – contou o boto. Pôde ver pela expressão no rosto de Pedro que ele rememorava a conversa que haviam tido na encosta, na noite em que acenderam o fogo morto. – Foi por isso também que meu pai morreu cedo. O tempo de vida dele era muito mais curto que o normal. Eu mesmo já vivi quase quatro vezes o que ele viveu. Uma das poucas lembranças que tenho dele é aquela que lhe contei, Pedro. Sobre cada sonho que é realizado virar uma estrela no céu – Malasartes assentiu. – Fora isso, toda vez que penso nele, vejo apenas sua lápide em minha mente – Maria e Honorato escutavam atentos. – Quando pedi para Faunim desenhar um corpo humano para mim, detalhei o máximo que me lembrava da fisionomia de meu pai – abriu os braços para indicar seu próprio corpo. – A pele provinciana que estou vestindo é a representação mais próxima que consigo me lembrar dele – Cosmo ponderou se pedir a Faunim um desenho com os traços do pai significava algo ainda não superado com relação à sua dor. Será que tudo não passava de uma maneira de continuar a remoer a perda prematura de seu pai?

E todos assistiram ao apagar dos grãos remanescentes do pó de estrela. Apenas um último grão ainda iluminava o interior da caverna.

– E então, Cosmo – chamou Humbertolomeu sem muita paciência. Acabara de assistir ao desmanchar de sua tão estimada Confraria. – O que mais você viu no sonho arauto que teve? O que espera por nós mais adiante, nesta caverna? – indagou o capitão, como se não houvesse rixa entre eles. Como se, por ora, os objetivos de cada um ainda não fossem relevantes. Precisavam sair vivos das outras seis provações e dispunham apenas uns dos outros. Sem a parceria, ninguém chegaria vivo a lugar algum. Cosmo também tinha consciência disso.

– Pelo que me lembro – começou ele –, o segundo desafio citava jaguares e pumas! – avisou Cosmo. – E furiosos.

Capítulo 15
A Árvore de Todos os Frutos

No meio do caminho tinha uma árvore.

Suas raízes brotavam do chão de pedra, como se fizessem tremenda força para insistir que a vida nascesse ali. Uma fissura no alto permitia que a luz do sol alcançasse a imensa árvore.

Para Cosmo, aquele cenário lhe remetia a algo celestial. Uma árvore muito antiga que resistiu por tempo demais ao terreno daquela caverna e que ainda insistia em dar seus frutos.

Formavam um grupo de pouco mais de dez integrantes. Quando se aproximaram do centro da espécie de clareira que era aquela parte da caverna, puderam constatar a quantidade de frutos que provinham da árvore. E ela tinha mesmo muitos frutos. A diferença entre aquela árvore e as muitas árvores do mundo todo é que, os frutos de uma árvore sempre nascem como sendo de um mesmo tipo. A jabuticaba provém da jabuticabeira, a goiaba da goiabeira e assim por diante. Mas não naquela árvore. Vislumbraram, cautelosos, jabuticabas brotando ao lado de goiabas e de maracujás e ao lado de abacaxis e jacas. E muitos outros frutos mais, como açaí, jabuticaba-amarela, pitanga, caju, entre outros cujos nomes desconheciam. Alguns frutos eram peludos, enquanto outros eram pontudos; alguns tinham aparência convidativa, outros eram tão estranhos que duvidaram ser comestíveis. Era uma árvore fascinante. E que produzia todos os frutos do mundo. Cosmo já tinha escutado falar de uma árvore assim. Era um relato antigo. Tinha algo a ver com as histórias que ouviu falar que aconteciam no mundo dos provincianos, e não no mundo subaquático.

— Acho que estamos diante da Árvore da Vida — comentou ele.

Maria Caninana e Honorato se entreolharam como se soubessem de algo a respeito. Pedro olhou para Cosmo esperando mais explicações, enquanto Humbertolomeu e os outros botos se aproximavam da árvore.

— Eu também já ouvi falar sobre ela — declarou Humbertolomeu. — É uma lenda antiga da Província — e Cosmo percebeu que o capitão tinha razão. — Provavelmente nenhum provinciano a conhece. É do início da época deles. A história já se perdeu no tempo — então olhou para Pedro.

— É, não. Nunca ouvi falar — confessou Malasartes sem se incomodar com isso. Parecia ter se acostumado a não se espantar mais com as coisas fantásticas que desconhecia.

— A Árvore da Vida também era chamada de Árvore de Todos os Frutos. Por conta da variedade de seus frutos. Estes são os primeiros frutos. Esta é a Primeira Árvore. A árvore mãe de todas. Dizem que seus frutos têm poderes curativos — ao ouvir o que Humbertolomeu dizia, Cosmo resgatou as mesmas informações nos confins de sua memória. — E já que estamos todos machucados por conta daquelas coisas que nos atacaram no escuro, por que não comemos alguns para recobrar as energias e curar nossos ferimentos?

— Por conta da segunda charada — Cosmo respondeu de imediato. — Talvez devêssemos pensar antes de sairmos comendo os frutos de uma árvore milenar.

— Pelo que entendi, o seu sonho arauto falava sobre felinos furiosos, não? Jaguares e pumas? — retrucou Humbertolomeu. — Não vejo nenhum bicho desses por aqui. Talvez ainda não seja a segunda charada. Ou, talvez, esse seu sonho arauto tenha sido só uma coincidência. Um sonho comum, e não algo que vai acontecer.

Pedro resolveu avançar em direção à árvore. Cosmo entendeu que o argumento de Humbertolomeu tinha sido convincente para Malasartes. Ou que sua dor era tanta por causa de seus machucados que, se aqueles frutos podiam fazer a dor parar, comeria sem pensar duas vezes. Não culpava o provinciano. Seus próprios machucados não estavam nada fáceis de aguentar. Além do mais, os resquícios de sal do mar em sua pele lhe faziam muito mal. Não lidava muito bem com o sal. Era um ser de água doce. O sal o enfraquecia.

    Maria e Honorato se aproximaram também. Cosmo sentia um tipo de força emanando daquela árvore. Era estranho. Por vezes, parecia estar diante de uma antiga e sábia senhora. Olhou o entorno antes de ceder e se aproximar. Foi o último do grupo a fazer isso. Um dos botos pegou uma das jabuticabas com casca preta arroxeada que brotavam coladas aos galhos. Por dentro, uma polpa branca escondia um caroço. Percebeu quando assistiu a um dos botos originais mastigá-la de boca aberta. Todos esperaram-no terminar de comê-la. Queriam saber os efeitos.

    – Odilomeu! – chamou Humbertolomeu. – O que está sentindo?

    O boto cuspiu o caroço e se olhou de baixo a cima. Colocou a mão em um machucado profundo que tinha sofrido na barriga. Levantou a camiseta mostrando o corte a todos.

    – Parei de sangrar – disse ele analisando os efeitos da jabuticaba. – Sinto algo diferente no meu corpo. Os machucados já não doem mais – nesse instante, outro boto arrancou uma laranja de um dos galhos e outro se muniu de um abacate. Deram dentadas nas frutas escolhidas, esperando suas dores cessarem. – Sinto uma comichão em meus machucados. Humbertolomeu parecia ter visto algo no corte da barriga do companheiro, pois se aproximou dele a fim de observar melhor. Pedro e Cosmo resolveram fazer o mesmo.

    Viram algo surpreendente. A pele separada pela lâmina buscava aos poucos se colar de volta. A fenda aberta em sua barriga diminuía de tamanho bem devagar. A ferida estava se fechando. Humbertolomeu não precisou de mais nada para se convencer. Arrancou um caju da árvore e o mordeu com vontade. Todos os outros seguiram seu exemplo. Não viram problema em se curar dos ferimentos.

    Cosmo sentiu-se fraco. Uma pontada em sua cabeça o fez perceber que também precisava daqueles frutos. Havia sofrido muitos cortes da escuridão. Precisava se curar também, ou não teria forças suficientes para continuar. Escolheu uma que não conhecia e sobre a qual nunca tinha ouvido falar. Gostava do diferente. Da aventura de novos sabores e descobertas. Mordeu a fruta de casca preta e esperou que seu sumo fizesse o resto.

E ele fez. A antiga lenda não era falsa. Muito pelo contrário. Relatara por anos a fio uma verdade sobre a árvore. E ali estava Cosmo, lambendo os beiços depois de comer um fruto colhido do pé e sentindo seus efeitos sobre os machucados. Foi um enorme alívio perceber o rasgo de suas costas se fechar em questão de minutos. Foi bom se sentir renovado. Um calor trazia nova força dentro dele. Percebeu que todos os outros passavam pelo mesmo processo. Se curavam ao se fartar com os frutos da Árvore da Vida.

Então algo chamou a atenção de Cosmo. Viu um vulto se mover rapidamente em uma parte escura da caverna. Olhou com mais atenção, mas não viu mais nada. Achou ter sido impressão sua. Mas constatou que estava enganado quando, outra vez, alguma coisa passou veloz na parte que a luz do sol, que entrava pelo buraco no teto, não banhava.

Dessa vez, pôde identificar uma silhueta furtiva nas sombras. Era como se o que os espreitasse dali se utilizasse da escuridão como camuflagem.

– Cuidado pessoal! – alertou Cosmo.

No mesmo instante, do negrume, diversas onças despontaram. Suas presas e garras à mostra delatavam sua vontade de estraçalhá-los. Foi uma investida surpresa. Não houve muito o que fazer. Mal tiveram tempo de entrar em pânico. Um dos botos originais gritou de dor ao ser arrastado por uma onça para o breu da caverna. Outras três cercaram um grupo de botos. Não tinham escapatória. Apenas alguns segundos os separavam de um ataque feroz. Uma onça-preta rosnava nervosa e selvagem para Honorato e Maria. Ambos cerravam seus punhos, prontos para contra-atacar. Outra onça, amarela de pintas pretas, cercava Pedro e Humbertolomeu. Ela não tinha uma das patas. Era uma onça maneta. Uma onça-pintada com apenas três patas. Cosmo notou que outra onça tinha uma deformação nas patas. Seus membros se pareciam com os cascos de um boi. Era praticamente uma onça-boi. Esta acuava outro boto original aos pés da Árvore de Todos os Frutos. Era como se aqueles jaguares todos fizessem parte de um mesmo bando. Um bando que já caçava junto havia muito tempo. Alguns deles carregavam cicatrizes de confrontos passados. Mas eram predadores acostumados a caçar juntos. Sua aparência furiosa instigava o medo em sua forma mais pura. Cosmo tinha certeza de já ter escutado velhas histórias, de diferentes lugares e épocas da Província, sobre algumas daquelas onças.

Uma onça-parda saltou diante de Cosmo como se, simplesmente, surgisse do nada. Foi rápida e silenciosa. Num ímpeto, Cosmo se virou e correu. Ou pensou em correr. Antes do primeiro passo, a pata forte do puma golpeou-lhe as pernas, fazendo com que tombasse e rolasse pelo chão, transformando o boto em uma presa fácil. A onça tinha membros curtos, e suas patas eram revestidas de almofadas que guardavam presas afiadas. Aquela onça-parda, também conhecida como suçuarana, não estava de brincadeira. Seus olhos encararam os de Cosmo com um ar assassino. Avançou a passos lentos e ameaçadores, com seus movimentos delicados de felino. Cosmo rastejou para trás estendendo uma das mãos como se pedisse para a onça não fazer o que pretendia fazer: atacá-lo da maneira feroz que o boto conseguiu ler em seus olhos.

Não houve tempo para pensarem em muita coisa. As onças tinham conseguido separar o grupo todo sem dificuldade. Como se tivessem tramado aquilo desde o início. As armas que tinham pego após o ataque das memórias reprimidas da Alamoa não haviam servido para nada. Com uma patada violenta, a peixeira empunhada foi ao chão. Não houve adaga ou arco que permanecesse apontado para uma onça daquelas. Eram ágeis e espertas. Desproveram todos eles de qualquer arma ou coragem que carregassem consigo. Cosmo não poderia explicar a elas o motivo de estarem ali ou pedir clemência à criatura que o subjugava. Afinal, havia uma onça ameaçadora diante dele e não alguém com quem pudesse argumentar. Não haveria diálogo... ou haveria? Lembrou-se, depois de um *flash* que iluminou seus pensamentos, que a lenda sobre a Árvore de Todos os Frutos trazia onças em seu enredo. Forçou a mente para se lembrar de algo que pudesse livrá-los daquele cerco brutal. A onça rosnou como um gato raivoso que assusta em aviso antes de arranhar. Cosmo tremeu. Sabia que a onça era um dos mais eficientes assassinos do reino animal provinciano.

Sua mente pescou algo mais daquela história. Afinal, se aquilo fazia parte de uma charada, alguém precisava desvendá-la para continuar avançando na caverna. Foi só quando Odilomeu e mais dois botos sumiram na escuridão, carregados por onças sem paciência, que Cosmo gritou:

– Espere! Eu sei quem é você. Não ataque! Não somos seus inimigos – a onça parou onde estava. Estacou bem no instante em que se inclinava para dar o salto que definiria tudo. Passou a encará-lo desconfiada. Suas cerdas em riste tinham mais de quinze centímetros e, quando mostrava suas presas, as cerdas apontavam para o teto. – Você é Macunaíma, não é? – arriscou Cosmo. E a onça recuou um passo.

Cosmo permaneceu muito pálido enquanto assistia à onça recuar e rosnar algo para as companheiras. Foi como se o corpo, desenhado por Faunim, desbotasse com o medo. Todas aquelas onças, de repente, perderam o interesse em suas presas e se dirigiram à Primeira Árvore. Os felinos subiram em seu tronco e se ajeitaram em seus galhos. Alguns deitaram no chão mesmo. Todos pareceram amansar de uma hora para outra. O último felino a se afastar e seguir para a árvore foi a onça-preta, que havia acuado os únicos guerreiros de verdade entre eles, Maria e Honorato. A onça andou em passos leves e, ao mesmo tempo, ágeis. Caminhava com a imponência digna dos felinos. Em sua pelagem, ainda que escura, Cosmo pôde divisar pintas pretas como as da onça amarela. Tinha pelos em dois tons de preto. Uma beleza incomparável.

Cosmo e os outros eram os invasores daquela caverna. Já as onças, eram as donas do pedaço. Os membros do grupo apenas se ajeitaram em seus lugares e observaram perplexos o afastar das criaturas que, havia poucos instantes, estavam prestes a lhes devorar.

Não foi apenas isso. No minuto seguinte, as paredes da caverna desapareceram. Não havia mais um teto sobre suas cabeças. Apenas o céu. Foi como um truque de mágica. Estavam em uma superfície de pedras que se estendia até onde a vista alcançava. Uma planície sem altos nem baixos. Apenas pedras. Dava a impressão de estarem em um solo de outro planeta. Foi como se a Travessia do mundo subaquático, que carregava os seres de um canto a outro, ocorresse ali. Não em ambiente submerso, e sim em solo provinciano. Era certo que não havia mais caverna. E sim um ambiente singular. Com a árvore incrustada no centro e uma porção de jaguares e pumas debruçados sobre ela. Aquela árvore tinha algo a ver com aquilo? O vento voltou a lhes refrescar o rosto e o sol aqueceu suas peles.

— Para onde é que foi a caverna? – cochichou Pedro Malasartes para Cosmo.

— O que é isso? Algum tipo de ilusão? – indagou Humbertolomeu.

— Se é ilusão, eu não sei dizer. Mas conheço este lugar – falou Maria. – Estamos em cima do Monte Roraima.

— O Monte Roraima? – indagou Cosmo. Sabia que aquilo fazia sentido. A criatura de que se lembrava, segundo a lenda, vivia no Monte Roraima. Ao mesmo tempo, não fazia sentido algum. Tinham adentrado a caverna por uma ilhota de pedras no meio do mar. Sabia que o Monte Roraima ficava muito distante de qualquer oceano. Então o que é que estavam fazendo ali? Como conseguiram ir parar tão longe da água salgada? E, se aquilo fazia parte do segundo desafio, qual era o significado? Onde fora parar a velha caverna da Alamoa? Humbertolomeu estava certo? Aquilo era uma ilusão?

A onça-preta foi para trás do grosso tronco da Árvore da Vida até seu rabo desaparecer de vista. Cosmo e os outros não souberam o que fazer. Recuperavam o fôlego enquanto as onças os observavam, ao mesmo tempo que lambiam os próprios pelos ou bocejavam, deixando suas presas afiadas à mostra.

Não demorou muito para tudo ficar mais estranho. Um ser humanoide saiu de trás da árvore. Justamente onde a onça-preta havia sumido. Era um gigante com cerca de três metros de altura. Cosmo sabia que não havia provinciano com tamanha estatura, portanto não se tratava de um. Era um ser de pele verde, com músculos bem definidos e à mostra. Estava sem camisa e sem calças. O que lhe cobria as partes íntimas era um manto amarrado em sua cintura, feito com a pelagem de uma onça-preta. Usava um cocar de longas penas do rabo das araras-vermelhas. Como uma coroa colorida. Em seus braços, havia alguns adereços com penas azuis e amarelas. Era um índio de grandes proporções. Saía do meio das onças e caminhava até onde eles haviam se juntado. Alguns desenhos, pintados em vermelho e preto em seu peito e seu rosto, contrastavam com a pele esmeralda.

Ninguém ousou se mover quando o índio parou diante deles e os observou minuciosamente, um por um. Seus olhos não tinham pupilas ou qualquer outra das partes que compõem um olho. Eram imensos buracos vazios e brancos, janelas com vista para algo infinito. Ainda assim, sentiam o seu olhar. Voltou-se para Cosmo.

— Makunaima! — disse ele com uma voz potente que assustou a todos.

— C-como é? — perguntou Cosmo, pego de surpresa ao ouvir o gigante verde lhe dirigir a palavra.

— É Makunaima. Nome meu — respondeu pausadamente. — Você dizer Macunaíma. Assim não é verdade. É como tempo levou nome meu adiante. Certo mesmo: Makunaima — falou, dando ênfase ao trecho "náima" de seu nome. Usava um botoque, um disco elíptico, enfiado no lábio de baixo, deixando a parte inferior de sua boca saltada um palmo para a frente. Em seu nariz e bochechas, havia algumas varetas que perfuravam sua pele de atravessado, como adereços tradicionais de uma tribo indígena. Eram *piercings* em sua forma mais primitiva. E, em suas orelhas, havia alargadores grandes de madeira, pintados de preto.

Era isso. Makunaima era uma lenda antiga. O que se dizia na época era que ele tinha o poder de se transformar em uma onça feroz. Parecia, inclusive, que ele cultivava seu próprio bando. Em alguns lugares, também era conhecido como o Pai das Onças.

— Onça Borges, não! — repreendeu o índio grandalhão. Só então Cosmo percebeu que a onça-parda, que o havia cercado antes, estava prestes a saltar para cima de um dos botos originais restantes. O puma voltou-se para a árvore depois de ter sido repreendido pelo índio, escalou o tronco, cravando nele suas presas fortes, e deitou-se em um dos galhos, mantendo sua atenção em cada um dos ali presentes. Como se estudasse seus movimentos minuciosamente. Mas mantinha uma atenção especial naquele boto.

Cosmo percebeu também que Humbertolomeu mostrava-se agitado. Seus companheiros, carregados por aquelas onças para a escuridão de trechos ocultos da caverna, não tinham retornado. E, agora, nem caverna existia mais. Previa que o pior tivesse acontecido.

— Sabemos de histórias sobre você — começou Maria.

Outra onça rugiu de um dos galhos da frondosa árvore. O próprio índio observou Maria como se não acreditasse que ela pudesse ter a audácia de lhe dirigir a palavra. Ela pareceu cautelosa. Sabia estar diante de um adversário habilidoso.

— Então vocês saber que vida de vocês acabar aqui! — vociferou o índio. — Perturbaram sono meu. Avisei uma vez. Não falo duas! — ele descruzou os braços e estava prestes a partir para o acerto de contas final quando Pedro Malasartes o interrompeu a tempo.

Cosmo se espantou com a coragem do amigo provinciano. Ele próprio sentia seus joelhos tremerem diante do gigante índio Makunaima. Pensou que fosse alguma falha na obra de Faunim, mas suspeitava que aquela era uma das formas humanas físicas de expressar o medo.

— Você disse que avisou uma vez, certo? — declarou Pedro. Por mais improvável que parecesse, soava como se ele soubesse o que estava fazendo. Cosmo notou que os outros perceberam o mesmo que ele, portanto o deixaram continuar. — Pois então. Não recebemos aviso algum, senhor Makunaima — falou ele baixando a cabeça em uma reverência inventada de última hora.

— Eu dar um aviso quando acontecer primeiras perturbações do sono meu — contou o índio. — Eu dizer que: se onças minhas precisar levantar, eu matar responsável pelo desaforo.

Era absurdo. Cosmo sabia que era, mas estava funcionando. O índio notou a presença de Pedro Malasartes como a de um inseto que conquistou sua atenção por zumbir diferente. Voltou a cruzar os braços.

— Meu sono eterno ser sagrado, humano! — declarou Makunaima visivelmente nervoso.

— Entendo, ó grande... Senhor das Onças — bajulou Pedro.

— Pai! — corrigiu o índio.

— Pai das Onças! — retificou Malasartes. — Será possível que o seu aviso não foi dado para outra pessoa?

O índio não respondeu, mas o seu silêncio, sim. Sua opção por não falar deixou uma brecha para que Pedro prosseguisse.

— Ora, estamos em uma missão aqui que nada tem a ver com o senhor ou com as suas onças — continuou Pedro. — Um de nossos adversários deve ter passado por aqui primeiro. Ele pode ter acordado o senhor da primeira vez — Cosmo, Honorato e Maria se entreolharam temerosos. O que é que Pedro estava fazendo? — Não acha injusto pagarmos pelo erro de outra pessoa? — especulou Malasartes.

— De quem você falar? Onde está culpado? — quis saber o índio, impacientando-se mais. Não demonstrava disposição para lidar com ladainhas como aquela. Pretendia resolver o impasse depressa e voltar ao seu estimado sono eterno.

– Refiro-me à Zaori – falou Pedro.

E todos os outros olharam ao redor, procurando pela guia trazida pela Confraria. Não tinham mesmo visto a Moura Torta desde o primeiro desafio. Na verdade, esqueceram-se completamente da existência da Zaori ao confrontar na escuridão a morte trazida pelas lâminas afiadas.

– Moura? – Humbertolomeu chamou em voz alta, com certa autoridade. No instante seguinte, mal chegou a ver de onde veio o ataque. Uma onça-pintada deu-lhe um empurrão com as patas dianteiras. Antes que as costas do líder dos botos originais atingissem o chão de pedra, a onça já pousava uma de suas patas por sobre o peito dele. Deitado, com o peso da onça subjugando-o, Humbertolomeu teve de encarar, incapaz de se proteger, os dentes à mostra do felino, que rosnou agressivo diante de seu rosto.

– Onde está essa tal Zaori? – perguntou o índio.

– Não sabemos, ó grande...

– Então eu sacrificar um de vocês – decidiu Makunaima, podando a bajulice forçada de Pedro. – Eu não fazer questão de justiça. Isso não existir – declarou ele. – Vida ser só um detalhe! – e deu de ombros. – Detalhe que não fazer diferença para mim – então descruzou os braços, de novo, na intenção de acabar com aquilo tudo de vez.

O índio, quando falava, usava um tom bronco, deixando-o com aparência bruta e selvagem. Pintas pretas, como as das onças, salpicavam seus ombros largos. Veio a passos de gigante na direção de Cosmo e dos outros. Todos deram quatro ou cinco passos para trás, na defensiva, como se aquilo fosse adiantar alguma coisa contra a vontade do índio de atacá-los.

– Ela provavelmente passou por aqui e seguiu adiante na caverna – arriscou Pedro se atrapalhando com as palavras, buscando ganhar tempo, de alguma forma, para adiar a aniquilação de todo o grupo e, consequentemente, da Missão Carbúnculo.

– Caverna? – estacou o índio confuso. Todos suspiraram aliviados em razão do pequeno prazo de vida estendido. – Que caverna? – e Makunaima virou o pescoço para os horizontes que se apresentavam por todos os lados do monte.

Era um terreno plano, como se uma espada, de proporções astronômicas, tivesse cortado uma montanha rochosa ao meio. Estavam em uma planície chapada que se estendia por muitos quilômetros para qualquer lado que escolhessem seguir. Sabiam que estavam no alto, bem acima do nível do mar, pela pressão em seus ouvidos. Nuvens carregadas flutuavam, bem pertinho, no céu acima deles, e um vento contínuo e gelado soprava de todas as direções, balançando ferozmente cada galho da primeira de todas as árvores.

– Não ter caverna aqui. Não ser tolo! Humanos já fazer eu tolo uma vez. Não deixar fazer mais – e fez menção de atacar Pedro antes de qualquer outro.

– Foi a árvore, não foi? Que o deixou furioso assim? – perguntou Honorato. O índio fuzilou-o com os olhos sem pupilas. Eram apenas uma eternidade sem fim por debaixo das pálpebras. – Sua lenda é antiga. Muito antiga. É bem provável que, para eles – e apontou para Pedro –, sua história nem exista mais. Tribos antigas diziam que você dorme seu sono eterno desde antes de a civilização crescer e se expandir por toda a terra firme – o índio tornou a cruzar os braços pela terceira vez. Pareceu-lhe importante ouvir sua própria biografia pela boca de Honorato. – Pelo que sei, é filho do Sol e da Lua – continuou o gêmeo de Maria. – No princípio de tudo, quando seus pais ainda não eram seus pais, já nutriam amor um pelo outro, mas não conseguiam se encontrar. Um era o dia, o outro era a noite. Não havia momento em que os dois pudessem partilhar o mesmo céu – Cosmo reparou outra das onças descer da árvore e encucar enfezada na direção do mesmo boto que quase fora devorado pela onça-parda, não fosse Makunaima chamar sua atenção. – Dessa necessidade, surgiu no mundo o eclipse. E, assim, pela primeira vez, Lua e Sol puderam se encontrar – contou a Cobra-Grande transfigurada em pele de gente. – Um filho cósmico nasceu dessa união. Foi chamado de Makunaima – e o índio assentiu orgulhoso pela pronúncia correta e a pomposidade de seu nome. – Logo se tornou um guerreiro reconhecido entre as primeiras das tribos provincianas.

– Um grande guerreiro! – complementou Maria.

Cosmo entendeu que os irmãos tinham compreendido o que Malasartes tentara fazer. Aquele índio gostava que lhe enaltecessem. Gostava de bajulação.

— Nas águas, os seres subaquáticos já reinavam e cresciam por muitas eras, enquanto na Província pouco ainda existia. Esse índio é um dos primeiros, assim como os Caruanas – explicou Maria. – Os Bichos do Fundo foram as entidades pioneiras a surgir no mundo submerso. Makunaima foi uma das primeiras divindades a pisar e realizar grandes feitos aqui – contou ela. Até os jaguares pareceram animados em escutar os relatos sobre as origens do pai de sua espécie. – Por esses feitos, recebeu um presente dos céus. Um presente que acreditou ter vindo de seus pais – a feição do gigante esmeralda se alterou de maneira alarmante. – Outras criaturas tinham fortes interesses no mundo que se anunciava e queriam botar um dedo no princípio de todas as coisas que brotavam por aqui – disse Caninana. – Foi assim que surgiu a Primeira Árvore! Uma ideia que era do Sol e da Lua, mas que foi deturpada, em segredo, por uma das criaturas mais interesseiras que existe. Uma criatura sem o poder de criar, apenas capaz de deturpar o que já foi concebido.

— Jurupari! – sussurrou o próprio Makunaima. Mas seu sussurro era proporcional ao seu tamanho, portanto todos escutaram.

— Nós também o chamamos assim, mas ele possui diversos nomes – comentou Honorato. – Descobrimos as lendas sobre ele ao vasculhar as muitas florestas do país em busca de um rastro de nosso rival. O próprio Canhoto! Como também é muito conhecido – falou ele.

— Vê só, ó senhor Makunaima? Como meu amigo Cosmo disse antes, não somos inimigos aqui – intrometeu-se Malasartes, costurando as informações de Honorato e Maria e puxando Cosmo para dentro da conversa. – Estamos do mesmo lado.

— Eu ser de nenhum lado! – esbravejou o índio.

Cosmo observou os amigos. Compreendia, naquele instante, que Malasartes, Honorato e Maria já trabalhavam como uma equipe. Até ali, tinham se unido em busca de um mesmo ideal: um jeito de se manterem vivos diante daquele índio. Desde o momento em que Makunaima surgiu de trás daquela árvore dizendo que sofreriam por tê-lo despertado de seu sono sagrado, os três tentavam fazer com que ele mudasse de ideia e não ferisse ninguém. E aquela estava se tornando uma tarefa difícil. Sentiu que precisava achar um jeito de contribuir também.

Aquele boto em especial, que chamara a atenção de outra onça além da parda, agora era alvo da atenção de diversas outras. Era Nivolomeu, o braço direito de Humbertolomeu na Confraria. O boto original nada fazia para que os felinos o escolhessem como refeição, no entanto quatro das onças já se colocavam em posição de ataque, apenas aguardando uma ordem do índio gigante ou um movimento brusco de Nivolomeu.

– O presente foi a árvore, não? – quis saber Cosmo, resgatando os fragmentos do que ouvira daquela história e tentando fazer parte do plano de adiar ao máximo a sentença de todos.

– Sim – o próprio índio respondeu. – A Árvore de Todos os Frutos ser ofertada para mim. Eu ser único responsável por tirar frutos dela – descruzou os braços apenas para bater em seu peito esverdeado e nu. Como que indicando as diretrizes de sua tarefa. – Eu ser guardião de frutos e árvore – e calou-se por um breve intervalo. – Tribos travar guerra lá embaixo – Makunaima apontou para um dos horizontes que o monte apresentava. – Eu descer Monte Roraima para acabar com guerra. Eu salvar feridos e dar abrigo aqui em cima. Quando Makunaima acabou guerra e venceu inimigos, Makunaima voltou casa – o índio respirou fundo lembrando-se de algo penoso. – Árvore de Todos os Frutos ser atacada por índios que eu salvar. Mesmo todos saber ser proibido – e voltou-se para eles com os olhos vazios, ao mesmo tempo, furiosos. – Eles não se contentar com frutos que herói guerreiro Makunaima dar. Humanos trair Makunaima. Eles querer mais do que merecer. Mais de um fruto por cabeça. Eles sempre querer mais – bradou ele.

Nesse instante, os botos originais restantes, Cosmo, Pedro e os irmãos esconderam, de modo discreto, cascas e caroços das frutas que tinham pego do pé para curarem-se dos machucados causados pelo desafio anterior. Ninguém queria correr o risco de deixar o índio mais irritado.

– Eu ficar muita raiva! Tanta que não caber em mim. Eu forjar criaturas ferozes no barro e colocar pedaço de raiva que eu sentir em cada uma delas. Assim nasceu primeiras onças. Onças minhas ser tudo parte de raiva minha – revelou o índio esverdeado passando a caminhar na direção de Nivolomeu, o boto que os felinos estavam empolgados e ansiosos para trucidar. – Pumas e jaguares conhecer força da ganância como eu também saber – e então, num movimento rápido, que fez todos entrarem em pânico, pegou o boto Nivolomeu com as duas mãos, tirando-o do chão. Chacoalhou-o com violência. Humbertolomeu quis fazer algo, mas a onça que estava sobre ele assim se manteve, prendendo-o ao chão. As outras onças se colocaram no caminho de todos os demais, caso tentassem algo para impedir o índio. As mãozorras de Makunaima cobriam grande parte do corpo de Nivolomeu. O boto original tentou gritar, mas os movimentos do índio eram bruscos demais.

Não demorou muito para ficar evidente o motivo de toda aquela violência. Diversas frutas caíram dos bolsos das vestes de Nivolomeu. Os jaguares e pumas, que nada mais eram do que partes do próprio Makunaima, estavam furiosos, pois sabiam que o boto tinha se servido de muito mais frutos da Árvore da Vida do que o necessário.

O índio o jogou para longe com desprezo. Puderam ouvir o resmungar dolorido de Nivolomeu ao aterrissar no chão de pedra.

– Se Zaori passar aqui e acordar eu antes, já não importar mais. Se vocês não ouvir primeiro aviso meu, já não importar mais – começou ele. – Vocês vai sentir Fúria minha agora! – avisou-lhes Makunaima.

– Espere! – pediu Cosmo. Então o boto observou os amigos que tinham embarcado naquela missão com ele.

Os gêmeos e Pedro estavam lívidos, encarando-o de volta. Alguém precisava fazer alguma coisa. Ele sabia o que aconteceria a seguir. Lembrou-se do restante da história que ouviu sobre aquele índio, filho da Lua e do Sol. E não seria nada bom para eles. Morreriam ali, com toda a certeza.

– Você já perdeu essa árvore uma vez, não? – indagou Cosmo.

Makunaima piscou os olhos, fechando e abrindo as janelas para a imensidão esbranquiçada que existia além de seus globos oculares. Depois olhou para a Primeira Árvore. Por um momento, estudou-a confuso. Depois, voltou-se para suas onças e, por fim, retornou a Cosmo.

– Já perdi – respondeu ele balançando o botoque que alargava seu lábio inferior.

– E como é que ela veio parar aqui? Toda frondosa e carregada de frutos, como no princípio? – perguntou Cosmo. O boto percebeu que nenhum dos amigos entendeu o que ele estava fazendo. Mas ele sabia o que precisava fazer. Seguia os passos iniciados por Malasartes. Queria usar da esperteza para impedir que Makunaima os machucasse. Não sabia onde tinha ido parar a caverna ou como tinham aparecido sobre o Monte Roraima. E isso poderia ser a salvação de todos eles.

– Vocês ser sonho? – quis saber Makunaima, hesitante. – Sonho meu não ser sonho comum. Não ser igual de todo mundo. Sonho meu ser intenso. Pode ser real. Às vezes, eu sonhar com montanhas que não existir e elas acontecer aqui fora. Às vezes, eu sonhar com cachoeiras que não existir e elas surgir aqui fora – falou, coçando a cabeça, como se estudasse a possibilidade de estar mesmo sonhando com tudo aquilo. – Eu sonhar com vocês e vocês nascer, certo?

– Tenho certeza absoluta de que não somos sonhos – afirmou Cosmo com convicção. – Apesar de não estarmos de verdade no Monte Roraima e a Árvore de Todos os Frutos não ter retornado à vida.

– O que é tudo isso então? – quis saber Maria, tão impaciente quanto o índio.

– Talvez isso tudo faça parte de uma ilusão, como disse Humbertolomeu – refletiu Cosmo. – Uma espécie de magia, vinda do próprio Carbúnculo, para nos confundir – arriscou.

– Eu não querer ser enganado de novo!

– Ainda assim, acho que todos nós fomos – disse-lhe Cosmo, voltando-se para os outros. – Olhem para seus próprios machucados. Os frutos da árvore não nos curaram. Tudo não passa de uma ilusão – e ele mesmo pôde sentir que as dores dos machucados o atormentavam de novo.

– Com qual propósito? – perguntou Honorato.

– Para despertar a Fúria de Makunaima – respondeu Pedro Malasartes.

Todos olharam para o índio, que viu as chagas abertas em cada um deles e isso o deixou irritado. Cosmo viu a razão se anunciar. Tudo aquilo não passava mesmo de uma ilusão.

– Quem ser esse Carbúnculo? – bradou o guerreiro índio, parecendo querer explodir. – Vou soltar minha Fúria até atingir ele, onde estiver.

– Não, Makunaima, não faça isso! – pediu, mais uma vez, Cosmo. – Todos sabemos o que vai acontecer se soltar sua Fúria.

— O que é que vai acontecer? Eu não sei — murmurou Pedro para o boto, mostrando-se bastante preocupado.

— Por incrível que pareça, a Fúria de Makunaima também era famosa — Cosmo sussurrou-lhe de volta. — No passado, ele transformou em estátuas de pedra todos os que macularam sua árvore.

Pedro espantou-se ao escutar aquilo e analisou o índio de baixo a cima.

— Ele é mesmo capaz de fazer isso? — quis saber Malasartes com um semblante de quem deseja que suas convicções estejam erradas. Cosmo não soube o que responder.

— Eu não me importar com vida de vocês — declarou o Pai das Onças.

— Ó, grande herói! Como dizíamos antes, não será justo, não é verdade? — tentou argumentar mais uma vez Pedro, sem muito tato. Já arriscava qualquer coisa.

— Eu falar que não acreditar mais em justiça — disse ele, demonstrando um ódio crescente dentro de si, pronto para colocar tudo para fora.

Cosmo pousou a mão no ombro de Pedro para impedi-lo de continuar. Não adiantava mais argumentar com o índio. Makunaima explodiria em fúria. Precisavam de um lugar seguro onde pudessem se abrigar e se proteger.

Cosmo estudou o extenso planalto e constatou não haver lugar assim. O terreno não oferecia abrigo algum em um raio de quilômetros. Voltou-se para o índio e foi nesse instante que ele viu o tempo parar.

Makunaima cerrou os punhos e socou o chão. Ele fez isso com muita força. Sua Fúria foi dispersada e, assim como os sonhos do índio que se tornavam reais, a Fúria de Makunaima ganhou forma física. Cosmo arregalou os olhos e assistiu, perplexo, tudo diante de si se apresentar como que em câmera lenta.

Não podia acreditar. Makunaima tinha feito o que ele temia. Um deslocamento de ar teve início, partindo do centro, que era o próprio índio, e, juntamente com uma rajada de energia, engolfou e levou tudo o que havia no entorno. Foi como um jato que soprou com força para todas as direções partindo de onde Makunaima esbofeteou o chão. Aquele deslocamento de energia se dispersou rapidamente, mas Cosmo o viu acontecer em câmera lenta. Como se, em seus últimos momentos, o destino lhe desse tempo para refletir. Percebia que tudo o que a energia tocava se transformava em algo sólido. A árvore e todos os seus frutos se petrificaram. As onças se converteram em estátuas de pedra sem vida. O chão ganhou nova camada de rochas. Os botos originais, um a um, ao serem alcançados pelo deslocamento de energia da Fúria do índio, foram transfigurados em algo concreto, acinzentado e frio. Cosmo enxergou a rajada se aproximar dele. Tudo aconteceu em alguns milésimos de segundo, mas o boto pôde acompanhar cada detalhe. Eram seus últimos instantes nesta vida. Entendeu que não fora capaz de vencer o Carbúnculo nem de devolver o conhecimento dos Ciprinos ancestrais a seus filhos, cujo direito era inquestionável.

A Fúria de Makunaima interrompia sonhos. A rajada chegou a petrificar inclusive o céu, as nuvens e todo o resto. Como um mestre de obra da Província que chapisca o teto e as paredes de um cômodo com cimento. Quando a energia chegou perto de Cosmo, em seu momento final, ele fechou os olhos. Não queria assistir ao fim.

E não assistiu. Abriu os olhos de novo e tanto Pedro quanto Humbertolomeu se mexiam ao seu lado. Analisavam-se assustados. Não eram estátuas e, sim, de carne e osso. Como era possível? Sabia que nem tudo era ilusão. Isso incluía a Fúria do índio. Era verdadeira e fria como concreto.

Logo compreendeu que Maria e Honorato haviam protegido todos eles. Seus braceletes de tartaruga tinham servido de escudo contra o dispersar da energia que transformava as coisas em pedra. O ato heroico fez com que os braceletes de ambos se quebrassem. Viraram pedra, racharam e caíram, desfazendo-se em pedaços pelo chão.

Nem todos tiveram a mesma sorte deles. Cosmo notou, perplexo, o estado de Nivolomeu e dos outros botos originais. Apresentavam-se em forma de estátua. Enfeitariam aquele lugar para todo o sempre.

– Nivolomeu – Humbertolomeu correu até a escultura com a fisionomia do amigo. Parecia sem rumo diante do que vivenciava. – Eu fui o responsável! – culpou-se, derramando lágrimas repletas de dor. – Eu pedi que pegasse mais frutas da árvore para nossos irmãos enfermos que foram embora depois do primeiro desafio. Pedi que, assim que possível, Nivolomeu voltasse pela caverna a fim de entregar os frutos a eles. Para que se curassem. Acreditei que fosse capaz de ainda os encontrar na entrada da caverna – e Cosmo chorou ao testemunhar o desespero do líder dos botos originais.

– Não importar para mim – declarou Makunaima, de costas para eles, sem um pingo de compaixão. – A vida ser só detalhe. Um detalhe que não importar. Eu ser imortal. Não morrer. Só viver. Eu estar cansado. Eu só querer dormir e esquecer tudo. Eu só querer minha paz – o índio respirou fundo antes de prosseguir. Mantinha sua pose clássica, com os braços cruzados. – Eu não acreditar em justiça, porque eu nunca ter. No passado, quando eu vingar de quem roubar minha árvore, eu transformar árvore em pedra também – contou ele. – O presente do Jurupari ser armadilha para Makunaima. Enganar eu. Ele já saber de ganância dos homens. Eu perder esperança na justiça. Então eu decidir dormir sono eterno e não mais viver realidade.

Era isso o que aquela charada representava, percebeu Cosmo. A perda da esperança.

– No princípio, nome meu ser barulho. Pessoas me chamar: Makunaima, Makunaima! Mas não significar nada. Só barulho. Não existir língua para conversar outros seres. Depois que eu transformar tudo em pedra, pessoas precisar expressar raiva que sentir de mim. Eles criar língua para contar, para colocar para fora, e história correr por mundo todo até hoje – todos ouviram o índio em silêncio. Suspeitavam que um novo ataque viria a seguir.

Aquele índio se referia ao início da comunicação entre os provincianos? A origem da linguagem era aquela? Uma forma de se expressar dos humanos? Assim como o índio, que precisou colocar sua raiva para fora criando onças ferozes, os moradores da Província expulsavam a raiva que sentiam em forma de linguagem. Uma maneira de se comunicar. Palavras e não mais sons aleatórios. Barulhos que significavam alguma coisa, Cosmo perguntava a si. Tinha plena convicção de que um ato extremo dá origem à criação das coisas. Não duvidava que ver amigos e parentes sendo petrificados deve gerar um rancor absurdo.

– Eu não ser mais o herói deles. Eu passar a ser herói sem nenhum caráter quando eu soltar Fúria e transformar índios em rocha. Eu já ter nome Makunaima, mas, para eles, ainda precisar ter significado. Eles dar peso e valor para sons. *Maku* passar a ser "mau" e *naima* passar a ser "grande". Eu não ser mais só chamado por som de Makunaima. Tudo que simbolizar coisa ruim ser chamado Makunaima também. Um picar de cobra venenosa ser grande mal, ser Makunaima. Uma doença na tribo ser Makunaima. Agora eu *ser* Makunaima e *significar* Makunaima. Eu ser e significar Grande Mau – assim que terminou seu relato, Makunaima voltou-se para eles.

– Pessoal! – chamou Maria em voz baixa. – Não resistiremos a um segundo ataque.

– Nossos braceletes já eram – concluiu Honorato com o mesmo tom de voz.

– Eu não atacar mais – avisou o índio, para o alívio e, então, para a suspeita de todos. – Eu ser guerreiro como vocês – disse apontando para os gêmeos. – Eu também ser único. Não ter um igual no mundo e ser traído por Jurupari, como vocês. Se proteger esses outros aí é importante para vocês, então eu não atacar! – ele olhou para o teto da caverna. Estavam de volta à grande clareira que se formava, confinada naquele espaço. Com apenas uma fissura no alto, trazia a luz de fora para iluminar o topo de uma imensa árvore, agora petrificada. – Ser mesmo ilusão. Não estar em Monte Roraima – concluiu com certa tristeza, por sua árvore verdadeira estar, de fato, morta. – Então ser hora de voltar minha casa. Não me importar Carbúnculo. Só me importar dormir sono sagrado.

Acompanharam o índio com olhares pesarosos. Ele sumiu para a escuridão da caverna e lá estavam os cinco. Cosmo, Pedro, Maria, Honorato e Humbertolomeu. O restante eram apenas pedras escuras com as últimas expressões de pânico registradas para a eternidade.

Aos poucos foram recobrando a consciência de que estavam mesmo vivos. E passaram a checar um ao outro, para ver se estavam bem. Humbertolomeu parecia bastante abalado. Não havia sobrado ninguém da Confraria, exceto ele.

– Não vou s-seguir adiante – soluçou o último dos botos originais. Cosmo reparou em seus olhos. A esperança que fervilhava ali, com relação à Missão Carbúnculo, tinha se esvaído. Não ardia mais. – Esse monstro... – referiu-se ao Carbúnculo – ... vai destruir todos nós. Não é p-possível seguir em frente. Os cinco desafios que restam vão matar qualquer um que se atrever.

— E como fica a sua maldição? — quis saber Cosmo. — Vai se contentar a permanecer sob pele humana durante a quaresma de cada um dos próximos anos?

— Jamais! — declarou Humbertolomeu de imediato. — Ouvi rumores sobre um amuleto tão poderoso quanto a pedra de um Carbúnculo. Chama-se muiraquitã. Cogita-se a existência de três desses amuletos. Talvez sirvam para o meu propósito — e Cosmo voltou a ver a esperança raiar no olhar do boto original. — Minha cura pode ainda existir. Não vale a pena perder a vida nesta caverna.

Então o capitão da nau deu um último abraço em seu amigo Nivolomeu, que não retribuiu o gesto. Era apenas o boneco engessado de um amigo fiel de outrora, cuja vida findou bruscamente naquele buraco escavado numa ilha de pedra, tão longe de casa.

— Os rumores citam as proximidades de uma pequena cidade afastada chamada Cascudo. Desta vez, irei sozinho. Não vou colocar mais nenhum boto original em risco. Este, agora, é um sonho só meu.

Maria, Honorato, Pedro e Cosmo também assistiram à partida de Humbertolomeu. Antes de desaparecer na escuridão, da mesma forma que o índio tinha feito, ainda lhes teceu um último alerta.

— Tenham cuidado com a Moura! — começou ele. — Pouco antes de vocês entrarem na caverna, fomos praticamente dizimados pelas lâminas que nos atacaram no escuro. Desde esse momento, não a vi mais. Não me lembro de encontrar seu corpo pelo chão. Provavelmente foi ela que passou por aqui e atrapalhou o sono de Makunaima pela primeira vez. Assim como esse índio, ou todos nós aqui presentes, o tempo de vida dela também não se assemelha ao de um provinciano — e referiu-se a Pedro como exemplo. — Ela é um ser das antigas e bem mais perigosa do que aparenta. Não é à toa que tem sobrevivido todos esses anos a fio. Sinto que as motivações dela são bem parecidas com as de nosso amigo Pedro Malasartes — a palavra "amigo" saiu com um toque de ironia. — Ela quer a pedra para seu bel-prazer — e Cosmo viu Pedro remexer-se desconfortável com o comentário de Humbertolomeu.

— Vou entender, caso queiram desistir — falou Cosmo, minutos após a partida de Humbertolomeu. — Eu preciso seguir. Assumi a Missão como meu compromisso primordial. Não há outra maneira de ajudar os Ciprinos senão encontrando o Carbúnculo e destronando-o de seu papel de imperador dos meus irmãos subaquáticos.

– Até onde sei, nós temos um encontro marcado com o Canhoto – Maria Caninana apresentou seu argumento, decidida. Honorato assentiu prontamente, concordando com a decisão da irmã.

– Eu já disse, Cosmo. Vou com você! – afirmou Pedro. – Arrancaremos juntos a pedra da testa desse maldito Carbúnculo – Malasartes falava com a voz trêmula. Visivelmente abalado por tudo o que presenciara momentos antes. Ainda assim, tentava manter-se firme. – E, então, o que vem a seguir? – suando frio, Pedro questionou o amigo Cosmo sobre o próximo desafio, verbalizando a curiosidade que nascia no peito de todos eles.

Capítulo 16
À Luz de Velas

*Escadas escavadas na pedra
levavam para um ambiente com ar parado.*

Acharam estranho quando encontraram aqueles degraus, pois, a partir dali, a caverna deixava de ser apenas um buraco no meio da ilha. À medida que desciam para o ambiente ao qual as escadas os levavam, puderam notar a diferença. Colunas arredondadas e altas alcançavam o teto, decorando o espaço como um grande salão.

O boto, certa vez, ouvira falar que a gruta da Alamoa tinha requintes de realeza. Que sua morada escondia um castelo fantástico. Adentrar aquele ambiente indicava que os rumores estavam corretos.

Chegaram a um local com chão plano, diferente do pedregoso percorrido até então. Parecia mais um solo de terra batida. Estava escuro naquele ponto da caverna. Caminharam por entre as colunas circulares, tão grossas quanto o tronco da Árvore de Todos os Frutos.

Cosmo vinha refletindo a respeito do que tinham vivenciado até então e sobre quão poderoso era o Carbúnculo. A ilusão que criou para o segundo desafio enganou-os muito bem. Fez, inclusive, Makunaima acreditar que estava mesmo no Monte Roraima, quando nunca tinham deixado o subterrâneo da caverna. A ilusão se manteve pelo tempo necessário para tirar do caminho mais da metade do grupo que adentrara a antiga morada da Alamoa. Portanto, cumpriu o propósito cruel de evitar a aproximação deles do covil onde o Carbúnculo e sua pedra preciosa se escondiam. A vontade de desistir e tomar o caminho de volta para casa era grande e ecoava dentro do boto. Mas Cosmo a calava com outra vontade mais potente: a de salvar o conhecimento dos Ciprinos, seus irmãos subaquáticos.

Podia sentir o medo pairar entre seus companheiros. Sabia que algumas criaturas e alguns seres fantásticos tinham a capacidade de sentir o cheiro do medo. Tinha a impressão de que, vez ou outra, conseguia sentir também. E aquele era um desses momentos. O medo tinha um cheiro forte e azedo. E agora exalava de sua trupe. Em uns mais do que em outros. Não culpava nenhum deles por senti-lo. Mais de cinquenta seres haviam adentrado a fenda na ilha de pedra. Dos sete desafios, os dois primeiros deram fim a quase cem por cento desse grupo. E todos sentiam que, logo mais, sofreriam a próxima provação designada pelo Carbúnculo. Os músculos de todos, sem exceção, estavam retesados em atenção extrema. Para Cosmo, era natural sentir medo. Era uma forma de proteção, criada pela própria natureza de qualquer ser vivo. O medo alerta e exige cautela, portanto ajuda na sobrevivência.

Dedicava-se a estudar cada detalhe que os rodeava naquela cavidade de pedra. Acreditava que existia uma lógica por trás da maldição dos sete desafios impostos pelo Carbúnculo. Não aceitava a aleatoriedade. Não era de sua natureza crer no acaso e na coincidência. Tinha sua fé depositada na razão de todas as coisas.

Ergueu as mãos num ato urgente, pedindo para que todos os seus companheiros parassem o seu caminhar. Pediu silêncio. Os gêmeos entenderam de imediato, a impressão que teve foi a de que eles pararam antes mesmo de Cosmo gesticular. Só Pedro precisou de alguns sinais a mais para entender que deveria ficar quieto e imóvel.

– Tem alguma coisa ali na frente – disse Cosmo baixinho.

A caverna seguia para a direita depois de uma das colunas. A curva impedia que enxergassem o que ou quem estaria ali, mas eram capazes de escutar seus movimentos. Seja lá o que fosse, demonstrava certa pressa. Fazia algo com extrema rapidez, e isso fez com que o boto e seus companheiros se entreolhassem confusos e temerosos. Recomeçaram a caminhar, dessa vez com passos mais discretos. Alcançaram a última das colunas e, ao virar a esquina, deram de cara com uma mulher de roupas esfarrapadas.

O rosto lívido e magro se assustou quando os avistou e, no instante seguinte, a mulher correu pelo salão na direção da única saída daquela imensa galeria.

– Pare já aí, Moura! – ordenou um dos gêmeos. – A essa distância eu nunca erraria o alvo, principalmente com o arco do Pai das Matas – e a mulher desistiu de sua fuga, voltando-se para eles.

Maria Caninana mantinha seu arco em riste com a corda tensionada e a flecha apontada na direção da Zaori, que exibia um sorriso maléfico nos lábios. A intuição de Cosmo soube no ato que ela tramava alguma coisa.

– Não vai atirar. Sabe disso, não? – desafiou ela. – Imagino que essa flecha tenha um destino certo. E eu sei que não sou eu.

Seu argumento fez com que Maria abaixasse o arco. Cosmo sabia da vontade que Maria tinha de cravar aquela flecha na testa do Canhoto.

– Ei, Zaori! – chamou Cosmo, que se utilizava de certa cautela. – Como vê, não há mais nenhum membro da Confraria entre nós. Está liberta de suas obrigações como guia dos botos originais. Você não precisa mais seguir em frente.

E a Zaori riu. Desdenhou das palavras do boto com vontade.

– Acredito que, a partir de agora, passará a ser nossa guia – declarou Caninana, ácida. – Meu irmão e eu precisamos encontrar o Canhoto.

A mulher riu ainda mais, o que irritou os gêmeos.

– Do que ri, mulher? Você roubou a cabeça do Jurupari de nós. Se quiser continuar viva, no mínimo vai ter que nos levar até ele. Depois pensaremos o que fazer com você – falou Honorato com arrogância, exibindo-se como um sujeito tão duro quanto era quando estava transformado em uma cobra de pele impenetrável.

– Não conseguem sentir que o Tinhoso está por perto? Não sentem essa energia maléfica pairando entre nós? – questionou a Moura, ignorando completamente as ameaças que Honorato lhe fez.

E os gêmeos se entreolharam, assentindo com a cabeça. Cosmo entendeu que os dois eram capazes de sentir a presença do Canhoto. Ele mesmo precisou tirar a atenção que dava ao próprio medo e ao dos outros e, fazendo isso, conseguiu perceber a energia diferente e pesada que pairava no salão.

– Não precisarão de nenhum guia para alcançar o Cão – afirmou a Zaori convicta. – Ele espreita algum canto sombrio desta caverna, à espera do momento certo – declarou a mulher em tom de mistério. Trajava roupas sujas do limo presente na superfície das paredes de pedra.

– Ugh! – Pedro exclamou ao remexer o corpo todo com um arrepio, que pareceu gelar sua espinha. Para Cosmo, era nítido que Malasartes odiava aqueles calafrios. Ele próprio não podia dizer que gostava deles. Os calafrios os acometiam toda vez que a Zaori mencionava o Canhoto.

– Antes de Humbertolomeu e os outros botos originais baterem à minha porta e me carregarem para a nau como a guia da patética Confraria, eu já estava de olho na joia desse Teiniaguá, ou Carbúnculo, como preferirem – confessou ela.

– Mas é claro que sim. Você é uma Zaori – acrescentou Honorato.

– Isso significa que eu já estudava meios de me colocar no encalço da criatura – continuou a mulher. – Eis que o capitão de uma nau se apresenta com um transporte e um exército. Com certeza era uma boa oportunidade de usá-los a meu favor. Quando fomos surpreendidos por um jacaré-açu gigante que por um triz não nos afundou, os botos resolveram trazer ao barco outro instrutor – e ela apontou para Pedro. – Claro que a chegada de Pedro Malasartes como o novo membro e guia da Confraria quase colocou tudo a perder! – exclamou ela com sarcasmo. – Os caminhos apontados por ele nos atrasariam e muito. Era óbvio que ele tinha mentido a respeito de saber como chegar até esta caverna.

– Olhando pelo lado bom – começou Malasartes irritado –, neste exato momento eu me orgulho disso. Parece que consegui atrapalhar, ao menos um pouco, os seus planos – alfinetou ele.

– Corrigimos a rota da nau em tempo hábil e nos desfizemos do mais inútil dos guias que já encontrei em minhas andanças. E o maior e mais ganancioso entre os mentirosos – completou a Zaori carrancuda, com seus olhos negros e brilhosos. – Demos a ele o pequeno barco que o jacaré-açu mordera e o deixamos em alto-mar, à própria sorte. E ele realmente é um sortudo, não é mesmo?

Pedro olhou para Cosmo com um sorriso amarelo nos lábios. Para o boto, algo nas declarações da Zaori tinham um peso de verdade, que Malasartes tentava encobrir... ou alterar. Após a experiência com

Makunaima e toda a frustração do índio esmeralda com a ganância humana, Cosmo não tinha dúvidas de que o mesmo mal se apossava de Malasartes, mas o boto também acreditava que Pedro lutava consigo mesmo para ignorar seu lado cobiçoso que desejava a pedra do Carbúnculo. Não podia ser tão estúpido a ponto de arriscar a vida pelo dinheiro provinciano que a gema podia valer. Então pelo quê Malasartes lutava? Pelo conhecimento dos Ciprinos? Cosmo achava difícil de acreditar, mas se apegava aos ínfimos sinais de esperança que luziam dentro de si a favor de Pedro Malasartes. Não deixaria sua esperança morrer. Não podia chegar ao grau de desilusão que Makunaima alcançou.

Um dos pés de Cosmo esbarrou em algo que estava no chão. Na pouca luz do lugar, proveniente das escadas, pôde notar uma vela com o pavio apagado. Ela estava em pé, com sua base fincada no chão de terra.

— Que lugar é este? — quis saber ao notar outras velas idênticas, dispostas aleatoriamente ao longo do salão, entre eles e a Moura. Todas as velas estavam em riste, como se aguardassem que alguém fosse lá e acendesse os pavios.

— É uma honra estar em um local como este — comentou a Zaori com sua voz rascante, exalando algo perigoso.

— Estamos em um cemitério? — tentou adivinhar Pedro, ao ver as velas dispostas de maneira esparsa.

— Mas quem estaria enterrado aqui? — indagou Cosmo.

— As vítimas da Alamoa, talvez? — arriscou Maria.

— Exatamente! Este é o terreno onde as vítimas da Alamoa foram enterradas ou, ao menos, era o local em que ela se alimentava da carne de suas presas. E as carcaças, esquecidas ou deixadas aqui, secavam e eram cobertas pela terra com o tempo.

Cosmo e Moura cruzaram olhares.

— Percebo que está tramando alguma coisa — declarou Cosmo para a mulher. — O que é? O que fazia por aqui minutos antes de chegarmos? Parecia ser algo que não gostaria que soubéssemos. Pretende nos atacar?

Ela perscrutou-o com suas contas negras.

— Tem razão, jovem boto. Tenho armado alguma coisa, sim. Mas se engana ao pensar que não quero que saibam. He, he, he!

E, no momento em que a Zaori se expôs, Maria elevou novamente o arco com a flecha apontada para a cabeça dela, que estendeu as mãos exibindo suas palmas, numa fingida rendição.

– Mas não pretendo sujar as minhas mãos. Não sou esse tipo de pessoa. Pelo que vejo, o Carbúnculo está fazendo o trabalho todo muito bem. Já não há nenhum membro da Confraria entre nós. Será uma questão de tempo até que vocês sejam rechaçados também.

Maria puxou o encordoamento do arco até o limite. Cosmo imaginou que, caso a flecha se soltasse, pregaria a Moura com força na parede de pedra.

– Não, não, não. Prefiro seguir como sempre fiz, agindo nas sombras, por trás das cortinas. Foi assim que consegui sobreviver até hoje. Deixando que os outros façam o serviço sujo e, depois, aproveitando em paz a carniça que resta, como um urubu.

– O que quer dizer com isso?

– Ora! Os Zaoris eram conhecidos como o povo que tudo vê debaixo da terra. Nós, mouros, fomos os melhores geomantes que já pisaram este planeta. Isso significa que líamos e interpretávamos sinais no chão como ninguém – havia orgulho em cada palavra que ela dizia. – Dominávamos essa arte. Conseguíamos enxergar até o que ainda não havia acontecido. Aos nossos olhos nunca escaparia o luzir de tesouros, fossem eles quais ou o que fossem. Somos detectores por natureza. E posso ver que há alguns tesouros presentes entre nós neste instante – e ela olhou para os bolsos de Malasartes. – Alguns valiosos e perigosos – comentou ela. Logo depois, observou o bolso de Cosmo. – Outros misteriosos como este que o jovem boto carrega. Me encanta saber que, depois que o Carbúnculo liquidar vocês, eu poderei matar a minha curiosidade e entender que tipo de magia permeia objetos raros tão suspeitos – o boto sabia que ela se referia ao "pincel de um desenho só" que Faunim lhe dera para ajudar na Missão Carbúnculo. Ainda não tinha sido capaz de identificar uma situação em que devesse usá-lo. Provavelmente a Moura se questionava por que um pincel comum lhe saltava aos olhos como um tesouro.

– Por que se interessa tanto por coisas valiosas? – indagou Cosmo.

– Li em escritos antigos que os Zaoris não podem usufruir do valor dos tesouros conquistados por seus dons.

– Não mesmo – confirmou ela. – Muitos desses tesouros eu gostaria de utilizar em meu favor. Como não é possível, eu sirvo! Sirvo seres vis – explicou. – O que adquiro em troca é o conhecimento. Quando sirvo algum ser dotado de grande magia das trevas, posso entender, aprender e seguir adiante. Já servi todo tipo de criatura trevosa que já existiu e que tem crescido em poder e sabedoria desde então. Por isso, sempre ajo por debaixo dos panos. Assim, sobrevivo aos planos doentios de criaturas que enxergam apenas o próprio nariz. Algumas dessas criaturas despertam meu interesse pelo tipo de magia utilizada. O Canhoto, por exemplo, sempre foi um deles. Já compreendi e absorvi o necessário. Não preciso mais do Tinhoso. Vejam só, quando o Carbúnculo pegar vocês mais adiante, vou poder utilizar seus corpos para alimentar o meu exército de Corpos Secos. Mortos que não vão embora, porque os prendi em seus corpos por mais tempo. Aprendi a fazer a terra e a morte recusá-los. Esquecê-los. Assim, eles ficam aqui e servem à minha vontade – e pareceu mudar de ideia. – Melhor! Vou transformar vocês em Corpos Secos e aumentar a minha tropa de mortos-vivos – e Cosmo não pôde deixar de relembrar a floresta em chamas em que Pedro e ele tinham sido, recentemente, encurralados pelos tais Corpos Secos. – Até imagino quais de vocês se tornarão Unhudos – olhou para os gêmeos. – Vocês podem ficar com o Canhoto. Meu interesse é outro – e admirou as paredes no entorno. – Por isso comentei que é uma honra estar neste lugar. Uma velha profecia dos mouros que vieram do antigo Oriente citava uma bruxa renascida. Seus poderes seriam algo inédito e mexeriam com coisas além de nossos mundos. A profecia apontava para a Alamoa que viveu aqui, justamente nesta caverna.

– Acho que chegou tarde demais – comentou Pedro. – Não soube? Ela foi derrotada pelos Ciprinos há muito tempo.

– Não prestou atenção no que eu disse, não é? – continuou ela. – Eu falei "uma bruxa renascida". A profecia diz que: nunca uma Alamoa foi capaz de encontrar uma maneira de voltar do Além. Mas, caso esta consiga, como previsto pela lenda sobre A Primeira e A Única, eu a servirei – disse ela com gestos que indicavam uma espécie de orgulho. – Cuca será o nome dela!

– Cuca? – indagou Cosmo.

– Sim. Este será o nome dado à Alamoa que for capaz de encontrar a porta de volta do Além para a vida. A Alamoa que for capaz de ressuscitar. Por isso também a chamam de Primeira e Única – seus olhos negros pareceram vidrados. – Meus instintos de Zaori dizem que a pedra do Carbúnculo é uma forma de aproximar meus serviços do caminho dela. Quando a Alamoa voltar em forma de Cuca, estarei pronta para servi-la – e encarou um por um. – É por isso que não pretendo aniquilar vocês. O que não significa que não apreciarei muito quando isso acontecer. E é o Carbúnculo que fará isso por mim. Vou apenas atrasar vocês para não ficarem em meu caminho.

– E pode nos dizer como pretende fazer isso? – quis saber Honorato. – Somos quatro contra um. E há a seta certeira de minha irmã apontada para o seu peito.

– Como eu disse, aprendi certas magias com o Canhoto, enquanto o mantive preso em uma gaiola.

Quando Cosmo escutou a Moura dizer aquilo, compreendeu que aquela mulher, de roupas sujas e cabelos oleosos, era uma bruxa poderosa e perigosa. E tinha sua própria versão da Missão Carbúnculo. Ela queria usar a pedra do Teiniaguá para servir a alguém em troca de conhecimento. Isso fazia com que ignorasse até mesmo as informações que estavam incrustadas na pedra preciosa. O que significava que essa tal de Cuca devia saber de coisas ainda mais obscuras.

– Sou grata a vocês dois – e apontou para os gêmeos. – Por terem enfraquecido o Canhoto rebaixando-o a uma mera Cabeça Errante. Pude aprisioná-lo e forçá-lo a me ensinar uns de seus truques. Alguns deles vêm muito a calhar em ambientes como este e em situações como esta. Que tal deixar as coisas um pouco mais claras, para vocês entenderem em que situação estão agora? Talvez à luz de velas consigam enxergar melhor.

Ela moldou um sorriso malicioso no rosto, arqueou os lábios e assobiou.

– FIIIIIIIIII!

No instante seguinte, as velas fincadas no chão se acenderam uma a uma, alarmando a todos. Havia cerca de vinte delas. Os quatro deram passos para trás. Se aquilo era magia ensinada pelo Canhoto, não era nada bom.

O chão ao redor das velas se rachou e a terra começou a se revolver. Maria apontou o arco para algo que se anunciou acima da superfície do solo, algo que estava sendo vomitado pelas entranhas da terra. Parecia uma cabeça.

– Contemplem! – vociferou a Moura erguendo os braços com gestos tresloucados. – Contemplem a dança dos Isquelês!

E Cosmo olhou mais atentamente para o que saía da terra sob as velas. Crânios esbranquiçados de esqueletos. As muitas velas estavam afixadas no topo das caveiras. Braços finos e frios faziam força, impulsionando os esqueletos para fora da terra. Mesmo sem olhos, apenas cavidades, pareciam mirá-los com ferocidade. Como se quisessem esmagá-los até a morte. Cosmo e os outros recuaram, aumentando o espaço entre eles e a Moura. No centro, uma porção de Isquelês se levantava, com suas velas e chamas amarelas cambaleantes, iluminando o lugar.

O cintilar amarelo bruxuleava nas paredes conforme as caveiras, com seus braços estendidos, caminhavam afoitas querendo alcançá-los.

– Que porcaria é essa agora? – gritou Caninana bastante irritada.

– É o terceiro desafio – falou Cosmo encostando seus ombros aos de Honorato. Estavam sendo encurralados pelos ossos ambulantes. – Dança dos esqueletos. Era isso que dizia o meu sonho arauto.

E ele pensou rapidamente sobre como as maldições do Carbúnculo funcionavam. Se a Moura não estivesse ali, munida de sua habilidade, adquirida com o Canhoto, de criar Corpos Secos e Isquelês, aquelas ossadas continuariam enterradas em paz. Mas não. A maldição do Carbúnculo, para complementar a charada, evocou alguma força do destino para levar a Moura até aquele lugar, naquele instante. De modo que as palavras "dança dos esqueletos" fizessem sentido. E ele notou as sombras dos esqueletos dançando nas paredes de acordo com o oscilar das velas no topo de suas cabeças. Isso significava que o Carbúnculo estava usando a Moura? Enganando-a, fazendo-a trabalhar para satisfazer suas vontades? Como tinha feito com o índio Makunaima, que acordou em um ambiente projetado para simular o Monte Roraima? O Carbúnculo usara a repulsa que Makunaima sentia pela ganância provinciana a fim de deixá-lo furioso e fazer valer a segunda charada. Cosmo ficou perplexo. Eram meros fantoches diante da capacidade do Teiniaguá de utilizar algo de tamanha importância como o destino. O Carbúnculo conseguia controlar as probabilidades de alguma coisa acontecer ou não? Era isso o que ele tinha feito? Utilizara-se do destino para levá-los até ali? Cosmo acreditava em destino mais do que tudo. Não podia crer que houvesse um ser capaz de controlá-lo. Ainda assim, era o que parecia. A Moura e suas habilidades, mesmo sem ela se dar conta, eram parte vital do terceiro dos sete desafios. Ela era a responsável por fazer surgirem os Isquelês a fim de atender a vontade do grande lagarto que estava à espreita em algum lugar no fundo da caverna, com uma pedra preciosa cravada na testa.

Maria guardou o arco e a flecha e, num movimento rápido, desferiu um golpe com o punhal que guardava às costas. Fez isso na tentativa de acertar mortalmente o seu rival, mas conseguiu apenas prender a mão entre as costelas velhas de uma das ossadas que os acuava. Com extrema rapidez, desvencilhou-se da caixa torácica que prendia sua mão e colocou-se em uma posição que lhe desse vantagem, caso partisse para a briga mano a mano com a caveira.

Cosmo, no entanto, fez algo inusitado, o que ninguém esperaria em uma situação como aquela. Soprou a vela do cocuruto do esqueleto mais próximo. Assim que a chama apagou, a ossada se estatelou no chão completamente sem vida.

Todos se surpreenderam, exceto Cosmo. O boto estava cansado daquilo tudo. Já conhecia aquele tipo de criatura. Tanto ele como Malasartes tinham sido atacados por um Isquelê quando invadiram a casa da Zaori. A Cabeça Errante dera o mesmo assobio que a Moura para acordar aquelas caveiras de suas sepulturas.

– Como é que você...? – a Moura tentou entender.

– Ouvi dizer, em algum lugar, que o mesmo truque não funciona duas vezes – declarou Cosmo. – Não é o primeiro Isquelê que cruza nosso caminho.

– Isso mesmo, Zaori! – completou Pedro com ironia. – Talvez esse atraso que você pretende causar não demore mais que dois minutinhos. Cuidado com as costas! Estaremos logo atrás de você – ameaçou ele.

A Moura apenas riu. E com vontade. Algo lhe pareceu extremamente engraçado. Arqueou os lábios e deu um assobio diferente daquele que tinham escutado antes. A melodia parecia o canto triste de um pássaro. No instante seguinte, as chamas amareladas que flamejavam na ponta dos pavios tornaram-se arroxeadas. A iluminação naquele grande salão, pintando tudo de roxo, mudou completamente o clima do ambiente. Uma sensação macabra se instaurou diante das covas abertas que os seus donos, despertados por algum tipo de magia pesada, tinham acabado de abandonar.

A própria ossada que havia tombado diante deles quando Cosmo soprara a vela levantou-se com uma chama púrpura em seu pavio.

– Fiz minha lição de casa do jeitinho que a Cabeça Errante ensinou. Velas feitas com sebo de animais e com cera de abelha. Alguns detalhezinhos a mais e está pronta a maldição! – falou a Zaori com suas roupas largas de cigana. – Foi justamente quando havia terminado de arrumar minha bolsa com as velas que fabricara, que Humbertolomeu e os outros botos originais bateram à minha porta – comentou ela. – Tudo estava se encaixando em seu devido lugar. Eu estava preparada para partir – e encarou cada um deles por trás dos ossos andarilhos. – Como agora! Estou pronta para deixar vocês e seguir em frente. Boa sorte com os Isquelês! – depois de dizer isso, a Moura Torta virou-se e atravessou um portal. Pareceu descer mais escadas antes de desaparecer na escuridão do outro lado do salão.

Pedro soprou a chama roxa de um dos esqueletos que agarrou sua blusa. A chama bruxuleou, mas não apagou. Era essa a nova condição? Era isso que a mudança de cor das velas trazia? Um fogo que não apaga?

– Esse fogo não apaga! – confirmou Honorato ao lado de Cosmo. Tinha tentado, com maestria, acabar com quatro Isquelês de uma só vez. Para o azar deles, as chamas das velas arroxeadas não se extinguiam, caso contrário aquelas ossadas já estariam espalhadas no chão.

– Chutem eles! – sugeriu Pedro. – Na casa da Zaori, derrubamos um Isquelê desse jeito. Podem ser esqueletos revividos, mas ainda assim são puro osso – e chutou o que lhe agarrava. Foi um alívio para todos quando a tíbia e a fíbula de uma das pernas do Isquelê se soltaram da ossada e voaram para longe, obrigando o esqueleto a se equilibrar em uma perna só.

Caninana imitou o gesto de Malasartes e chutou o peito de uma caveira ambulante. Com o golpe, os quatro membros esqueléticos se soltaram do tronco, tirando o Isquelê de combate.

Passaram a chutar os Isquelês. Alguns deles insistiam em avançar. O *show* de luz e sombra nas paredes causava certa vertigem, já que as velas se balançavam para lá e para cá à medida que os ossos cambaleavam. Era preciso se concentrar. Não tinham certeza sobre qual era a intenção daquelas caveiras, já que conseguiam evitar que tivessem êxito em seu ataque. Algumas delas agarravam, puxavam e apertavam. Apesar de alguns arranhões e um momento em que Cosmo achou que perderia um de seus braços por conta de um apertão de um dos Isquelês e ainda outro momento em que Pedro Malasartes escorregou para dentro de uma das catacumbas e um dos Isquelês quase arrancou sua orelha a dentadas, conseguiram dar conta daquelas criaturas. Em vinte minutos, o bando de esqueletos era apenas uma porção de pilhas de ossos espalhados pelo salão. Somente os crânios continuavam a mover suas mandíbulas e balançar as velas com chamas roxas em suas cabeças. A visão era bizarra. Não ousaram chegar muito perto das caveiras. Sabiam que uma dentada daquelas criaturas seria bem dolorida.

Puderam ver a passagem na outra extremidade e rapidamente abriram caminho entre os ossos, tomando cuidado para não cair em nenhum buraco de catacumba e/ou não ser mordido pela cabeça de um Isquelê. Sentiram que estavam com sorte. Ao contrário da experiência com os outros desafios, todos eles escaparam ilesos.

Chegaram ao topo de uma escada cujos degraus levavam para um nível inferior da caverna.

– E então, Cosmo – chamou Pedro. E todos sabiam o que viria a seguir: – Qual é o próximo desafio?

Mas antes que Cosmo pudesse responder, um estrondo se fez ouvir numa altura suficiente para perfurar os tímpanos. Com ele, surgiu um tremor rápido, como se algo tentasse dividir o mundo ao meio. E, se essa fosse mesmo a intenção, parecia estar atingindo o seu objetivo. Uma grande rachadura se abriu no chão, separando-os do portal que dava acesso às escadas e ao restante da caverna. Puderam ver algo no interior do vão que fora aberto no solo. Alguma coisa se mexia lá embaixo. E estava em chamas. Um vapor quente subia dali.

Cosmo fez os cálculos em sua cabeça. Não alcançariam o outro lado. Nunca chegariam até o portal. A não ser que Honorato se transmutasse em sua forma viperina. Mas também não houve tempo hábil para pedir isso e, pelo jeito, Honorato estava ocupado com outra coisa.

Diversas ossadas estavam em pé novamente e se aproximavam deles com suas luzes tremulantes e arroxeadas. Outras ossadas tentavam encontrar um meio de reagrupar seus pedaços e se levantar para uma nova investida contra eles. Pareciam ter aprendido a lidar com a derrota. Para cada golpe dos gêmeos que desmantelava um Isquelê, outras três ou quatro criaturas já reagrupavam seus ossos e partiam para o ataque.

– Eles são muitos! – reclamou Maria, desgostosa com a possibilidade da derrota.

Rostos cadavéricos, com cera e sebo de vela escorrendo crânio abaixo, os encaravam com os buracos onde antes ficavam os olhos. Não havia diálogo que pudesse fazê-los parar, portanto o maior talento de Pedro Malasartes não poderia ser utilizado. Cosmo gelou quando sentiu seu calcanhar pisar o nada. Olhou para trás e estava no limite da fenda. Mais meio centímetro e despencaria para o vazio e o calor lá embaixo. Os esqueletos pareciam ter mudado de estratégia. Não mais apertavam ou mordiam. Agora, empurravam.

Cosmo, Pedro, Maria e Honorato se esforçaram. Foram realmente persistentes. Lutaram pela vida, mas, mesmo sem músculos, aqueles esqueletos eram osso duro de lidar. Não deu outra. O cheiro de medo invadiu os pulmões do peixe-boto. Era a versão mais acentuada e acre que já havia sentido. O cheiro exalava não só de seus amigos, mas também dele próprio.

Não houve tempo para pensar. Um a um, o quarteto foi empurrado para dentro da fenda. Cosmo, enquanto despencava para o seu fim, guardou uma última imagem. Diversas caveiras, com velas acesas no topo da cabeça, lá de cima, os assistiam cair no vazio.

Capítulo 17
O jogo das línguas de fogo

Apesar do fogo, a água que os recebeu
lá embaixo, por sorte, era doce e fria.

Os quatro tinham caído em um fosso no centro da caverna. Uma piscina límpida e natural, cercada por paredes rochosas. Assim que tirou a cabeça para fora d'água, o boto se alarmou com a situação dos dois irmãos. Honorato, desesperado, buscava acalmar a irmã. Maria Caninana estava prestes a estourar. Respirava de maneira pesada e, vez ou outra, silvava. Suas veias saltavam enquanto olhava furiosa para cima, como se quisesse voltar para lá e lutar com os esqueletos reanimados.

Cosmo estudou o ambiente. Em um canto da grande galeria em que estavam, havia uma superfície plana na pedra. Um planalto chapado que se destacava acima do nível da água. Era possível sair daquela piscina por ali. O boto também notou, na parede ao fundo, uma abertura que dava acesso a escadas rudimentares. Os degraus esculpidos na pedra subiam para um patamar mais alto que a localização deles. O caminho certo para dar continuidade à busca pelo Carbúnculo só podia ser por aquele buraco, mas Cosmo e os outros hesitaram em nadar naquela direção em razão do que acontecia diante de seus olhos. Até Maria Caninana deu uma pausa em seus chiliques para observar.

Em cima da parte plana, a Moura Torta enfrentava uma cabeça flamejante voadora.

– O Canhoto! – sussurrou Maria, num misto de excitação e ódio.

E Cosmo gemeu baixo. Temia que aquele momento chegasse. O reencontro com o tal Tinhoso. Nunca tinha ouvido falar da criatura lá no mundo das águas. Mas, pela forma como era conhecida por toda a Província, sendo considerado como um dos seres mais maléficos do planeta, Cosmo sentia um medo real da possibilidade de deparar-se com o Canhoto novamente. E, para seu assombro completo, aquilo estava prestes a acontecer. O cheiro de medo que saía de seus poros era mais forte do que o fedor de enxofre exalado pelo Cramulhão.

A Cabeça Errante atacava a última dos Zaoris. A Moura se mantinha agachada com um dos joelhos no chão. Uma de suas mãos protegia o rosto das labaredas hostis que se debruçavam em sua direção. O Canhoto, em forma de Cumacanga, cuspia orbes e jatos em chamas. A quantidade e a quentura dos jorros eram suficientes para torrar um inimigo e reduzi-lo a cinzas. No entanto, Cosmo viu a mulher resistir. O fogo se desestabilizava e apagava quando alcançava o alvo. Parecia que a Moura Torta se revestia com algo invisível, não permitindo que fosse carbonizada pelo fogaréu do Tinhoso. O boto percebeu que a boca da bruxa do Oriente se movia ditando dizeres. Não podia ouvir as palavras que proferia, mas, com certeza, testemunhava o seu resultado. Provavelmente era um encantamento que a Zaori aprendeu ao prestar serviços a algum ser vil em troca de conhecimento. Era uma bruxa poderosa e inclinada a ampliar suas habilidades, portanto usava o que sabia, repelindo com maestria as investidas ferozes do Canhoto.

Cosmo assistiu Maria nadar depressa até a orla do planalto, que servia de cenário para o embate entre o Canhoto e a Moura; Honorato dava braçadas em seu encalço. Ele insistia para que a irmã se acalmasse. Pedro e Cosmo se entreolharam preocupados. Em silêncio, decidiram seguir os irmãos até a borda. Cosmo não nadou como o golfinho cor-de-rosa que era. Nadou ao modo provinciano. Ainda assim, nadava bem mais rápido que um humano de verdade. Num clarão das chamas do Canhoto, enquanto batia seus braços e remava com as mãos em concha, ele viu, lá no fundo da água límpida, as pedras pontudas e afiadas que formavam armadilhas debaixo da água daquele fosso.

– Ora, Zaori, não pense que é capaz de subjugar o próprio Coisa-Ruim – à medida que se aproximavam, ouviam a soberba da Cabeça Errante falar mais alto. – Seria muita ousadia de sua parte.

A Moura parecia não dar ouvidos ao Tinhoso. Continuava o entoar frenético de seu encantamento. Cosmo não era nada bom em ler lábios, mas imaginou que, ainda que fosse, não entenderia bulhufas do que ela proferia. Aqueles dizeres deviam ser a única força que evitava sua transformação em churrasco.

E então o Canhoto parou de cuspir o fogo vermelho e ardido para cima da Moura. A cabeça flutuava a dois metros, ou mais, acima do chão pedregoso. Mas, por um breve momento, uma forma corpórea apareceu, pisando a pedra plana, sustentando o Cumacanga por sobre os ombros. Durante aquele ínfimo período, a Cabeça Errante não flutuou mais. Estava encaixada em um pescoço que a ligava a um contorno humanoide. Uma fraca representação de um corpo para uma cabeça mutilada.

– O que é aquilo? – quis saber Pedro.

Cosmo suspeitou que todos tivessem visto o mesmo que ele.

O corpo fantasmagórico, que preencheu o vazio embaixo do Canhoto, resplandeceu por instantes e depois sumiu. Outra vez, a forma tornou a aparecer. Era um corpo alto e atlético, ao mesmo tempo esguio e esbelto. Usava uma espécie de *smoking* preto lustroso, um terno muito chique, como se estivesse vestido para uma festa de gala. A calça não lhe cobria dos joelhos para baixo, o que evidenciava suas canelas e seus pés de pato. Suas pernas se dobravam em um ângulo esquisito, com os joelhos voltados para trás. Se articulavam ao inverso de uma perna humana, o que dava uma sensação sinistra ao ver o Canhoto por inteiro. A pele vermelha e seus pequenos chifres no topo da cabeça flamejante davam-lhe um toque especial no quesito "assustador".

Puderam vê-lo caminhar com seus pés de pato cor de sangue, na direção da Moura. Ele deu-lhe um tapa com as costas de sua mão esquerda translúcida. O golpe a jogou longe, e a mulher só parou quando bateu na parede mais próxima.

– Você faz jus ao nome que tem, feiticeira – disse o Canhoto de maneira quase tão pomposa quanto a de Faunim diante de seus convidados na Festa no Céu. – Dentre todos os mouros e seus talentos, você escolheu o caminho dos tortos. O mesmo caminho que eu trilho todos os dias desde o início dos tempos. Você e eu optamos pelas mandingas tortuosas e densas nas quais ninguém ousa mexer. Somos atraídos pelas veredas da magia torta, a magia mais angulosa, aquela que não é direita – o corpo do Tinhoso tremeluziu e desapareceu, reduzindo-o novamente à sua forma de minimeteoro. – Talvez eu seja a criatura mais torta que já existiu – complementou. – Ainda assim, você faz mesmo jus ao nome. Merece a alcunha de Moura Torta.

Cosmo e os outros saíram da água no momento em que a cabeça desviou sua atenção da Zaori, que pareceu desacordada, e pousou seus olhos acesos nos quatro, o que fez o corpo de Cosmo tremer da cabeça aos pés. Maria já tinha o arco em riste com a flecha preparada e apontada para o Canhoto.

– Irmã, vá com calma! Respire e pense antes de agir – sussurrou Honorato ao pé do ouvido de Maria. Os cabelos compridos dos irmãos, mesmo molhados, continuavam seborsos.

Os olhos de Caninana estavam tão acesos quanto os do Canhoto. Cosmo entendeu que Honorato lutava contra a outra personalidade da irmã, que dava indícios de querer despertar. Aquilo fazia parte da maldição que o Canhoto impusera a Maria. Parecia que a bomba relógio, que era Caninana, estava mais perto de explodir.

– Achamos você, Canhoto! – bradou ela.

– Ora! Mas que infeliz coincidência, não é mesmo? – ironizou o Cabeça Solta.

– Quero que retire a maldição que rogou em mim. E quero que faça isso agora! – ordenou Maria. Honorato se colocou a seu lado, dando apoio à irmã e, ao mesmo tempo, temendo que sua personalidade ruim assumisse o controle a qualquer momento.

Cosmo assimilou aquele como sendo o ponto-final da jornada dos gêmeos. Os irmãos procuravam pelo Tinhoso para obrigá-lo a desfazer a maldição de Caninana. Se, para o boto, aquela aventura na caverna era apenas parte da missão para alcançar o Carbúnculo, para os gêmeos ali se dava o ápice de sua jornada, pois tinham o objetivo de encontrar o Canhoto. Cosmo também pensou em quão perigosa Caninana poderia se tornar, caso sua personalidade ruim assumisse o controle. Lembrou-se das histórias que os irmãos contaram na noite em que se conheceram, de que Maria fora capaz de dizimar uma tribo inteira. Provavelmente, muitos dos índios que foram mortos tinham a mesma habilidade de luta que ela e o irmão, ainda assim toda a tribo foi aniquilada por Maria. O boto pedia ao destino para não ver Caninana transtornada e tinha a sensação de que ele atendia suas preces. Maria parecia conseguir manter o controle. Apesar de estar nervosa, não exibia loucura em seus olhos. Direcionava sua raiva para o inimigo.

– Não pedirei novamente. A flecha do Pai das Matas falará por mim – emendou ela.

– Então você tem apenas uma chance! – complementou a cabeça sem corpo.

– Exato. Apenas um tiro, mas saiba que esta é a flecha que nunca erra. Só preciso soltar meus dedos e seu passeio pelo mundo terreno estará terminado – ameaçou ela, convicta do que dizia.

– Outra criatura que ousa se dirigir a mim com tamanha arrogância? Não viu o que acabou de acontecer com quem me trata desse modo? – então viram a Moura desacordada, caída inútil e imóvel. E o corpo fantasma se firmou novamente abaixo da cabeça endiabrada. Uma de suas mãos tateou pescoço acima, como se quisesse matar a saudade do membro perdido.

– Falando nisso, como foi que conseguiu um corpo novo? Se é que podemos chamar isso de corpo, já que some e reaparece. Não aparenta ser tão consistente quanto o que tiramos de você – alfinetou Honorato. Cosmo percebia o nervosismo do irmão de Maria ao notar que a irmã lutava consigo mesma para não estourar de vez.

– Ah, não se engane – riu-se o Canhoto. – Ainda é tempo de se gabar, Cobra Honorato. Mas saiba que esse tempo urge. Aproveite para se vangloriar enquanto pode. Esta forma corpórea que, vez ou outra, sustenta minha cabeça nada mais é do que a memória do corpo que eu tinha. Algo em mim sentiu uma coisa especial se aproximar: a oportunidade de ter um corpo outra vez, uma nova chance de ter meu corpo completo, e essa chance está mais perto do que nunca. Isso tem dado forças às memórias reprimidas de meu antigo corpo. É apenas uma representação, uma lembrança do que foi um dia.

E Cosmo compreendeu que a forma humanoide com pernas de pato tinha uma ligação com as sombras que os atacaram no primeiro desafio. Aquele corpo que aparecia de pé e sustentava a Cabeça Errante não era um fantasma, e sim a lembrança do corpo físico que os gêmeos haviam separado de sua cabeça. Era semelhante às sombras que os atacaram no escuro assim que adentraram a caverna, memórias das vítimas da Alamoa, recordações dos seus últimos momentos, que ficaram gravadas nas paredes rochosas.

O boto refletiu sobre o que o Canhoto dissera: que sua forma corpórea só se manifestou quando ele sentiu a chance de ter um corpo novo se aproximar. Cosmo se animou ao lembrar de uma coisa. Parecia estar com sorte, ao menos uma vez. A Cabeça Errante ainda não sabia que Malasartes tinha mentido na casa da Zaori. Que Pedro mostrou-lhe a pérola negra da Festa no Céu em vez do ovo de galo que geraria o novo corpo. Cosmo admirou mais uma vez a artimanha do amigo. Diante do Canhoto encarcerado em uma gaiola, lá no casebre da Moura, Pedro teve a coragem de fingir guardar o ovo em seu bolso esquerdo quando, na verdade, guardava o adorno da festa. Quando a Cabeça Errante falava da chance que se aproximava, se referia a Pedro Malasartes? O amigo provinciano e o ovo de galo eram a oportunidade do Canhoto para conseguir um corpo? Se eram, então Cosmo supunha que estavam em vantagem.

– Um novo corpo? – quis saber Honorato. O que fez Cosmo despertar de suas reflexões.

– Sim. Um ovo de galo é capaz de gerar-me um. Sinto o ovo por perto, por conta disso minha cabeça se lembra da necessidade de ter um corpo. Por isso a memória surge – e seu corpo reapareceu emanando uma luz pálida e amarela. Seus braços apontavam para si próprio como que ilustrando o que tinha dito.

– Mas quem... – balbuciou Maria, irritando-se mais.

– Pedro Malasartes cuidou de um ovo desses para mim, não é mesmo, Pedro? – revelou o Canhoto de maneira teatral, balançando o cavanhaque escuro e bem delineado que brotava de sua pele vermelha. – Chegou a hora de cumprir a última parte do nosso trato. Entregue-me o ovo de galo que está no bolso esquerdo de sua calça! – e o corpo translúcido estendeu a mão esquerda.

Cosmo sorriu. Estava feliz por, finalmente, terem a vantagem dentro daquela caverna. Uma chance melhor do que saber apagar as velas dos Isquelês. Era chegada a hora do revide. Veria aquele ar de ironia e presunção sumir do rosto vermelho e endiabrado do Canhoto.

Mas Pedro não estava tão animado com o revide quanto Cosmo esperava. Muito pelo contrário, fazia a careta que se faz quando não se sabe onde enfiar a cara. Parecia querer adiar aquele momento, como se tudo estivesse prestes a ir por água abaixo.

– Me desculpe, Cosmo.

– Desculpar pelo quê? – indagou o boto confuso. Um frio incomum lhe irrompia da boca do estômago. Desconfiava que a vantagem que acreditou existir nunca tinha sido real. Que criara expectativas demais em relação a Pedro Malasartes. Em seguida, a confusão de Cosmo foi embora confirmando tudo o que lhe passara pela cabeça.

– Eu não fui totalmente franco com você, Cosmo. Sobre ter enganado o Canhoto na casa da Zaori – começou Pedro envergonhado.

Cosmo arregalou os olhos, surpreso, quando Pedro explicou melhor o que acontecera no casebre.

– Eu mostrei mesmo a pérola negra para o Canhoto em vez do ovo de galo. Queria muito enganá-lo do jeitinho como lhe contei. Mas algo em mim foi mais forte – confessou ao boto com sinceridade. – Ao mesmo tempo que apresentava a pérola a ele, eu mantinha o ovo de galo em meu bolso, escondido de você. Desculpe!

E o estômago de Cosmo despencou como quando caíram pela fenda, empurrados pelos Isquelês de velas roxas.

– Você... você me enganou? Esteve chocando o ovo com o corpo do Canhoto durante todo esse tempo?

– Não é seguro tentar enganar o Coisa-Ruim – justificou Pedro. – É o pai das mentiras, não dá para confiar nele. Ele mente!

– Você também! – retrucou Cosmo. O boto se sentia ferido por dentro. Era mais doloroso que os cortes das sombras do primeiro desafio, ou os arranhões das onças furiosas do segundo ou mesmo os apertões dos esqueletos do terceiro. O ato de Pedro era uma traição. Além disso, era uma irresponsabilidade arrebatadora, pois colocava em risco todo o legado dos Ciprinos, que era o enfoque principal da missão. – Me deixa adivinhar! Você achou que fosse o melhor a fazer, estou certo?

Pedro apenas assentiu. Pareceu não se importar com a dor de Cosmo. O boto havia confiado nele. Pouco antes de entrarem na caverna, Pedro tinha dito que queria ser alguém melhor e, mesmo assim, seguiu adiante com o ovo de galo no bolso o tempo todo, sabendo do perigo que aquilo significava para a Missão Carbúnculo. Cosmo entendeu, naquele momento, que a intenção de Pedro nunca fora se tornar alguém melhor. Queria apenas ganhar tempo e seguir adiante com seus planos de enriquecer. Era uma prova de que as histórias que sempre escutou no mundo subaquático, sobre os provincianos, eram verdadeiras. Os humanos eram cegos e burros. Não viam nada além do que poderiam lucrar para si próprios, em qualquer situação. Se Humbertolomeu estivesse ali, ele diria: Eu avisei! E Cosmo teria de lhe dar razão. Quase se sentia culpado por ter um pouco dessa ganância correndo em suas veias, já que seu pai também era um provinciano. Fora por isso que tinha dado uma chance a Pedro? Por seu pai ter sido humano como ele?

Malasartes enfiou a mão no bolso esquerdo e tirou de lá um ovo pequeno, preto e brilhante. Parecia uma bola de gude boticão. Com a velocidade de um bote surpresa de uma cobra venenosa, Maria Caninana apontou a flecha para ele.

– O que foi que você fez, Pedro? – perguntou-lhe Honorato, compartilhando da mesma perplexidade que acometia sua irmã. – Isso aí é mesmo um ovo com o corpo do Tinhoso?

– O que é que eu devo fazer com isto, Canhoto? – indagou Pedro, exibindo a bolinha escura sem se importar com a reação negativa dos colegas.

E, por um instante, dessa vez foi Pedro quem gelou. Maria ficou tão irritada com sua mentira e seu descaso, que soltou o acordoamento do arco, e a flecha seguiu fatal na direção de Malasartes. A seta o perfuraria, mas, mais veloz que um piscar de olhos, após disparar a flecha, Maria mudou de ideia e pegou o dardo em pleno voo, antes que ele se distanciasse do ponto inicial do disparo. Cosmo sequer imaginou que uma manobra daquelas pudesse ser feita com um arco e uma flecha. Com a seta segura em suas mãos, Maria ajeitou-a no arco novamente, pronta para um novo disparo. A perícia da mulher cobra era inquestionável.

Segundo as lendas que se contavam sobre aquela arma, se a flecha ainda estava ali, significava que a magia do arco de uma flechada só não tinha interpretado aquilo como um disparo. Do contrário, a seta teria desaparecido.

Pedro ficou branco. Seus lábios murcharam sem vida. Estaria morto naquele instante se Maria não tivesse puxado a flecha de volta.

O aroma tóxico do enxofre os deixava tontos. O sorriso cheio de malícia do Tinhoso fez Cosmo refletir se ele tinha conhecimento da trapaça dupla de Malasartes. Afinal, o Cramulhão era uma criatura fantástica e, como tal, tinha certas habilidades peculiares. Na casa da Zaori, por exemplo, ele acertou que Cosmo era um boto e adivinhou também sobre o pincel mágico que trazia no bolso.

Algo chamou a atenção de todos. Incluindo o Canhoto. O ovo negro na palma da mão de Malasartes se moveu e rachou. O que estava ali dentro queria sair de debaixo daquela frágil casca preta.

– Ora, ora, ora. Bem na hora! – comemorou a Cabeça Errante envolta em indóceis flamas vermelhas, enquanto um pedacinho de casca era empurrado pela coisa viva dentro do ovo.

– Ajudei vocês com os Corpos Secos. Nada mais justo, não é mesmo? – comentou o Canhoto. – Além do mais, foi o destino que aprontou tudo isso – e olhou direto para Cosmo. Parecia gostar de zombar das crenças do boto.

Mas ele tinha razão. Na visão de Cosmo, tudo era moldado pelo destino. E era daquele jeito que o próprio destino queria que as coisas fossem, pois era assim que elas aconteciam. Pensou em como a Moura tinha sido usada pelo Carbúnculo para fazer valer a dança dos esqueletos, o terceiro dos sete desafios. Será que o lagarto, com a pedra preciosa na testa, fazia o mesmo com a Cabeça Errante? Seria ele tão poderoso assim? Podia controlar o destino do próprio Canhoto? Lembrou-se de seu sonho arauto sobre os desafios que enfrentariam na caverna. A quarta das provações era o jogo das línguas de fogo e das águas ferventes. As artimanhas do Cramulhão poderiam simbolizar as línguas de fogo? Assim como as mentiras de Pedro Malasartes, que agora queimavam em brasa dentro de Cosmo? O pior de tudo é que Pedro parecia apreciar aquela sensação. Cosmo sentia isso. O amigo parecia gostar de ser visto como alguém inteligente, alguém que estivesse sempre um passo à frente de todos. Tanto quanto o Canhoto gostava de falar de si mesmo. Ambos, Tinhoso e Malasartes, tinham o ego inflado e jogavam com suas mentiras para tirar algum tipo de vantagem. Era como se puxassem um cabo de guerra. Um eterno e prejudicial "puxa-puxa".

Foi então que Cosmo chegou à conclusão de que Pedro Malasartes era ainda mais terrível que o Cramulhão. O Canhoto tinha cumprido sua parte. Mesmo sendo o pai das mentiras, falou a verdade quando prometeu mostrar como afastar os Corpos Secos, e isso os livrou do apuro na floresta dos arredores de onde a Zaori morava. Já Pedro estivera com o ovo do Canhoto no bolso por todo aquele tempo, desde que saíram da casa da Zaori. Além disso, o Tinhoso se declarava como alguém perigoso, já Pedro fingia amizade, escondendo segundas intenções.

– Eu quero riqueza! – pediu Pedro ao Canhoto. Não tinha mais vergonha nenhuma em mostrar quem era de verdade. Aquilo doeu profundamente em Cosmo.

O Canhoto riu-se satisfeito ao admirar a versão de Pedro liberta de suas máscaras.

– Não é assim que funciona, Pedro – devolveu-lhe o Cumacanga. – Já havíamos firmado um trato. Além do mais, não acredito que precise das minhas bênçãos para ficar rico. Você está quase alcançando o esconderijo do Teiniaguá – Pedro se remexeu onde estava ao ouvir o Canhoto dizer aquilo. – A joia cravada na cabeça daquele lagarto é uma das últimas gemas de Carbúnculo que existem no mundo. Sempre valeu muito no passado e talvez seja o tesouro mais raro de toda a Província – atiçou-lhe o Cramulhão. – Se conseguir chegar ao seu tão almejado prêmio, Pedro, não tenho dúvidas de que terá toda a riqueza que pretende adquirir – Cosmo foi capaz de escutar Pedro engolindo seco ao ouvir o discurso do Canhoto. – Agora, passe meu novo corpo para cá! Ele já está nascendo e tenho muitos planos para concretizar vestindo essa pele – mais uma vez, a mão esquerda do Canhoto tomou forma e se estendeu na direção de Pedro, à espera do ovo que guardava o seu brinde.

Mas Pedro puxou as mãos para si, distanciando o ovo de galo da mão semitransparente do Tinhoso. A cabeça flamejou nervosa.

– O que foi agora, Pedro? – questionou o Canhoto alterando sua voz, que soou mais grave e medonha que outrora. Ouvi-la provocou calafrios na espinha. – Está se redimindo? Está com medo das consequências da mentira que contou aos seus amigos? Sobre ter planos diferentes com relação à Missão Carbúnculo? – Cosmo sabia que o Canhoto se referia ao que Pedro tinha dito à entrada da caverna, sobre querer ser alguém melhor. – Ora. Sou o pai das mentiras, Pedro – prosseguiu o Cabeça Solta. – Criei os embustes e as farsas para que pudessem ser usadas como um último recurso. Isso poderia ser chamado de generosidade, não? Quando não há nada sincero a ser feito e ainda precisar manter sua vantagem sobre alguma coisa, você pode fazer uso de uma mentirinha aqui e outra ali. Que mal isso pode trazer? Se é essa a sua preocupação, eu lhe pergunto: O que é um pouco menos de dignidade? Nada! – respondeu seu próprio questionamento. – É apenas um pequeno preço a se pagar por um recurso que ajuda a conquistar um objetivo, não? Estamos falando de sonhos aqui, meu doce Malasartes – e ele continuava a arremessar argumentos no ar. A mão de Pedro, que segurava o ovo, pareceu vacilar diante de tudo o que o Canhoto dizia. – Veja! Quando se trata de sonhos, não deve existir certo ou errado. Até o destino trabalha dessa forma, não é mesmo?

Pedro olhou para Cosmo. Algo em seu olhar pedia ajuda. Era como se o seu cérebro digladiasse consigo mesmo em busca de uma decisão. Mas Cosmo fez questão de não se deixar afetar.

– Apesar de nosso querido amigo boto abominar as mentiras, o destino, por sua vez, parece não se importar tanto assim, afinal as chances de vocês são iguais. Os dois chegaram até aqui, não é mesmo? – e o diabo riu sarcástico da situação. – Pedro e Cosmo. Já imaginaram como será se vocês dois alcançarem a pedra do Carbúnculo juntos?

Malasartes e o boto se entreolharam. Um olhar que se sustentou por um breve instante.

– Canhoto! Já chega de brincar. Seu tempo acabou. Retire a maldição que rogou em mim, agora mesmo! – bradou Maria Caninana interrompendo todo o discurso do Jurupari, que apreciou o nervosismo apresentado por ela.

– Pois é! Vejam só como são as mentiras. Algumas delas contamos para nós mesmos. E isso nos salva. No final, fica tudo bem – continuou o Tinhoso, dessa vez dirigindo-se aos irmãos. – A verdade pode ser dolorosa. Por que não se acobertar de uma bela e convincente mentira?

– O que é que você quer dizer com isso? – indagou Honorato, tão nervoso quanto a irmã.

– Conte para seu irmão, Maria – pediu o Canhoto de maneira espetaculosa, como se houvesse ensaiado aquele discurso por um bom tempo e esperasse a hora certa para o declarar.

— Contar o quê, irmã? – pressionou Honorato. – Do que é que ele está falando?

— Não há nada para contar, Honorato – Maria, apesar de querer parecer firme, exibia uma tremedeira nos braços e um tom de voz nada convincente. – Ele é o pai das mentiras, não ouviu? Está tentando nos enganar com seus joguinhos.

— Ah, não mesmo – negou o Canhoto. – Apesar de minha fama de mentiroso ser genuína, ainda assim receio ter feito uso de muitas verdades ultimamente. E aqui vai mais uma delas – seus olhos faiscaram de excitação antes de continuar com os joguinhos maléficos. – Não há maldição nenhuma! – revelou ele, para o espanto de todos. – Entendeu o que eu disse, Maria? Não lhe roguei nenhum mal. Não há nada que deva ser retirado.

— Como é que é? – resfolegou Honorato. Cosmo viu um pandemônio se manifestar no semblante do amigo. – Que tipo de zombaria é essa?

— Pois é! – continuou, irônico, o Cão: – Às vezes contamos algumas mentiras para nós mesmos. Seja para nos sentirmos confortáveis com uma realidade mais atraente ou para apagarmos algo que dói. Ou ainda para nos fortalecermos, por um lado, e esquecermos quão fracotes somos, por outro.

Aquelas palavras mexeram com Maria. A irmã de Honorato sofria pequenos tremeliques. Era como o ovo de galo. Algo dentro dela ansiava por se livrar da casca que a prendia. E o Canhoto não tinha a intenção de parar.

— Esse tipo de mentira que contamos para nós mesmos às vezes dura tanto tempo que acaba se tornando uma forma distorcida da verdade. Talvez porque a realidade nos assombre – sugeriu ele.

— Cale a boca, Canhoto! Você não... – ameaçou Maria, mas seus braços delataram de vez a sua fraqueza quando não conseguiram mais sustentar a mira de sua flecha e desarmaram a pontaria. Ela baixou a cabeça com o olhar perdido em um pedregulho insignificante.

O Canhoto riu-se malicioso.

— Depois que o chefe de uma tribo de índios, o pai de vocês, deu um jeito de me liquidar, passei muito tempo vagando no Além à procura de uma maneira de retornar para a terra firme, e a resposta veio pelas mãos de sua própria filha – contou o Tinhoso. – Maria em pessoa conseguiu um ovo de galo e o chocou para mim – Cosmo, Honorato e Pedro ficaram boquiabertos com essa revelação. – Ela cultivou meu corpo para que eu pudesse regressar e pisar neste mundo outra vez. Em troca, me pediu aquilo que mais almejava. Veneno! – Honorato pareceu decepcionado com a irmã. Maria se mantinha com a cabeça baixa. – Ora, senhores! – soltou a Cabeça Errante para Honorato e os outros. – Não vejo problema nenhum nas ações de Maria. Ela queria ser uma cobra tão venenosa quanto as cobras mais peçonhentas. Desejo é desejo, não? É pessoal.

– Irmã, você realmente fez isso? Soa como algo que você pediria... – disse Honorato lutando contra uma tremedeira que também o acometia. Parecia não querer acreditar nas possíveis verdades que saíam das chamas escarlates do Jurupari.

– Mandei calar essa boca, Canhoto! – ordenou Caninana entredentes. Estava concentrada, como se lidasse com uma fera dentro de si prestes a dar o bote e as palavras do Tinhoso embaralhassem sua mente.

– Na ocasião, assim que assumi meu corpo – continuou a Cabeça Errante sem se importar com as ordens de Caninana –, sugeri que Maria aproveitasse seu pedido de outra forma, já que um desejo como esses, de adquirir veneno, ela mesma seria capaz de realizar. Claro! Se assim ela quisesse. Era apenas uma questão de acreditar.

Agora o Tinhoso parecia querer mexer com os pensamentos de Honorato. Era o que Cosmo entendia, já que o gêmeo de Maria acreditava que a irmã era mesmo capaz de conseguir o que quisesse. Tinha dito exatamente isso para ela na noite em que Cosmo e Pedro os conheceram. Que tudo não passava de força de vontade. Se Caninana se concentrasse, podia muito bem se livrar da personalidade ruim que a acometia, assim como poderia produzir veneno como uma cascavel, se assim desejasse. Honorato era a prova viva de tal feito. Quando protegeu a irmã dos índios sobreviventes de sua tribo, foi atacado até ficar à beira da morte. Durante o tempo que passou em recuperação, Honorato canalizou seus pensamentos para a cura, e sua força de vontade foi tamanha, que pôde concretizar muito mais do que isso. Sua pele de cobra se tornou impenetrável. Nada mais iria feri-lo outra vez.

– Mentira! – gritou Maria furiosa. – Você mentiu para mim, Canhoto. Você me trapaceou! Eu cultivei um corpo para você – confessou. – Mas você não me deu o que eu pedi.

– Como eu lhe disse naquele dia, Maria. Você mesma é capaz de produzir veneno – insistiu o Tinhoso com um ar paternal. – E, em vez de me pedir outra coisa, tentou me destruir. Seu ódio foi tão grande que fez brotar em você uma semente que estava adormecida. Uma personalidade ruim. Que almeja a vingança a todo custo. Uma versão obscura de você – o Canhoto usava sua voz galanteadora de antes. Como um radialista que passa confiança quando fala. – Eu até podia ter respondido ao seu ataque, poderíamos ter batalhado um contra o outro naquele dia, mas eu tinha coisas mais importantes para fazer com meu corpo físico. Resolvi deixar você com seus próprios demônios – o Canhoto arqueou as sobrancelhas negras e grossas. – Soube mais tarde que, em sua ira, atacou e matou toda a sua tribo. Precisava descontar em alguém, não? Você se tornou uma criatura perigosa e mortal. Não vou mentir. Gosto muito desse seu lado feroz. Mas, para que não ficasse sozinha em sua busca por vingança, mentiu para seu irmão. Contou uma verdade falsa, uma verdade disfarçada. Uma que lhe coubesse tão bem que você pudesse acreditar também. E cá estamos nós – Maria negava veementemente, balançando a cabeça de um lado para o outro. – Vê só, Maria? – e o corpo do Canhoto se acendeu num luzir mais nítido, dando suporte mais sólido à cabeça. Sua mão esquerda apontou para a própria têmpora. – É como o seu irmão sempre lhe diz: está tudo aqui!

Maria surtou de vez. Gritou alto e socou o ar com raiva. Honorato a segurou pelos ombros. Ver a irmã naquelas condições parecia cortar seu coração. Cosmo também teve pena de Maria, apesar de esta ter mentido tanto quanto Pedro Malasartes.

– Irmã, mantenha a calma! – implorou Honorato. – Nada disso importa. Estou do seu lado do mesmo jeito. Mantenha a calma, por favor!

Fazendo uma tremenda força, ela apontou novamente a flecha para o Canhoto. Maria já tinha levantado aquele arco várias vezes desde que o encontrara no chão da caverna, mas Cosmo viu um brilho letal em seus olhos. Dessa vez, iria atirar.

– Ah, eu não dispararia essa flecha se fosse você, Caninana – avisou o Canhoto. – No momento em que essa seta me atingir, explodirei e todos vocês e seus objetivos irão pelos ares comigo. Eu apenas retornarei ao Além e aguardarei até que a ganância de algum provinciano o obrigue a cultivar um novo diabinho na garrafa.

Ela pareceu não se intimidar com tais palavras. Fechou um dos olhos para ajustar a mira. Cosmo, impelido por algo maior que ele, entrou na frente dela, se colocando entre a flecha e o Canhoto. O boto ainda não tinha se dado conta do que fazia. Agia por instinto. Algo nele não achava aquilo justo.

– Cosmo! – gritou Maria. – Saia da minha frente, agora! – suas ordens eram tão afiadas quanto a faca que carregava na parte de trás de seu cinto.

– Não vou sair – vociferou ele abrindo os braços.

Algo no cérebro do boto entrou em curto. Estava protegendo o Cramulhão? Temeu tanto aquele encontro e, no entanto, agora Cosmo era a última linha de defesa que impedia o fim do Canhoto? Aquele era um ser maligno das antigas. Pelo que entendera até ali, o Tinhoso causava o mal desde o princípio. Até o índio esmeralda Makunaima já tinha sido enganado por ele. A Árvore de Todos os Frutos era um presente que, antes de ser dado ao grande índio, fora distorcido pelo Canhoto e, no fim, Makunaima acabou sendo traído pelos humanos que ele tanto queria bem. O Tinhoso tinha orquestrado tudo para que a ganância os corrompesse. Era esse ser que Cosmo defendia naquele instante? Por outro lado, não considerava aquilo justo. Apesar de cada um deles ter um propósito diferente, Caninana não tinha o direito de acabar com tudo daquele jeito. A cabeça do Canhoto explodiria e os planos de todos encontrariam um fim ali mesmo.

– Você não pode disparar essa flecha, Maria. Não é certo.

– Pois vou atirar no Canhoto, nem que precise fazer essa seta atravessar você – anunciou ela. Num rápido vislumbre, Cosmo enxergou os caninos de Caninana. Estavam maiores e pontiagudos.

Foi a vez de Honorato entrar na frente do boto. E a irmã vacilou por um breve instante.

– Você não, Honorato. Está aqui comigo para matar o Canhoto e não para o proteger.

– Não, irmã. Estou aqui para encontrar uma cura para o que aconteceu contigo. E agora sabemos que o Canhoto não é o culpado disso.

– Honorato, saia da minha frente!

– Não vou sair, Maria. Não me importo se foi você quem cultivou o ovo de galo que trouxe o Canhoto de volta a este mundo e desfez os feitos de nosso pai. Não me importo se dizimou a tribo de nossa mãe para extravasar a sua fúria. Nada disso tem importância neste momento. Quando fomos enxotados da tribo por sermos cobras, contamos apenas com nós mesmos para sobrevivermos na floresta. Crescemos juntos. Só nós sabemos o que passamos e como somos importantes um para o outro. Eu amo você, irmã. E quero que se cure dessa personalidade que te domina. Abaixe esse arco e vamos embora daqui. Não faz mais sentido seguir adiante. Nossa missão aqui está terminada.

E o Canhoto se manifestou.

– Ora, ora, ora! Querem partir? Mas estamos nos divertindo tanto.

E o corpo fantasma do Tinhoso esmurrou a parede do fundo, fazendo a caverna toda estremecer. Ninguém duvidou ter sido um soco como aquele que abriu a fenda no chão, quando estavam lutando contra os Isquelês, e os fez cair naquele fosso. Com a nova pancada, a parede rachou como se fosse algo frágil, e pedaços grandes de pedra selaram a única saída. Não viam mais as escadas adiante na abertura da parede rochosa. Escombros obstruíram a passagem.

– Ninguém vai embora deste lugar – e a voz do Canhoto se alterou outra vez. Não como antes. Ficou intimidadora e alta. Ecoou pela galeria como se um colosso tivesse falado, e não uma cabeça flamejante. – Malasartes, entregue-me o ovo, já!

Não demorou muito para o enxofre se concentrar naquele espaço fechado. Os olhos de todos ardiam e os pulmões queimavam.

– Eu só vou entregar o ovo se você nos tirar daqui – gritou Pedro Malasartes, chamando a atenção de todos ao tentar negociar com o Tinhoso.

– O tempo de barganha acabou lá na casa da Zaori. E receio que minha paciência também esteja no fim.

– Não me importo com a sua paciência. O que acontece se eu resolver destruir este ovo agora? – rebateu Malasartes.

Cosmo e os outros se alarmaram quando o tom da voz do Cramulhão aumentou ainda mais. Cada palavra retumbou nas paredes e fez todo o entorno oscilar como em um terremoto.

– Se ousar destruir esse ovo, humano insignificante... – suas chamas aumentavam de tamanho. Já lambiam o teto da galeria. – Não roguei uma maldição em Maria Caninana, mas você viverá para ver a maldição que jogarei em você.

Pedro olhou para Cosmo da mesma forma que tinha feito havia pouco. Seu semblante pedia socorro. Pedia por uma resposta sobre o que fazer. Cosmo não pôde se manter impassível dessa vez, mas também não sabia como proceder. Fez que não com a cabeça. Não considerava certo que ele destruísse o ovo e não achava nada bom entregá-lo ao Tinhoso. Só negou, sem solução alguma para apresentar, devolvendo para o amigo a responsabilidade sobre o que fazer.

Sem alternativa, Malasartes estendeu a mão para entregar o ovo negro, que um galo havia botado. O corpo novo daquela criatura diabólica estava ali dentro, prontinho para conceder ao Cramulhão a chance de andar pelo mundo e concretizar suas maldades pessoalmente. A mão semitransparente do Canhoto se aproximou do ovo. Parecia muito mais sólida que antes. Os olhos da Cabeça Errante já vislumbravam sua vitória plena.

Foi então que Cosmo assistiu a Pedro mudar de ideia. O provinciano jogou com força o ovo no chão, que se espatifou com a queda. Para ter certeza de que não sobraria nada, Pedro ainda pisou em cima, com o pé esquerdo, e esmagou algo escorregadio entre sua sola e o chão pedregoso.

– NÃO! – gritou o Cramulhão em pânico. Pedras do teto se soltaram com o grito dele e caíram dentro d'água, levantando ondas que molharam as canelas de todos. – O que foi que você fez, Malasartes?

Pedro tinha escolhido um lado. Levantou o pé para analisar seu trabalho, e uma gosma escura escorreu debaixo de sua sola.

O corpo do Canhoto tremeluziu e se apagou de vez, deixando apenas uma cabeça flutuante, sua forma de Cumacanga, que encarava Pedro com os olhos em chama. Um jato de fogo varreu o entorno, queimando e deixando marcas escuras nas paredes. Todos se abaixaram para não serem chamuscados.

— Eu amaldiçoo você, Pedro Malasartes! — vociferou a cabeça do Canhoto. Sua fúria era cega e não via mais nada além do provinciano. — Receberá como castigo a eternidade. O mesmo castigo que me foi imposto. E isso, meu caro, é uma vingança que me fará muito bem. É o preço que você pagará por dificultar a minha ascensão. Viverá para se arrepender e, quando não aguentar mais, se lembrará de que esse sofrimento não terá fim. Tudo ao seu redor, tudo o que conhece e ama, será perecível. Vou gargalhar ao assistir seus sonhos morrerem um a um. A partir de hoje, você é um ser imortal, Pedro Malasartes. Viverá para ver os dias de seus amigos acabarem. Viverá para ver os dias deste mundo terminarem — a Cabeça Errante falava palavra atrás de palavra. Uma atropelando a outra. Saliva espirrava da boca do minimeteoro como uma chuva de faíscas reluzentes. — Quando a última luz se apagar, você ainda estará aqui, até que algo surja na curva do infinito — continuou ele, rogando sua praga. — Mesmo se algo surgir, o que considero impossível, você ainda estará aqui quando esse algo se for. Não haverá fim para os seus dias, nem mesmo quando os dias deixarem de existir, você estará preso à sua vida enquanto durar a eternidade.

Cosmo olhou para Pedro. O amigo parecia não ter muita noção do que uma vida infinita significava. Pensou mais uma vez em Makunaima e em como o índio sofria com o peso de viver para todo o sempre. Talvez aquele fosse o pior castigo que já existiu.

No entanto, nada havia ocorrido além das palavras ditas pelo Canhoto. Pedro continuava em seu lugar, diante do ovo esmagado, não aparentava nada de diferente. Ainda assim, Cosmo não duvidava de que o Cão tivesse mesmo lhe amaldiçoado. O pai das mentiras com certeza contava mais uma de suas verdades.

— Quanto a seus amigos — e a Cabeça Errante voltou-se para o restante do grupo —, vou torrar todos eles!

Mas algo impediu que ele fizesse isso. Por um momento, pareceu que o minimeteoro perdeu o controle de seus próprios movimentos.

— O que é isso? O que está acontecendo? — quis saber a cabeça, exibindo uma fisionomia confusa.

A Moura se levantou de onde estava. Parecia mais amarrotada do que antes. Seus lábios formavam palavras. Dessa vez, todos podiam escutar, mas ainda não conseguiam entender o que ela dizia. Soava como algo primitivo. Tinha estalos e sílabas fortes, bem acentuadas nos "t", nos "k" e nos "s". Era, definitivamente, uma língua antiga e desconhecida. Os braços da mulher estavam estendidos como se segurasse uma bola imaginária entre suas mãos. Cada movimento que a Zaori fazia, lá e cá, a Cabeça Errante repetia, lá e cá, dançando pelo ar, como se um gigante invisível a mantivesse aprisionada nas mãos.

– Solte-me já, Moura! – ordenou o Canhoto em toda a sua fúria.

– Não! – retrucou ela. – Cometi o erro de me desviar da minha forma de agir. Sou uma criatura das sombras. Vivo das sobras que deixam no caminho. Acabei me mostrando demais e enfrentando você de frente. Isso quase me fez perder a vida que tenho – contou ela, manipulando os movimentos da Cabeça Errante como se controlasse uma marionete. – Não mais! Eu me cansei de você. Vou prendê-lo na fundura desta caverna. Ficará aqui para sempre, já que aprecia tanto a eternidade.

A cabeça flamejante foi arremessada, por ninguém, e ficou flutuando acima do lago profundo e transparente que inundava a galeria. A Moura parecia segurar firme algo entre as mãos, mesmo assim não viam nada por ali. Os dizeres que entoava mantinham a cabeça do Canhoto sob o comando dela.

A Cabeça Errante fazia força para resistir, mas aos poucos a altura em que flutuava foi diminuindo, aproximando-se cada vez mais da superfície do lago em pouco tempo estaria dentro d'água.

– Volte já aqui, Canhoto! – gritou Maria apontando-lhe a flecha.

A Moura chegou a balançar a cabeça do Tinhoso de um lado para outro, tentando evitar que Maria mirasse o alvo, mas não precisou fazê-lo por muito tempo.

– Já chega disso, irmã! – Honorato arrancou o arco e a flecha de Maria. O que fez com que Caninana perdesse de vez as estribeiras. Ambos, Maria e Honorato, iniciaram uma luta feroz.

Pedro e Cosmo não souberam como separar a briga dos gêmeos, e a Zaori continuou usufruindo do controle sobre o Canhoto.

– Ah, Moura! Se eu tivesse o meu corpo agora, condenaria você a um sofrimento sem fim... – a cabeça do Canhoto se engasgou quando a Moura a impeliu para dentro do lago. O som de água vaporizando foi altíssimo. Assistiram ao Canhoto afundar cada vez mais no fosso. Suas chamas continuavam acesas, mesmo dentro da água fria. Bolhas se formavam ao redor do Tinhoso, e línguas de fogo ferviam o seu entorno. A Zaori continuou mexendo as mãos e entoando seus encantamentos. Todos puderam ver a cabeça encalhar nas pedras pontiagudas no âmago mais profundo da límpida lagoa. Ainda assim, sentiam os olhos pavorosos do Canhoto os observar e rogar suas piores maldições.

– Adeus, pequenos mortais! – despediu-se a Zaori. – Voltarei para as sombras, onde é o meu lugar – então ela se afastou, sumindo por trás de uma saliência nas rochas. Não havia para onde ir, no entanto a Moura desapareceu no escuro que se projetava na parede sólida da imensa galeria.

Maria se desvencilhou e empurrou Honorato com violência. Seu rosto estava distorcido e repleto de vincos. Caninana sacou a lâmina que trazia na parte de trás da cinta e, por um instante, Cosmo achou que Maria perfuraria o próprio irmão. No segundo seguinte, ela saltou para a lagoa. Puderam vê-la mergulhar fundo, nadando na direção da cabeça encalhada. Não parecia se importar com nada mais além do Canhoto. Era como se não raciocinasse mais. Estava totalmente fora de controle. Cega por sua vontade de eliminar a Cabeça Errante.

Honorato se levantou perplexo com a insistência da irmã e partiu atrás dela. Conseguiu entrar na água até os joelhos, então gritou de dor e voltou à segurança da pedra plana.

– A água! – justificou ele para Pedro e Cosmo, que o observavam assustados.

– O que tem a água? – quis saber Cosmo, tentando pensar num jeito de escapar daquele buraco, já que o Cramulhão tinha fechado a única saída existente.

– Está fervendo – respondeu Honorato, quando uma onda de calor tomou conta de todo o ambiente. A cabeça do Jurupari está aquecendo toda a lagoa.

– Águas ferventes – falou Cosmo baixinho. – É isso! Essa é a outra parte da quarta provação imposta pelo Carbúnculo. O jogo das línguas de fogo e das águas ferventes – olhou mais uma vez para a lagoa. Maria não nadava mais. Há uns bons metros abaixo da superfície, Caninana agonizava com a temperatura elevada da água.

– Minha irmã! – gritou Honorato; seus olhos arregalaram de pavor. – A personalidade ruim vai fazer ela cozinhar lá dentro.

– Honorato – chamou Pedro. – Acho que este é o momento em que você deve se transformar naquela Cobra-Grande, de pele impenetrável, e tirar a gente daqui – e Cosmo deu toda a razão para a observação de Malasartes.

Capítulo 18
Peçonha

A forma humana de Honorato deixou de existir.
Em seu lugar, uma cobra gigante e escura se fez.

O vapor tomou conta do local. Bolhas subiam do fundo do lago e estouravam na superfície.
– Temos que sair daqui! – gritou Cosmo no instante em que pedaços enormes do teto despencaram do alto, caindo no fosso e levantando ondas ferventes.

A água alcançou a pedra plana, lavou e esquentou tudo o que tocou. Pedro e Cosmo seriam queimados pela fervura, não fosse por Honorato, cuja pele de cobra impenetrável os protegeu como uma barreira ou um muro, antes que fossem encharcados pela onda.

A serpente monstruosa os abocanhou. No momento seguinte, estavam no interior do corpo esguio e viperino de Honorato. Foi como vivenciar um *déjà-vu*.

Cosmo e Malasartes precisaram segurar nas paredes molengas, já que Honorato se movia depressa e se dobrava em todas as direções possíveis. Estava escuro. Só eram capazes de sentir o ir e vir ondulado do imenso corredor.

Num dado momento, Cosmo percebeu que a cobra havia tomado um rumo diferente. Ela embicou para baixo e puxou o corpo todo como a locomotiva de um trem que puxa seus vagões. Desceu íngreme, quase em noventa graus. Cosmo ficou suspenso no ar, em queda livre. Ouviu o resfolegar de Pedro a seu lado e teve certeza de que, ele próprio, emitia os mesmos sons. Era o jeito de o corpo, que Faunim lhe desenhara, reagir. Logo após a queda livre, houve um impacto. Cosmo colou-se ao chão do corredor de carne que era o interior da cobra. As entranhas escuras, viscosas e apertadas de Honorato, ficaram excessivamente quentes. O que era muito estranho, já que as cobras, assim como todos os répteis provincianos, têm sangue frio. Será que o gêmeo de Maria havia mergulhado no fosso fervente?

O que aconteceu na sequência respondeu à questão que permanecia na mente de Cosmo. Caninana surgiu diante deles. Juntamente com um pouco de água abrasadora, que escaldou os pés de todos, pois invadiu o lugar quando Honorato precisou abrir a boca para devorar Maria. O boto sentiu respingos lhe arderem a pele como gotas de ácido. A Cobra-Grande tinha mesmo pulado para dentro das águas ferventes como se nadasse em uma panela que esquenta no fogão. Tudo era breu total. Não podiam ver a mulher, mas a ouviam agonizar com a dor das queimaduras.

Honorato apontou a cabeça para o alto, era sinal de que a "locomotiva" subiria para sair do fosso. Cosmo tentou se agarrar a alguma das saliências das paredes internas da Cobra-Grande.

– Me deixe sair, Honorato! – ordenou Maria com uma voz bem diferente daquela a que estavam acostumados. Era rascante. Cosmo chegou a pensar na hipótese de Honorato ter abocanhado outra pessoa. – Eu quero o Canhoto! Ele é meu. Vou liquidá-lo! – gritava ela em plena fúria. Usava toda a força de suas cordas vocais e de seus pulmões.

A anaconda pareceu não escutar os sons que vinham de sua barriga, ou ignorava os protestos da irmã, pois rumou para cima a todo vapor. Cosmo se desequilibrou. Um corpo inerte caiu por cima dele. Era Pedro Malasartes, que não conseguira se segurar em nada.

– Irmão, me cuspa daqui, já! – continuou Caninana irritadiça.

Honorato aumentou a velocidade. Os dedos de Cosmo escorregaram do que supôs ser uma das muitas vértebras do amigo viperino.

Um *zip* foi ouvido, e Cosmo gelou. Sabia que Maria sacara seu punhal. Teve medo que um talho o atingisse de surpresa no escuro. O receio que havia sentido durante o primeiro dos desafios, o das espadas ocultas nas sombras, estava de volta.

A Cobra-Grande se remexeu como se algo a tivesse atingido. Foi tão sério que mudou a direção que o "trem" Honorato seguia. Não continuou sua subida. Cosmo estudou possibilidades em seu cérebro de boto. O Canhoto tinha atacado Honorato? Até onde acompanhou, a cabeça do Tinhoso tinha sido afixada pela Moura entre pedras pontiagudas no fundo do fosso. Era possível ter se soltado e atacado o amigo? Não fazia sentido. A pele de Honorato era impenetrável, não? Nada que viesse de fora poderia atingi-lo.

Um fiapo de luz invadiu a escuridão com humildade. O que o boto percebeu é que a luz não provinha da boca de Honorato. A cobra ainda mantinha fechada a entrada daquele longo corredor. Então por onde entrava aquela luz?

Outro facho, luminoso como aquele, ajudou a clarear o ambiente um tanto mais. Enfim, Cosmo pôde identificar. Maria, com o seu punhal, tinha feito dois rasgos nas paredes internas do irmão. Do lado de fora, a Cobra-Grande era impenetrável, mas do lado de dentro era tão vulnerável quanto qualquer um.

Aquele segundo corte trouxe consequências mais severas que o primeiro. Honorato estrebuchava e girava tresloucadamente. Para piorar, não era apenas luz que adentrava os talhos abertos pelo punhal de Caninana, água fervente invadia e queimava o interior de Honorato. Cosmo não foi capaz de imaginar a dor que o parceiro de jornada sentia. Mas era nítido que agonizava. Seus ossos tremelicavam como se levassem um choque poderoso. Provavelmente evitava gritar de dor para não deixar mais água quente entrar por sua boca. Caso contrário, todos morreriam cozidos ali dentro.

Pedro avançou sobre Caninana no momento em que ela se preparava para dar a terceira punhalada. Evitou a tempo, mas Maria era uma guerreira exímia. Com menos de três movimentos, lançou Pedro para longe dela e se pôs a atacar o irmão novamente. Foi a vez de Cosmo mostrar o heroísmo que nem ele sabia que tinha. Tentou impedir o golpe da mulher, mas o punhal fez-lhe um rasgo profundo no braço. Antes que Cosmo sentisse a dor do corte, Maria desferiu um violento chute em seu peito, afastando-o dela.

Tudo balançou, como se a cobra que os carregava tivesse chocado a cabeça em uma parede de pedra. Caninana se desequilibrou e deixou cair o punhal. Cosmo teve a impressão de que Honorato estava buscando uma saída alternativa por dentro do fosso, já que o calor ainda não havia cessado. Era isso ou o gêmeo de Maria estava perdendo a consciência e o controle da locomotiva.

"Sufoco" definia bem o que se passava no interior de Honorato. "Agonia" também. Ouviram outro estrondo. Honorato buscava mesmo atravessar alguma coisa sólida.

– Honorato, me deixe sair, já! – repetiu Maria.

A personalidade que a dominava se mostrou feroz. Cosmo teve medo dela. A luz que adentrava pelos cortes sofridos pela Cobra-Grande banhou o rosto de Caninana por breves segundos. O que Cosmo viu foi uma careta deformada pela ira. A guerreira não se importava com as queimaduras em todo o corpo. Sua resistência, assim como a de seu irmão, certamente era bem maior do que a de um provinciano ou a do próprio boto. Era óbvio que se Cosmo, ou mesmo Malasartes, estivesse no lugar de Maria, já teria cozinhado até a morte. O fato de ela não se importar com as dores indicava a extrema determinação ou a extrema loucura decorrente de sua personalidade ruim.

Honorato tornou a se mover. Algo comprimiu o seu corpo, como se a cobra lutasse para passar por uma via apertada. Isso fez com que o espaço interno diminuísse, aumentando a sensação de claustrofobia em seu interior. Honorato prosseguiu com seu plano e pegou velocidade, mas a irmã alcançou o punhal e o enterrou com força no chão de carne que pisavam.

A cobra se revirou e rodopiou, depois se contraiu e alongou. As paredes se comprimiram e estreitaram ainda mais, encostando-se uma na outra. Já não havia corredor. Cosmo perdeu a noção de onde estavam Pedro e Maria, pois as entranhas de Honorato o prensavam e apertavam, deixando o boto sem ar. Por sorte, isso durou pouco. As paredes se remexeram e empurraram o boto com força na direção da saída daquele corpanzil. Cosmo era impelido para fora pela vontade de Honorato. De um momento para outro, foi regurgitado pela anaconda.

O boto cor-de-rosa bateu as costas no chão de pedra, envolto em um líquido pegajoso, muito similar à saliva, que o fazia escorregar. Ao seu lado, Pedro Malasartes deslizava na baba que também o banhava por completo. Não estavam mais no fosso. O local parecia o salão de colunas em que tinham confrontado a Moura Torta e seus Isquelês. A diferença era que este salão tinha, ao fundo, pequenas cachoeiras que se destacavam. Vapor provinha de suas águas, que tinham sido fervidas pelo próprio Tinhoso.

Alguém passou veloz por eles e deu um encontrão em Cosmo, derrubando-o. Era Maria. Com o punhal nas mãos, saiu correndo na direção de uma abertura que havia em uma das extremidades daquela câmara.

A grande cobra preta já não existia mais. Em seu lugar, Honorato em pessoa se fez presente. Este não perdeu tempo e pôs-se diante de Maria.

– Irmã, pare já com isso! Resista! – a voz de Honorato parecia esconder a dor e o sofrimento. O irmão de Caninana fez um leve sinal para que Cosmo e Pedro deixassem aquele lugar e seguissem adiante.

– Ele quer que a gente vá embora e o deixe aqui sozinho com ela? – sussurrou Pedro para Cosmo. O boto apenas negou com a cabeça, respondendo a Honorato que não iria deixá-lo.

– Eu vou acabar com o Canhoto! – afirmou veementemente Caninana. Algumas bolhas e manchas vermelhas eram visíveis em sua pele. Eram as queimaduras causadas pela água fervente.

– Mas ele não lhe rogou maldição nenhuma. Essa segunda personalidade faz parte de você. Precisa aprender a controlá-la. Me deixe ajudá-la, Maria – pediu o irmão. Suas feições eram duras. Estava pronto para enfrentá-la, caso fosse preciso. Mesmo com os sérios ferimentos que havia sofrido.

E, de fato, ambos partiram para uma luta com golpes tão rápidos e certeiros que não foi possível identificar o caminho de seus movimentos. Eram iguais em combate. Ninguém atingia ninguém. Cada golpe era anulado por um contragolpe e vice-versa. Os dois eram impecáveis.

Mas o espetáculo, uma quase coreografia ensaiada dos gêmeos, teve hora certa para acabar. Honorato se afastou cambaleante. Colocou uma das mãos sobre as costelas. Um líquido escuro vertia dali. Cosmo sabia que eram os talhos abertos pela irmã, que reivindicavam cuidados e atenção. Aqueles machucados tinham permitido que a água fervente invadisse o corpo de Honorato e o queimasse por dentro. Cosmo viu, nas feições de Honorato, que o amigo não resistiria por muito tempo. A dor já alcançava um estágio insuportável. O boto, então, decidiu ajudar. Correu para segurar Maria. Não tinha plano algum e sabia que suas habilidades para a luta corpo a corpo eram quase nulas. A intenção era agarrar a mulher do jeito que conseguisse e não soltar. Escorregou na saliva que ainda o cobria, mas continuou sua investida. Grudou-se nas pernas de Caninana e abraçou seus joelhos com toda a força de que dispunha. Pedro pareceu ter pensado a mesma coisa. Agarrou os braços e o tronco de Maria, impedindo que ela atacasse o irmão gêmeo.

Caninana se chacoalhou furiosa buscando se desvencilhar, mas os agarrões de Pedro e Cosmo surtiram efeito e imobilizaram Maria.

– Acalme-se, Maria! – resfolegou Cosmo em tom de súplica.

– Por favor, precisa se acalmar! – reforçou Pedro.

– É engraçado – falou Honorato. Seu rosto perdia a cor. Não estava mesmo nada bem.

– O que é engraçado? – indagou Caninana com a voz rasgada. Era uma Maria totalmente diferente da que viajara com eles até aquela caverna.

– A briga entre irmãos é engraçada – completou Honorato. Os ferimentos tornavam custoso falar. – Os irmãos sempre sabem o ponto fraco um do outro. Em uma disputa, sabem exatamente onde ferir o oponente da família. Onde dói mais – Honorato riu-se e, ao mesmo tempo, se tremeliciou todo. – Eu sou impenetrável pelo lado de fora. Mas você sabe que sou vulnerável pelo lado de dentro.

Cosmo teve a impressão de que o amigo tornava-se cada vez mais branco. Estava descorando. Mas o boto não podia fazer muita coisa. Ele e Pedro ainda imobilizavam Maria com toda a força de que dispunham. Era isso ou ela feriria o irmão ainda mais.

– Mas o irônico é que eu estou em desvantagem aqui – continuou Honorato. – Eu não conheço você! – declarou acompanhado de um silvo viperino. – Não é essa a Maria com quem cresci à beira dos igarapés.

Cosmo não conseguiu mensurar se aquilo estava funcionando, mas sentiu que Caninana havia reduzido os esforços que empregava para se soltar do boto e do provinciano.

– Eu vou matar o Canhoto! – bradou ela.

– Não há mais Canhoto, irmã – revelou Honorato.

– Como é? – indagou ela, parando totalmente de se chacoalhar.

– É isso mesmo que você ouviu. Ele se foi para longe daqui. Quando você me feriu com o punhal, não tive forças para sair do fosso – disse Honorato. – Precisei achar uma saída pelos fundos da piscina. Quebrei as paredes e atravessei para esta outra galeria. Precisava trazer todos vocês em segurança. Mas isso teve um preço – ele parou para respirar e pareceu encontrar dificuldade ao fazer isso. – As pedras que prendiam a cabeça do Jurupari se moveram e ele voou dali para a liberdade. Deve estar distante daqui, procurando um lugar para repor suas energias – Honorato então encarou a irmã. – Voltamos à estaca zero!

Os olhos de Maria tornaram-se opacos. Nenhum brilho provinha dali, apenas ódio.

– Você o deixou escapar? Deixou o Canhoto fugir? – esbravejou ela indignada.

O boto sentiu a textura da pele de Caninana se modificar. Pareceu instantaneamente mais dura. Maria soltou-se sem dificuldade dos braços de Pedro e de Cosmo. Num salto, já estava diante de Honorato.

Só que Maria já não era mais a mesma. Transmutara-se em uma cobra pequena, com cerca de dois metros e meio de comprimento, de coloração amarelo-banana com manchas pretas ao longo do corpo todo. Pedro, Cosmo e Honorato ficaram surpresos com a transformação de Maria. A ponta de seu rabo era negra e longa como um chicote que se agitava demonstrando pura inquietação e nervosismo. Logo abaixo de onde ficava a cabeça arredondada, que se mantinha em pé, Caninana inflava seu pescoço como se quisesse parecer maior e mais ameaçadora, alcançando tais objetivos com facilidade.

Seus movimentos foram muito rápidos. Deslizou tão depressa na direção do irmão, que quase não puderam identificar o borrão amarelo-banana. Subiu veloz por uma das pernas do irmão que se remexeu todo. Cosmo viu a cobra deslizar sob a calça de Honorato, que lutava para tirar o réptil de lá. Maria escalou o tronco do irmão e despontou na gola de sua camiseta. Honorato agarrou a cobra com as mãos nuas e a jogou longe.

Mas algo o tinha fisgado.

– O que foi que houve? – quis saber Pedro, percebendo algo estranho.

Cosmo estava perto dele e sussurrou uma resposta:

– A quinta provação do Carbúnculo.
– Como é?
– A ameaça da cascavel amaldiçoada – tornou a sussurrar. – Foi o que eu soube pelo sonho arauto.
– Mas ela não é uma cascavel. É uma caninana! – retrucou Malasartes. – São bem diferentes.
– Os desafios são charadas, lembra? São como poesia, metáforas para descrever o que vai acontecer – explicou o boto.
– Acho que eu não sou muito bom com metáforas. Ainda mais numa hora dessas – declarou Pedro.

Viram Honorato levar uma das mãos ao pescoço. Havia algo ali. Algo que o deixou mais surpreso do que quando vislumbrou a irmã, enfim, transmutada.

– Você conseguiu, Maria – disse o irmão, perplexo.
– Conseguiu o quê? Se transformar? – sussurrou Pedro para Cosmo.
– Sim, também. Mas não acho que é a isso que Honorato se refere – disse o boto.
– Ele está se referindo a quê, então? – perguntou Pedro.
– Ao fato de Maria conseguir produzir veneno! – respondeu Cosmo, deixando Malasartes tão chocado quanto Honorato. – Me parece que Caninana se tornou peçonhenta como uma cascavel – concluiu o boto.

E, no instante seguinte, Honorato vacilou como se tivesse sido atingido por um golpe fatal. Cambaleou e se sentou no chão de pedra, desistindo de continuar qualquer luta corpo a corpo.

Maria voltou a ser Maria. Apenas seus caninos mantiveram-se como saliências pontiagudas e afiadas à mostra. Os cabelos dela continuavam molhados por conta do mergulho no fosso de água fervente. Observava o irmão com certa ressalva. Caninana raciocinava a respeito de seus atos. Não sabia muito bem como reagir e isso parecia um bom sinal. Não estava mais simplesmente atacando às cegas. Estava relutante.

– Eu sabia que conseguiria, irmã – disse Honorato. Não tinha mais forças para ficar sentado. Deitou-se. – É uma pena que alguém tenha que ficar para trás em razão disso.

Algo se desanuviou de vez nas feições duras de Caninana. Caminhou até o irmão. Não o atacaria mais. Estava preocupada com ele. Pôs-se ao seu lado examinando a parte do pescoço em que o irmão mantinha as mãos. Cosmo e Pedro se aproximaram. Havia dois buracos na pele de Honorato. Maria, transmutada em Caninana, em uma investida agressiva, tinha picado o irmão com suas presas pontiagudas.

– Você conseguiu, irmã – comemorou ele aos soluços. – Não foi como eu esperava, mas você desejou ter veneno. Queria ser capaz de ter peçonha como uma cascavel, não é? Pois, então, acreditou que era possível e seu corpo produziu o veneno.

– Não! Isso não é possível – declarou ela, desesperada com a perspectiva apresentada pelo irmão. – Eu não sou uma cobra peçonhenta, eu não poderia...

– Pode, sim – interrompeu-a Honorato, acariciando o rosto da irmã. – Claro que eu esperava que fosse diferente. Você devia forçar sua mente e acreditar que era capaz de erradicar ou controlar a outra personalidade. Lembra? A maldição está apenas na sua cabeça. Não há Canhoto nenhum interferindo em sua vida, nunca houve – uma lágrima se soltou dos cílios de Caninana e rolou face abaixo. – É só você, Maria! Você e seus pensamentos – concluiu o irmão.

Maria negou com a cabeça. Custava a aceitar o ocorrido. Limpou a lágrima com raiva, como se aquela gota, que precedia o choro, fosse uma covarde por se deixar transbordar.

– Eu sei quem é o culpado de tudo isso – disse ela. Sua voz não estava mais rascante. – É o destino! – concluiu Maria. E foi a vez de seu irmão negar, mas ela prosseguiu. – O destino sabia o que aconteceria. Quando Cosmo e Pedro acenderam a fogueira de Fogo Morto, eu entendi, naquele exato momento, que esta jornada nos levaria a um ponto crítico como este. E o destino sabia de tudo. O destino é o culpado! – repetiu ela.

Cosmo não podia deixar de dar certa razão a Maria. Para ele, o destino orquestrava tudo, mas sempre tinha um motivo por trás de suas ações. Aproveitou a deixa para refletir por um instante sobre o Carbúnculo, sobre quão poderoso ele era. Tinha as probabilidades a seu favor. Parecia controlar mesmo o destino. A quinta prova falava sobre uma cascavel amaldiçoada. Maria Caninana era a cobra em questão. Ela representava o quinto desafio. Dava sentido àquilo que o sonho arauto previra.

– O destino não é o culpado, Maria – contestou Honorato, soando compreensivo e sábio. – Depende de como você o vê. O fogo que foi aceso por cima de uma antiga fogueira pode ter sido um aviso. Um alerta do que iria ocorrer adiante. Para que você pudesse se preparar. Para que soubesse como evitar que chegássemos a este ponto crítico que você mencionou – por fim, Honorato sorriu para ela. – Ou era apenas uma fogueira, que por acaso foi acesa exatamente naquele ponto. Uma inofensiva fonte de calor para viajantes engajados em uma jornada e que precisavam se aquecer e descansar naquela noite.

Maria desatou a chorar. Não teve forças para segurar tantas outras lágrimas que teimavam em rolar. Retribuiu o carinho do irmão.

– Sinto o veneno queimar por cada uma das veias do meu corpo. É um veneno potente! – analisou, como um especialista que descreve as propriedades de um vinho. – Está me extinguindo por dentro. É veloz como você, irmã – comparou ele. – Este é um veneno letal, Maria. Mas estou feliz. Entrei nessa para ajudar você a se libertar da maldição da outra personalidade.

– Letal? Mas eu não... – balbuciou Maria. – A maldição. Ela não me...

– Ela se foi, irmã – afirmou Honorato. – Isso custou a minha vida, mas foi preciso. Minha partida vai acabar de vez com a personalidade ruim.

– Eu não sabia, irmão! Eu...

– Eu sei, irmã. Isso não importa mais. Não chore por isso. Lute! – declarou Honorato com o pouco de energia que lhe restava. – Eu disse que, se você quisesse tentar um outro jeito, eu estaria ao seu lado. E se quisesse seguir adiante, eu a apoiaria também. Apoiaria você no que precisasse fazer, minha irmã.

– Não, Honorato! Fique comigo, por favor! – suplicou ela.

– Não posso, Maria! – respondeu Honorato. – É por você que eu vou embora. Por você – e os olhos de Honorato se fecharam devagar, como se estivesse em paz. Seus lábios ainda exibiam o último sorriso que dedicou à irmã gêmea.

Cosmo e Pedro derramaram lágrimas pelo amigo. O que acabara de acontecer era mesmo algo inevitável. Honorato havia recebido uma picada de cobra venenosa no pescoço. O veneno agiu depressa e acabou vitimando Honorato. Maria se debruçou sobre o corpo do irmão. Lamentava com profunda tristeza a partida de seu semelhante. Sua metade. Maria perdia seu melhor amigo.

A partir daquele momento, Cosmo não conseguiu sentir a presença de Honorato naquela galeria. Não havia mais quatro deles.

Eram apenas três. E o corpo de um exímio guerreiro descansando no chão de pedra.

– A missão acaba aqui! – declarou Maria após chorar a morte de Honorato por alguns minutos. – Ao menos para mim e para meu irmão – continuou. Manteve a cabeça abaixada, o que fez suas franjas emaranhadas encobrirem o seu rosto. – Sem o Canhoto por perto, não há mais sentido em seguir adiante. Ele era o nosso alvo.

Cosmo e Pedro não disseram nada. Apenas a escutaram. Estavam sem ação diante da partida repentina de um grande aliado como Honorato. O boto queria dar mais atenção à despedida. Daquela forma, ali na caverna, com pressa para encontrarem o Carbúnculo, era como se não desse o devido valor e respeito ao amigo que mal conhecera. Apesar de tê-lo encontrado no meio da missão, Cosmo gostaria de ter conhecido Honorato melhor. Ao mesmo tempo, tinha ressalvas com relação a Maria. Como já não podiam mais contar com Honorato e suas habilidades, caso a maldição que Caninana jurava ter sido rogada pelo Canhoto voltasse a assumir o controle, nem ele nem Malasartes conseguiriam derrotá-la. Uma mistura de tristeza e desconfiança tomava conta de Cosmo. A morte de Honorato tinha mesmo liquidado a personalidade ruim da irmã? Era bom ficarem atentos.

– Voltarei pelo caminho que fizemos até este ponto da caverna – declarou Maria. – Não me importo com o Carbúnculo, nem com o povo que se esqueceu de quem é. Vou achar um jeito de sair deste lugar.

– Vai atrás da Cabeça Errante? – quis saber Cosmo.

Maria ergueu o rosto e fuzilou o boto com o olhar, o que fez Cosmo perceber ter passado dos limites. Não queria irritar a mulher. Tinha que aprender a segurar a língua. Costumava ser muito direto e, às vezes, alfinetava os outros sem perceber. Era mais comum fazer isso quando estava farto de algo. E o boto já estava cansado de se sentir nas mãos do Carbúnculo. Era como se a criatura brincasse com suas presas antes de se alimentar de sua carne.

Caninana fechou os olhos buscando se concentrar por alguns minutos. Lutava para conter uma onda de raiva. Seria sua personalidade ruim retomando o controle?

– Não! – respondeu Maria.

Uma lágrima deslizou pelo seu rosto. Ela parecia lidar com novos pensamentos em sua mente. Tentava aceitar novas perspectivas e encarar as verdades às quais tinha evitado dar ouvidos até então.

– O Canhoto estava certo – recomeçou ela, após dar um longo suspiro e com muito mais serenidade em sua fala. – Contamos algumas mentiras para nós mesmos a fim de enxergar o mundo de outro jeito, que não é o jeito verdadeiro. Mas é o jeito que não dói – assumiu ela. – Meu irmão sempre tentou me fazer acreditar que existem outros jeitos que não doem. Não são fáceis, mas eles existem – sorriu para o corpo do irmão, como se retribuísse o sorriso que ainda se mantinha no rosto de Honorato. – Ele dizia que o mundo é aquilo que você faz dele e que tudo começa com o jeito que você o enxerga. E eu estraguei tudo! – confessou ela. – Quando estávamos diante dos Bichos do Fundo, Honorato queria que eu desejasse me curar da maldição. Ele me falou que, se eu pedisse com força, os Caruanas me ouviriam e atenderiam o meu pedido. Mas eu traí meu irmão, pois o que eu pedi foi o oposto do que ele esperava. Pedi para ser peçonhenta. Que adquirisse veneno, como uma cascavel. Não acredito que eles tenham atendido o meu pedido. Mas aqui estou eu, com o corpo de Honorato em meus braços. Morto pelo meu próprio veneno. Jamais me perdoarei por isso – parou para acariciar os cabelos de Honorato. – Vou levar meu irmão para as margens dos igarapés em que crescemos – declarou ela. E seus olhos miraram um ponto na parede de pedra, tinham um aspecto sonhador. Como se não vissem a pedra, mas assistissem a cenas de um passado distante. – Foi lá que a gente aprendeu a ser forte. E foi lá que a gente aprendeu a viver. Não tinha personalidade ruim ou maldição, não tinha Canhoto, não tinha Moura nem índios querendo nos atacar. Era só meu irmão e eu – respirou fundo antes de prosseguir. – Sempre sentimos falta daquela paz. Mas, depois que crescemos, aquele mundo ficou pequeno demais – então parou para refletir sobre sua última frase. – Ou fomos só nós dois que passamos a enxergar aquele lugar dessa maneira. Só sei que precisávamos de mais. Zarpamos para o mundo e nunca conseguimos encontrar de novo aquelas versões de nós mesmos. Às margens daqueles igarapés existia paz. É para lá que vou levá-lo! Para que possa descansar e nutrir aquele local com a energia ainda presente em seu corpo – Maria pegou Honorato no colo como se ele não pesasse quase nada. – Que o seu corpo seja uma oferenda suficiente para retribuir tudo o que aquele pedacinho de mundo nos deu. Tenho certeza de que meu irmão iria querer retribuir a natureza daquele lugar à altura. Nada mais justo do que permitir que aquele pedaço de terra recicle e reaproveite o seu corpo, mantendo viva a paz que mora ali.

Virou-se em direção ao caminho que levava à saída da caverna e se afastou de Pedro e de Cosmo.

Não houve despedidas entre eles.

O boto buscou entender os sentimentos de Caninana e se colocou no lugar dela enquanto a assistia partir, abandonando a Missão Carbúnculo de vez. O boto cor-de-rosa constatou que ela estava fria por dentro e por fora. Como uma cobra. Vivia dois lutos ao mesmo tempo. O luto em razão da perda do irmão e o luto ocasionado pelo fim das mentiras que contava para si mesma e que eram sua verdadeira maldição.

Capítulo 19
O Deus do Amor

A caverna pareceu vazia.

Cosmo e Pedro se entreolharam, calados, por um tempo.

– E então? – indagou Malasartes, quebrando o gelo entre eles.

– Você sabe que preciso continuar – disse Cosmo.

– Não é a isso que me refiro. Quero saber de você e de mim. Está tudo bem entre a gente? Daqui para a frente, estaremos nessa missão juntos?

Cosmo apenas mirou o chão ao ouvir Malasartes. Achava certas atitudes de Pedro um desaforo tremendo e não tinha nenhuma certeza se as coisas estavam bem entre eles. Sentia-se assim com tanta intensidade, que ficou evidente para Pedro.

– Cosmo, eu sei que se decepcionou comigo enquanto enfrentávamos o Canhoto. Vai ajudar se eu disser que me decepcionei comigo também? – disse Pedro.

Cosmo o observou mais atentamente. Queria detectar sinais de que Pedro mentia. Estava descrente, mas sempre restavam fiapos de esperança dentro de si. Um desses fiapos insistia em ainda acreditar em Malasartes, enquanto o restante de seus pensamentos considerava descabido o que aquele único fiapo pedia. Ora! O boto presenciara a atitude mais mesquinha do amigo. Vira Malasartes pedir riqueza ao Cramulhão diante de todos. Além disso, Pedro havia mentido sobre a história do ovo de galo. Planejara enganar Cosmo e o Canhoto ao mesmo tempo. Carregara em seus bolsos a pérola negra da Festa no Céu e o ovo com o corpo do Tinhoso.

— Isso tudo é passado! – disse Pedro como se lesse os pensamentos de Cosmo. – Eu não... Não posso prometer que serei melhor lá na frente. Mas eu vou tentar. Até lá, precisa de mim e eu preciso de você, não é mesmo?

— Isso significa que você admite que quer a pedra preciosa para fazer fortuna? – indagou Cosmo.

Pedro Malasartes se calou por um instante.

— Vê só, Pedro? Pouco antes de entrarmos nesta caverna, você falou que queria ser alguém melhor. Naquele momento, você acreditava mesmo no que dizia? – alfinetou Cosmo, colocando seus questionamentos para fora e relembrando a única atitude de Malasartes que ainda o fazia manter suas esperanças no provinciano. Para seu próprio pesar, Cosmo notou quão poucos eram esses votos de confiança. – Não vou te convencer a desistir da Missão Carbúnculo, mas não faço mais questão da sua presença – concluiu o boto da maneira mais dura que conseguiu. – Se você tiver mesmo esse tipo de objetivo na cabeça, o de ficar rico, pode ter certeza de que estarei bem melhor sozinho – e buscou, em vão, ajeitar a aba de seu chapéu. Tinha perdido o acessório símbolo dos botos originais enquanto Humbertolomeu se exibia e os ridicularizava diante dos outros integrantes da Confraria. Percebeu que, sem o seu chapéu branco, assemelhava-se demais a um provinciano.

— Tudo bem! – disse Pedro dando de ombros. – Não posso impedir que você pense assim. Você é dono de seus pensamentos, não é? Eu juro que estou realmente tentando ser dono dos meus. Mas não é fácil. Afinal, não sou puro como um boto. Sou um provinciano! – ironizou Malasartes. – Sou ganancioso e desprezível como todos os que cruzam nosso caminho fazem questão de deixar bem claro!

Cosmo calaria sua mente se pudesse. Queria seu chapéu de volta. Queria se distanciar da imagem que tinha dos provincianos até então e, para ele, usar o chapéu serviria para isso. Torná-lo mais boto que humano. Não conseguia distinguir mentiras e verdades no que Pedro dizia e respirou fundo para acalmar as ideias.

— Maria Caninana representou a quinta das provações impostas pelo Carbúnculo. A ameaça da cascavel amaldiçoada – explicou Cosmo mudando o rumo da conversa. – Sinceramente, ainda não consegui entender o que tudo isso significa. Os sete desafios parecem coisas aleatórias e já está na hora de fazerem algum sentido. Afinal, já passamos por cinco deles.

– Então só nos resta seguir em frente. Do que se trata o próximo desafio? – quis saber Pedro sem delongas.

Um pedido de socorro ecoou pelas paredes frias de pedra, vindo de mais adiante de onde estavam, chamando a atenção deles imediatamente. O grande salão tinha muitas colunas. Os dois não perderam tempo, após o susto encerraram a conversa e correram na direção da voz, que parecia vir de uma jovem em apuros. Cosmo pensou que não podia se tratar de Caninana, pois Maria havia tomado a direção oposta.

Enquanto corriam, puderam discernir mais vozes femininas pedindo ajuda. Fizeram uma curva no vasto corredor de colunas de pedra, e um portão gigantesco de madeira surgiu diante de ambos. Cosmo constatou de antemão que nunca seriam capazes de abrir aquela porta, que tinha cerca de quatro metros de altura. Ao pé das portas, um grupo de jovens mulheres acenou para eles. Havia urgência em seus movimentos.

– Por favor, viajantes. Nos ajudem! – clamavam as vozes, com um toque de ansiedade beirando o desespero. – Uma de nós está lá dentro. Ela foi pega.

Pedro se aproximou do grupo de oito mulheres. Cosmo notou algo estranho. Não soube identificar do que se tratava. Assim que Pedro tomou distância do boto, já se aconchegando entre as moças, Cosmo percebeu um segundo caminho, quase escondido entre as fendas na rocha. Perguntou-se se aquela não seria a trilha correta e se as moças não eram parte de uma trama do Carbúnculo para atrasá-los. O boto estudou as mulheres antes de se aproximar. Eram provincianas no auge da juventude. Usavam roupas velhas, como trapos. Davam a impressão de serem prisioneiras naquele lugar. Algo, atrás daquelas portas, deve ter servido de cela para elas. E o que Cosmo entendia é que Pedro e ele tinham aparecido no momento exato de sua fuga. Mas uma delas ainda estava sob o poder da coisa que as mantinha cativas.

O boto alcançou o grupo de jovens. Um cheiro invadiu suas narinas humanas. Aquelas mulheres usavam algum tipo de perfume com uma forte fragrância. Respirou mais fundo. Não era um aroma ruim. Era muito bom, na verdade. E, ao mesmo tempo, enjoativo. Pensou ter fungado com pressa, por isso um leve torpor o dominou por alguns segundos. Cosmo balançou a cabeça e voltou ao normal. Resolveu dar atenção ao que Pedro e as moças conversavam.

– Atrás desta porta? – perguntou Malasartes.

– Sim – responderam todas as oito. Estavam ao redor de Malasartes e nenhuma delas dava atenção ao boto. O que foi muito esquisito. Era como se ele não estivesse ali.

Um novo pedido de socorro se fez. Vinha de trás das portas de madeira.

– Então vamos até lá. Vamos ver o que há por trás desse portão – disse Pedro.

Assim que o fez, as mulheres comemoraram sua decisão. Havia uma fresta no maciço portal. Pedro e as mulheres atravessaram-na um a um.

– Ei, Pedro, espere! – pediu Cosmo. Mas, ao fazê-lo, já estava quase sozinho. Apenas uma das estranhas mulheres ainda estava com ele do lado de fora. E, antes que passasse pelos portões de madeira e suas dobradiças de ferro, ela mediu o boto de maneira suspeita. Por fim, sorriu-lhe inocente e atravessou.

Cosmo tinha a sensação declarada de que aquilo tudo estava errado. Que era só mais uma armadilha do Carbúnculo. Pensou, inclusive, que Pedro aceitara com facilidade o pedido daquelas mulheres porque queria provar a Cosmo que tinha realmente mudado. Que era alguém melhor. Com uma atitude mais altruísta, mais dedicada aos outros, tanto quanto a vontade do próprio boto de se empenhar na Missão Carbúnculo para que os Ciprinos pudessem ter o seu conhecimento de volta.

O boto não viu alternativa exceto prosseguir. Esgueirou-se pela fresta e passou para o cômodo seguinte da caverna. Assim que saiu do lado de lá, Cosmo se viu diante de um abismo. O chão, nos dez metros à frente, não existia mais. Olhou a escuridão que se estendia pelo vão aberto na caverna e seus olhos não alcançaram o fim do lugar. Cair ali significaria uma eterna queda livre. Acima de suas cabeças também havia um precipício, só que às avessas. Não existia um teto que limitasse o espaço. Apenas escuridão.

– Pedro – chamou Cosmo preocupado. O amigo estava sendo arrastado pelo grupo de mulheres até os limites do vazio.

O aroma que o boto sentira do lado de fora parecia mais intenso e concentrado ali dentro. Mais uma vez um torpor tentou dominar o cérebro da criatura das águas. Mas Cosmo resistiu bravamente.

– Socorro! – clamou a voz feminina. – Alguém me tire daqui. Estou presa.

Cosmo tinha razão quanto ao cárcere daquelas mulheres. Uma das moças ainda era mantida cativa. Apertou os olhos e observou na direção do escuro à frente. Pôde enxergar outro portão, semelhante ao que haviam atravessado. Tinha proporções idênticas, era maciço e parecia ser a única saída para continuar o trajeto pela caverna. Cosmo reparou ainda que apenas do lado de lá, na outra extremidade para além do abismo, é que o chão voltava a existir. Antes disso, nada havia, somente o vazio. Não conseguia identificar de onde vinha o tal novo pedido de socorro. Só sabia que não vinha de nenhuma das oito moças.

Elas apontaram para algo no meio do caminho. No centro do abismo negro, uma única coluna, como um pilar arredondado, subia desde o fundo infinito do precipício até o nível da superfície onde estavam. Era como um pedaço isolado de chão. Uma grande vareta de pedra fincada no abismo entre os dois enormes portões, como uma ilhota solitária na metade do cenário. Nessa ilha, a silhueta de alguém acenava em tom urgente e para eles, da mesma forma que as oito mulheres que os encontraram logo após a morte de Honorato e a deserção de Caninana.

– Quem é aquela? A Zaori? – arriscou Cosmo, mas Pedro manteve-se quieto.

– Ei, viajantes! – disse a sombra de lá do topo da coluna, a sua cela sem paredes. – Podem me ajudar a sair daqui?

– Sim! Podemos, sim, claro! – respondeu Pedro de imediato, e as mulheres ao seu redor se animaram com a perspectiva.

Cosmo estranhou o comportamento de Malasartes. Não entendeu o que o amigo tramava, já que nenhum pedaço de corda seria suficiente para alcançar a moça e não dispunham de nenhuma corda ou algo parecido.

– Você quer ajudá-la a sair de lá? – quis saber uma das moças.

– Quero! – respondeu Pedro, não demonstrando dúvida alguma por trás de sua resposta.

Cosmo reparou que o semblante de Malasartes estava diferente do normal. Suas pálpebras pesavam sob o efeito de um sono denso. Um sono bem incomum para aquele momento.

– Pedro, o que vai fazer? – perguntou Cosmo ao notar que Malasartes tinha dado dois passos na direção do abismo. O boto tentou chegar até ele, mas o cerco das mulheres o impediu.

Algo de fato muito estranho acontecia ali. Quem eram aquelas mulheres? Eram prisioneiras do Carbúnculo?

– Não sei – respondeu Pedro com o olhar perdido. – Só sei que quero salvá-la. Preciso! – e deu mais um passo em direção ao abismo.

– Você vai cair, Pedro. Afaste-se daí! – advertiu o boto.

As mulheres não deixavam Cosmo avançar. O boto cor-de-rosa sentiu sua voz ressoar pastosa, como se, por breves instantes, perdesse o dom da fala. Algo invadia sua mente e mexia com sua razão. A vista chegou a turvar, mas, por fim, Cosmo venceu a batalha interna, retomando o foco. Seria aquela fragrância que o entorpecia? Estaria Pedro sob o efeito daquele perfume que pairava no ar?

A grande porta maciça às costas deles vergou suas dobradiças de ferro e fechou com um som alto, ressoando no abismo. Não havia mais fresta por onde passar. Apesar dos esforços de Honorato para encontrar uma saída logo após enfrentarem o Canhoto, ali estavam Cosmo e Pedro encarcerados novamente.

– Você aceita salvá-la? – perguntou uma das mulheres a Pedro.

Cosmo imaginou que as moças também ficariam zangadas por se tornarem prisioneiras minutos depois de conquistarem a liberdade. Já que os portões fechados encerraram todos naquele vasto recinto.

– Você aceita? – outra mulher repetiu a pergunta feita a Malasartes. Todas ansiavam pela resposta de Pedro.

A mente de Cosmo trabalhou o mais rápido que pôde. Alguma coisa impedia que ela funcionasse em sua velocidade usual. Que tipo de pergunta era aquela? Se Pedro aceitava salvar a moça? "Aceitar." Refletiu sobre aquela palavra. O boto já tinha escutado falar de magias antigas, aquelas do início dos tempos. Tais magias exigiam que a vítima desse a permissão para que a mandinga funcionasse. Era como uma autorização. Como um convite para deixar-se enfeitiçar. Deixar-se enfeitiçar?, pensou Cosmo. Aquelas moças desejavam receber a permissão de Pedro para que elas o enfeitiçassem?

– Pedro! – gritou Cosmo com tremendo esforço. – Não aceite!

Mas algo dera errado. A voz do boto não saiu. Cosmo apenas pensou ter gritado, mas experimentava uma tontura incômoda e a perda de algumas funções do corpo que Faunim lhe desenhara.

– Eu aceito! – concordou Malasartes com um sorriso abobado no rosto.

E, no instante seguinte, Pedro desapareceu. Cosmo olhou o entorno preocupado. Pensou que, por um momento, entre uma piscada e outra, Pedro tivesse caído no precipício. Apenas as oito mulheres ainda permaneciam à beira do abismo.

– Acalme-se! – pediu uma delas, pela primeira vez dirigindo a palavra a Cosmo. Até aquele ponto, era como se ele não existisse. A moça apontou para além do despenhadeiro, bem no centro da escuridão. – Ele está ali – afirmou.

O boto apertou os olhos outra vez na direção do breu. Reconheceu não uma, mas duas silhuetas movendo-se na ilha formada pela única coluna em pé naquela vastidão. A primeira silhueta era da mulher que acenara e implorara por socorro minutos antes. Já a segunda, Cosmo não teve dúvidas, era Malasartes. Pedro sumiu para reaparecer ao longe, junto da prisioneira.

-P-Pedro? – gaguejou Cosmo ressabiado. O eco reemitiu o chamado, como se zombasse de sua gagueira.

Assistiu a moça se aproximar do amigo a distância. De onde estava, não conseguia distinguir muito bem o que ocorria naquele lugar, mas podia jurar que Pedro e a sombra estavam quase se beijando. A mulher tocou o rosto de Malasartes e, logo após, o provinciano foi ao chão, inerte. Como se alguém apertasse o botão de desligar e ele desabasse.

Ao longe, a silhueta voltou-se diretamente para Cosmo. Ele sabia que ela o perscrutava, podia sentir. Havia algo mais. A mulher se culpava profundamente pelo que causara a Malasartes. Isso o preocupou um bocado. O que ela tinha feito? Uma das mulheres gargalhou ao lado de Cosmo. Foi uma risada sarcástica e séria, se é que é possível gargalhar de maneira séria. Mas foi assim que lhe pareceu. As outras moças passaram a dar risada também. Havia certa maldade por trás daquelas gargalhadas. O que elevou o nível de preocupação de Cosmo.

Uma a uma, as mulheres foram desaparecendo no ar. A solidez de suas peles, cabelos e roupas se perdia no nada. A sombra que fazia companhia ao moribundo Malasartes sumiu também. Elas se apagaram pouco a pouco, como ilusões. Meras projeções que nunca estiveram ali de verdade. Cosmo assistiu a tudo com o coração batendo depressa. Teve medo do que descobriria a seguir. Pedro estava morto? Como foi que Malasartes atravessara o abismo e alcançara a ilhota?

Com os portões fechados, Cosmo estava limitado àquele pequeno pedaço de chão que findava no desfiladeiro. Não tinha para onde ir. Estava sozinho, perdido no vazio. E havia aquele cheiro. Nenhuma das mulheres se fazia presente, ainda assim o boto notava que a fragrância se intensificava. Já causava enjoos e um revirar severo no estômago.

Um ponto de luz surgiu.

Do alto, um pequeno e tênue filete luminescente apareceu. Desceu com singeleza, como se flutuasse. Cosmo ficou encantado e alarmado. Não moveu um músculo. Aos poucos, conforme aquilo descia, ficava mais fácil de enxergar do que se tratava. Era uma pessoa. Ao menos tinha o formato de uma. Com braços, pernas e cabeça. Aquele ser praticamente planava, cada vez mais baixo. Usava vestes brancas que se balançavam suaves, feitas de algum tecido muito leve. Tão leve que o seu balançar parecia um tanto fantasmagórico. Como se estivesse embaixo d'água ou em outra dimensão, ou ainda em um planeta sem gravidade. Os movimentos de suas vestes eram vagarosos. Pareceu um anjo descendo dos céus, algum tipo de santidade. Pelos cálculos de Cosmo, quando ele alcançasse o chão, pousaria lá na ilhota, ao lado de Malasartes.

– Será verdade o que estou sentindo? – disse uma voz doce e curiosa, vinda da aparição. – O cheiro da imortalidade? Uma imortalidade ainda fresca, recém-instaurada. É isso mesmo?

E uma bomba estourou no cérebro de Cosmo. Era verdade! Sabia a que aquele ser se referia. O Canhoto tinha amaldiçoado Pedro. Disse que o tornaria imortal como punição por ele ter quebrado o ovo de galo contendo o corpo novinho em folha do Cramulhão. Até ali, além de não ter tido como parar um instante para pensar naquele fato, preferiu acreditar que, talvez, o Tinhoso tivesse apenas dito aquilo da boca para fora, somente para assustar, que tivesse usado uma de suas mentiras. Mas o comentário da figura vinda do céu fez com que o assunto da maldição se tornasse algo concreto. Pedro Malasartes tinha mesmo recebido uma punição severa do próprio Canhoto. A eternidade.

O ser pousou seus pés no solo. Estava descalço? Foi o que pareceu a Cosmo ao vê-lo de longe. E de onde vinha aquela luz que emanava no escuro do abismo?

– Ei, o que vai fazer? – quis saber Cosmo com sua voz comedida, que ecoava na imensidão. O ser xeretava, curioso, o corpo inerte de Malasartes, tocando-lhe de leve com a ponta dos pés.

– Não se preocupe! – respondeu o ser. – Já cumpri meu papel com vocês. Deixarei que passem adiante, sem problemas.

E o portão colossal de madeira, na extremidade da caverna, se escancarou vagaroso. Era a saída se anunciando do lado de lá.

– Só fiquei curioso com o cheiro que exala deste espécime – e apontou para Pedro. – Sabe? Eternidade é um perfume raro. Não se encontra fácil por aí. Apenas alguns de nós possuem essa fragrância. Eu me refiro aos Primeiros, ao furioso Makunaima, ao Canhoto, que é o Pai das Mentiras, ao João Pestana, que é o Senhor dos Sonhos, à Morte, que é aquela que encerra tudo, e a mim! – finalizou incluindo a si na lista. – Apenas nós dispomos da imortalidade. Ela foi proibida, sabe? Assim que nós, os Primeiros Seres, passamos a relatar os malefícios de experimentar incontáveis anos de vida, decidiu-se por bem parar de conceder a imortalidade a seres viventes.

Numa fungada profunda, puxou uma grande quantidade de ar para os pulmões.

– Portanto, é raríssimo um cheiro tão genuíno e fresco, como este, empestear as minhas narinas. Com certeza um de nós saiu da linha, desrespeitando a regra e amaldiçoando este pobre ser humano com a vida eterna. Suponho que tenha sido o Canhoto. O único de nós que ignoraria tal regra apenas para se divertir com o sofrimento alheio – arriscou o ser com a voz distorcida. Às vezes, soava como uma mulher. Outras vezes, como um homem. – Este ser humano deve ter feito algo realmente grave para irritar o Tinhoso a esse ponto.

– E você, quem é? – perguntou Cosmo.

O boto já tinha cruzado o caminho de dois daqueles seres que a aparição listara: Makunaima e Canhoto. Sentia-se abençoado pelo destino por ter seguido com vida após cada um desses encontros. E se aquele ser que estava diante do corpo de Pedro se incluía na lista que citava até mesmo a Morte, era melhor redobrar a atenção e estudar cada gesto, ou Cosmo não sairia ileso desta vez. Não sabia de quantas bênçãos o destino ainda dispunha.

– Ora, não se acanhe, aproxime-se! Acredite quando digo que não lhe farei mal algum. Conforme comentei antes, meu papel aqui está terminado! – com um gesto suave de seus braços, o abismo todo foi coberto por uma densa camada de nuvens. Como se, a partir do nada, um céu improvisado servisse de superfície para aquele precipício. Um carpete branco cobriu toda a distância que ia de um portão a outro. – Pode pisar nas nuvens. Você não vai cair. Isso eu lhe prometo! – sua voz ecoou imponente e doce. – Você está na presença de Rudá, o deus do amor.

Uma parte de Cosmo se preocupava apenas com o amigo caído no chão. Sentia uma agonia lhe corroer por dentro ao vê-lo estatelado daquela forma. Agora lhe ocorria que ele se importava, sim, com Malasartes. Apesar de não saber se mais adiante Pedro se tornaria um problema ou não, da parte dele, o boto o via como um amigo. Tinha certo carinho reservado para a recente amizade dos dois. A outra parte de Cosmo insistia para que ele tivesse extrema cautela com aquele que se considerava um deus. Afinal, esse era um título dado apenas para criaturas poderosas e antigas. Lendas e mitos que se perdiam nos tempos remotos. Mas que, para o boto, se tornaram realidade a partir do momento que embarcou na Missão Carbúnculo.

Cosmo arriscou.

Colocou um pé onde havia pouco existia um abismo e, agora, pisoteava algo sólido e macio. Não era nada inconsistente como uma nuvem, ao mesmo tempo que era, sim. Receava cair no vazio lá embaixo a qualquer instante. O boto recordou um velho ensinamento, algo que escutou na infância: "Depois do primeiro passo, o segundo é consequência!". De acordo com a mãe do boto, aquele era o lema em que seu pai acreditava. Ela vivia dizendo que essa era uma de suas maiores crenças. Que fora desse jeito que ele, um ser humano da Província, conquistara seu coração de criatura das águas, e ela então resolveu investir naquele relacionamento. Se não fosse por essa crença, o próprio Cosmo não existiria. Nunca teria nascido.

Olhou para o próprio pé. Já tinha dado o primeiro passo. Dar o segundo seria como honrar a memória de seus pais. Honrar o que ele mesmo era. Parte água e parte Província, por mais que, ultimamente, negasse essa segunda herança. Com o outro pé, deixou a segurança do chão de pedra e, literalmente, andou nas nuvens.

Cosmo caminhou com um passo atrás do outro, distanciando-se do portão pelo qual haviam adentrado com as oito mulheres. Receoso, observava de soslaio o tal Rudá. Uma aura divina pairava ao redor dele. A luz fraca que banhava o ambiente não vinha de outro lugar exceto do próprio Rudá. Suas vestes e sua pele emitiam certa luminescência. Conseguiu vê-lo mais de perto. Usava uma sobrepeliz branca tecida em algo mais leve que a seda. Por baixo, uma túnica da mesma cor e do mesmo material cobria-lhe do pescoço até os pulsos e os tornozelos. Eram roupas simplórias, sem adornos ou babados. Os pés estavam mesmo descalçados e afundavam nas nuvens ao lado de Pedro Malasartes.

– Deus do amor? – repetiu Cosmo, exigindo explicações antes de chegar mais perto. O cheiro adocicado tornou-se mais evidente. O boto cor-de-rosa se questionou a respeito. Não devia ser a mesma fragrância à qual Rudá se referia. Tinha certeza de que o cheiro que sentia emanava do próprio Rudá, e não de Malasartes.

– Sim. Sou a representação física de todo o sentimento de amor que há no mundo deles – e apontou novamente para Pedro. – Por conta desse detalhe, meus encantos não funcionaram com você. Assim como botos e Iaras, cujos encantamentos não afetam todo mundo, os meus poderes só funcionam com os seres humanos – explicou Rudá. – Por esse motivo você não foi completamente afetado. Não é um ser humano, estou certo? Ao menos, não por completo.

– Sou um boto cor-de-rosa – respondeu Cosmo de maneira direta.

– Ah! Mas há um cheiro diferente vindo de você. E não é apenas o aroma de uma criatura das águas. Há um pouco do perfume daqueles que vocês chamam de provincianos – afirmou o ser iluminado, analisando o ar à sua volta com um quê de detetive. – Ou meu olfato me engana?

– Meu pai era um deles. Um habitante da Província – revelou o boto cansado de se deparar com seres adivinhos.

– Mas é claro que era! – concordou Rudá. – Uma parte sua sentiu os efeitos da minha fragrância. Aquele cheiro os entorpece – ele colocou a mão sobre a testa de Malasartes e voltou-se para Cosmo. – Sua parte boto o fez resistir, não é mesmo? Lutou para manter-se no controle.

E Cosmo reviu em sua mente todas as vezes em que aquele cheiro o deixou zonzo e atordoado. Rudá tinha razão. Apesar de aquele corpo ser apenas um desenho feito pelo Pavão Misterioso, existia uma parte humana dentro dele.

– O que é o amor, não? – prosseguiu Rudá de maneira tão teatral quanto o Canhoto. – Quase consigo ver o seu pai em minha mente – Cosmo aprumou-se ao escutar Rudá falar de seu pai. – Ao menos, sei muito bem o que ele sentiu por sua mãe. Conforme anunciei, sou o deus do amor.

– O que um deus do amor faz? – quis saber Cosmo.

Rudá tirou a mão da testa de Pedro. O amigo não estava mais imóvel no chão. Tremia como se sentisse muito frio, mas ainda mantinha os olhos fechados.

– Eu injeto o amor nas pessoas – respondeu o deus sem se importar com os tremeliques de Malasartes. – Sou o símbolo de todo o amor que há na Província... O que foi? – perguntou Rudá ao dar de cara com o boto medindo-o de cima a baixo. – Me acha muito magro? Muito seco?

E ele, de fato, era. Cosmo se espantou com o rosto de Rudá, que era bastante chupado. Havia duas concavidades no lugar de suas bochechas, como alguém que não se alimenta por semanas a fio. Seus pulsos, quando descobertos pelas vestes, evidenciavam sua magreza. Sem contar que sua pele era quase tão branca quanto sua sobrepeliz. Rudá era pálido. Dava a impressão de estar doente. No entanto, riu-se do espanto de Cosmo.

– Você me vê assim porque sou assim neste momento. É como o amor deles se manifesta. Seco e doente – esclareceu Rudá. – Amam seus próprios interesses, amam coisas materiais, e não os seus semelhantes. Amam ideias e matam por elas! E a maioria dessas ideias é tão imbecil que você não acreditaria. Por isso sou tão raquítico – Rudá demonstrava sua insatisfação, mas, ao mesmo tempo, estava conformado com o que dizia. – Apesar disso, eu me amo como sou. Afinal, sou o deus do amor. Não poderia ser diferente – e Cosmo assentiu calado. Se aquele ser era mesmo um representante do amor, não imaginou atitude diferente senão amar a si próprio. – Foi por esse motivo também que o Carbúnculo conseguiu me convocar para a metáfora que vem construindo aqui nesta caverna. Represento o sexto dos sete desafios que ele propôs a vocês.

Então Cosmo apurou os ouvidos. Não queria perder nenhum detalhe relacionado ao Carbúnculo e suas sete provações. Rudá tinha chamado de "metáfora" tudo o que acontecia naquela caverna.

– Ele precisava da presença do amor nesta etapa do processo e eu fui o único a responder ao seu chamado – prosseguiu Rudá. – Ele me encontrou facilmente. Estou espalhado por todos os cantos do mundo dos humanos. Os outros tipos de amor são mais tímidos e mais difíceis de achar.

Enquanto os cachos dourados de Rudá balançavam-se sobre sua testa, Cosmo reparou em quão jovem era aquele ser. Aparentava ser apenas um adolescente, com seus 16 ou 17 anos.

– Não se engane com a minha juventude, criatura das águas – advertiu Rudá. – Apesar da aparência, sou muito antigo. Já tive inclusive vários nomes e representações físicas. Já fui um delicado e infantil cupido, com asinhas e aréola, já fui índio guerreiro, de arco e aljava recheada de flechas. Sou uma criatura transmorfa – comentou. – Possuo a habilidade de me transformar e me adaptar de acordo com a hora e o lugar em que me encontro.

E Cosmo reparou que ainda não sabia definir se conversava com um homem ou com uma mulher. Em Rudá, o masculino e o feminino se completavam. Era curvilíneo e reto, desde o formato de seu rosto ao jeito de gesticular com as mãos.

– Sempre estive por aí flechando corações. Injetando paixão e saudade numa combinação exata para dar origem ao amor – Cosmo arqueou as sobrancelhas. Admirou a enormidade dos poderes daquele ser. – Já são séculos e séculos nesse ofício. Ainda assim, sou jovem. Isso significa que o amor deles – apontou para Malasartes pela terceira vez – ainda tem muito o que viver. Uma longa jornada de descobertas através do tempo. Vou me moldando ao que precisarem, e minha mutação só tende a continuar. E o amor, assim como os sonhos, criam a esperança. Espero me tornar saudável novamente – desejou Rudá.

Pedro acordou num salto que fez Cosmo soltar um grito de susto.

– Lívia! – chamou ele com os olhos vidrados. – Eu amo você, Lívia. Vou te encontrar. Não importa onde. Eu vou te... – e caiu novamente em um sono em que tremia de frio.

– O que foi isso? – perguntou Cosmo confuso. – O que você fez com ele?

Rudá sorriu antes de prosseguir, criando muitos vincos em suas bochechas devido à sua magreza.

– Esse foi o papel que desempenhei aqui. Agora finalmente estou livre para partir – comentou ele de maneira serena. – Voltarei aos céus, a meu palácio de nuvens, que é onde eu moro. Estive aprisionado em razão de um acordo ardiloso proposto pelo Carbúnculo. A contrapartida? Eu teria minha liberdade apenas se fizesse um favor para o lagarto com a pedra preciosa na testa.

– E que favor foi esse?

Os olhos de Rudá se dispersaram. Ficaram distantes, como se o deus do amor refletisse sobre algo.

– Eu deveria injetar o amor no primeiro humano que cruzasse meu caminho – e seu sorriso se tornou amarelo. Quase mentiroso. – Só isso! O Teiniaguá pediu apenas que eu cumprisse o meu ofício. Nada além do que costumo fazer desde o início dos tempos.

– Você fez com que Pedro se apaixonasse? Por quem? – questionou Cosmo, intrigado com o que Rudá escondia por trás daquele sorriso amarelo. – Por aquelas mulheres que estavam aqui agora há pouco? Elas eram apenas ilusões, não eram? Não fez com que ele se apaixonasse por uma ilusão, não é mesmo?

– Meu querido, muitas vezes os humanos caem na besteira de amar uma ilusão – explicou Rudá com calculada suavidade. – Mas não. Não foi bem por uma ilusão que liguei o coração deste espécime.

– Por quem, então? – insistiu Cosmo.

– Aquela moça que apareceu aqui no meio, separada das outras. A que pediu ajuda para se livrar de seu cativeiro sem paredes – Cosmo ouvia atento as explicações de Rudá. – Ela é a tal Lívia por quem o provinciano acabou de chamar. Ela não é uma ilusão como as outras. Muito pelo contrário. É real e verdadeira. E agora o peito dele bate por ela – Rudá parou por breves segundos para admirar o seu trabalho. Observou satisfeito o corpo imóvel de Malasartes. – Depois que tudo isto aqui passar, estas provações com que estão lidando, ele correrá os quatro cantos do mundo para encontrar Lívia. O amor que sente por ela vai obrigá-lo a isso. Esse espécime vai fazer de tudo para matar a saudade que, a partir de hoje, mora em seu peito. Uma saudade de algo que ainda não viveu – o próprio Rudá trazia esse sentimento no olhar.

– Isso não me parece tão ruim – concluiu Cosmo depois de ponderar tudo o que escutara de Rudá.

– E não é! – concordou o deus, animado, fazendo a batina esvoaçar vagarosa. – Mas o Carbúnculo me pediu algo mais, que é a chave para abrir aquele portão – então apontou para as enormes portas de madeira. Cosmo voltou a se alarmar com Rudá. Algo ainda seria revelado. – Veja bem! Tudo o que existe tem dois lados. Com o amor não é diferente. Sou o representante de um amor distorcido e pálido. Um amor pobre e, muitas vezes, falso. É óbvio que minhas flechadas oferecem esse tipo de amor para quem for atingido por elas.

– Então o que foi que você fez a Pedro? A que tipo de amor você o condenou? – indagou Cosmo impaciente.

– A humana por quem esse espécime se apaixonou, a tal Lívia, que você viu em pé aqui ao lado dele.

– Sim. O que tem ela? – questionou o boto.

– Ela ainda não nasceu – anunciou Rudá. Seu semblante tornou-se amargurado. – Ela ainda não existe.

– Então como é que...?

– O amor não obedece a tempo e espaço. Ele atravessa tudo e dura quanto precisar durar – emendou Rudá. – A mulher que apareceu aqui ainda não existe, mas existirá em algum momento da história – Cosmo cerrou os punhos. Começava a entender o tipo de sofrimento que o ato de Rudá causaria a Pedro. – Este espécime se apaixonou por uma projeção do futuro. O que significa que correrá pelos quatro cantos de um mundo onde ela, Lívia, ainda não está presente. Ele vai gastar a vida inteira perseguindo seu grande amor e vai morrer antes de encontrá-la.

– Como você foi capaz de...?

– Isso é o que deveria acontecer – Rudá passou por cima das palavras de Cosmo mais uma vez. – Foi esse o motivo que me fez descer até aqui e sentir o cheiro da fresca imortalidade que exala deste ser humano.

– O nome dele é Pedro! – disse Cosmo exigindo ao menos o respeito de Rudá em relação ao amigo. O boto fitou Malasartes caído no chão e pensou no quanto aquele provinciano carregaria nas costas assim que saísse da caverna. Eram danos eternos.

– O que presenciamos aqui é tão irônico quanto tudo o que acontece dentro desta caverna! – prosseguiu Rudá. – Este ser humano, quero dizer, Pedro – corrigiu-se a contragosto –, é abençoado com a sorte e amaldiçoado com o azar – e Cosmo se mostrou confuso. – Veja só! Ele recebeu a imortalidade! A vida, para ele, passará muito mais devagar. É como se as regras do próprio tempo deixassem de agir sobre ele para sempre. Isso significa que, apesar de Lívia ainda não existir, Pedro viverá para conhecê-la. A busca pelo amor de sua vida pode durar cem ou mil anos. E o fato de ser um imortal lhe dá a certeza de que vai encontrá-la – Rudá voltou a sorrir. Parecia gostar daquela perspectiva. De alguma forma, o deus do amor torcia pelo casal. – E, até onde sei, ela será a mãe de um menino saudável chamado Pedro Malasartes Junior.

Essa revelação trouxe à tona na mente de Cosmo a conversa que ele e Pedro haviam tido sobre seus sonhos e anseios enquanto aguardavam os gêmeos voltarem de uma caçada. Naquela conversa, Pedro confessou uma vontade. Queria ter um filho que levasse o seu nome. Segundo Rudá, Malasartes alcançaria seu objetivo graças à maldição da imortalidade imposta pelo Canhoto.

– Mas eles não serão completamente felizes – continuou Rudá com uma expressão sombria. – Como eu disse, a flecha que desfiro leva o tipo de amor que eu represento. Eles nunca vão se sentir completos. Ela não vai amá-lo de verdade, e ele nunca será correspondido à altura do que dará a ela – uma tristeza repentina invadiu o coração do boto. – Ainda assim, nesse período, pode-se dizer que Pedro será feliz. Ao menos viverão o tipo de felicidade que essa forma de amor proporciona. Uma felicidade que não é plena, mas que leva esse nome, "felicidade", por não ter outro nome que lhe caiba melhor – Rudá gesticulava com delicadeza para ilustrar seus dizeres. – Depois disso, a eternidade que o humano Pedro recebeu se encarregará de machucá-lo. Provavelmente, assistirá Lívia envelhecer e morrer. E, por muitos anos, ainda estará por aqui, amando Lívia e sofrendo sua perda pelo tempo que durar a imortalidade que lhe cabe.

— Como podemos reverter isso? — quis saber o boto.

— O amor? — indagou Rudá. — Não há como reverter. Uma vez que um coração conheceu esse sentimento, ele o carregará para o resto de seus dias. Não há força no mundo que seja capaz de reverter isso. Já a imortalidade, tenho lá minhas dúvidas — divagou.

— Que tipo de deus é você? — esbravejou o boto. Havia raiva em seus olhos. Sentia-se pesaroso pelo amigo. Imaginou a trajetória de Pedro em uma vida eterna na busca por alguém que ainda não existe e sentiu sua dor. Uma dor profunda. — Sobre o amor que você representa, me recuso a acreditar que só exista esse tipo de sentimento lá na Província — Cosmo bateu no peito. — Eu mesmo sou fruto do amor entre um provinciano e uma fêmea dos botos cor-de-rosa.

— Sou um deus! Portanto, sou onipresente. Estou em todos os lugares — Rudá manteve a tranquilidade em seus gestos e movimentos. Não se abalou com as reações de Cosmo nem por aquilo que tinha infligido a Malasartes. — Existem parcelas de mim em diferentes versões. Mais fortes, mais doces, mais saudáveis, mais robustas, mas essas partes são mais distintas e difíceis de encontrar — e Rudá abriu seus braços finos. — Infelizmente, nesta versão que você vê agora estou, de fato, mais disponível.

Cosmo ficou sem reação. Se o que Rudá dizia era verdade, parte daquilo tudo era por conta dos provincianos. Afinal, aquele deus era apenas uma representação do amor exercido na Província. Um reflexo de como os seres humanos costumavam amar. O boto sabia que nem todos se enquadravam naquela forma doentia de amar. Sentia que seu pai tinha amado sua mãe de verdade. Sentia também o amor e o carinho que Faunim tinha por ele e por Humbertolomeu.

Ainda assim, o boto tinha consciência de que a maioria dos habitantes da Província se encaixava no tipo de amor que aquela versão de Rudá proporcionava. Essa era uma das maiores queixas do próprio Humbertolomeu. Ele sempre dizia que os humanos haviam mudado ao longo do tempo. Passaram a se enxergar diferentes de todo o entorno. Se cobriram de um tipo de cobiça e soberba e se cegaram perante as leis da natureza. As leis mais básicas e vitais que existem. Por conta dessa atitude, os botos originais que tinham recebido a bênção de se tornarem humanos para trocar conhecimentos com os provincianos sofriam todas as vezes que eram obrigados a retornar à Província. Não existia mais ligação entre eles. Os botos que integravam a Confraria dos botos originais adentraram a caverna em busca de uma forma de desfazer a tal bênção. Não queriam mais ter de visitar a Província. Queriam ser apenas botos e não mais precisar se transformar em humanos.

O peito de Cosmo doeu ainda mais ao lembrar que, de todos aqueles botos, apenas alguns haviam conseguido escapar com vida da caverna. Entre eles, Humbertolomeu.

Cosmo sempre admirou os botos originais e desejou ser como eles. Agora entendia suas reivindicações. Entendia também o que Rudá dizia. Que tudo tem dois lados e que, com o amor, isso não é diferente.

– Se vai nos deixar ir, como faço para trazer Pedro Malasartes de volta? – Cosmo perguntou com a voz embargada, entre uma fungada e outra. Percebeu que uma lágrima tinha rolado pelo seu rosto.

Rudá bateu palmas duas vezes.

PLÁ-PLÁ.

– Levante-se já daí, Pedro! – ordenou o deus. – Chega de drama, vamos! Em pé. Está na hora de encarar a realidade, ser humano.

Pedro, magicamente, abriu os olhos, levantou-se do chão e aprumou-se, enquanto Cosmo enxugava o rosto.

– A fragrância que exalo, que vocês sentem impregnar este recinto, é o aroma do amor. Este é o cheiro que o amor de hoje em dia tem – explicou Rudá. – As donzelas cativas que os convidaram a adentrar este recinto foram a minha flecha. Essa é a minha metáfora dentro do que o Carbúnculo arquitetou nesta caverna – prosseguiu Rudá, fazendo sua túnica balançar. – Esse foi o meu papel. Quando Pedro aceitou o convite das mulheres, permitiu que o amor que ofereço infectasse o seu coração. Um tipo de sofrimento bem conhecido entre aqueles que vivenciam amores dessa espécie.

– Você não sabe o que diz! – disse Malasartes, ainda atordoado, com o indicador em riste. A outra mão, ele levou ao peito, como se algo ali dentro doesse. – Eu vou encontrá-la onde ela estiver. Lívia e eu seremos felizes.

Rudá apenas sorriu sarcástico, piscou para Cosmo e seguiu na direção dos portões abertos, dando-lhes as costas e abrindo caminho por entre as nuvens que cobriam o abismo.

– Amem-se mais! Amem melhor! Amem de verdade – disse Rudá em um tom de voz potente, fazendo ecoar seus últimos desejos pelas paredes.

As vestes brancas esvoaçaram às costas do deus do amor, carregando a fragrância adocicada e enjoativa consigo.

– Você está bem? Consegue andar? – perguntou Cosmo a Pedro.

Diante da porta pela qual haviam entrado, o chão de nuvens começou a evaporar, como se uma brisa soprasse todo o céu provisório que havia ali. Não podiam mais voltar por aquele caminho. Havia apenas o enorme portão adiante, por onde Rudá tinha acabado de passar.

Pedro não conseguiu responder se era capaz de correr, mas Cosmo o empurrou na direção da saída e o obrigou a correr cada vez mais depressa. O gradual desaparecimento das nuvens revelava toda a extensão do precipício, portanto precisavam alcançar o outro lado ou o chão sumiria sob os seus pés, derrubando-os no vazio.

Por sorte, conseguiram.

Enquanto buscavam recuperar o fôlego depois da corrida, Cosmo observou o amigo com pesar. Pedro Malasartes agora carregava duas maldições: o amor e a imortalidade. E eles ainda nem tinham chegado ao fim da missão.

– O convite das donzelas cativas – disse Cosmo.

– O quê? – perguntou Malasartes entre um resfolegar e outro.

– Antes de aquelas mulheres aparecerem em nosso caminho, você havia me perguntado qual seria a próxima das sete provações – explicou o boto, estampando no rosto o mesmo sorriso amarelo de Rudá para esconder a compaixão que sentia em relação a Pedro. – O sonho arauto falava sobre um convite de donzelas cativas. Foi isso o que acabamos de enfrentar. A consequência por termos aceitado o convite.

Capítulo 20
Pés de Louça

Eis a última das provações.
Aquela que precede o Carbúnculo.

Cosmo e Pedro desciam escadas e mais escadas. Perdiam a noção de quanto haviam se aprofundado nas entranhas da terra. O boto pensava calado em quão próximo estava do Carbúnculo e o que faria quando ficasse frente a frente com a criatura. Começou a questionar se estava mesmo preparado para esse confronto. Mas era tarde demais. Sua fé no destino precisava ser inabalável ou não sairia dali com vida e os Ciprinos nunca receberiam o conhecimento retido na pedra do Teiniaguá, que revelaria a verdade sobre quem aqueles seres das águas realmente eram.

Nos degraus de uma longa escadaria, algo estilhaçou sob as solas de Cosmo e de Pedro, como se caminhassem sobre cacos de vidro. Notaram vários fragmentos espalhados pelo chão. Parecia que um vaso de porcelana havia se espatifado ali. Cosmo percebeu que muitos montinhos de estilhaços como aqueles dispersavam-se pelos degraus, escada abaixo.

Deixou de pensar no que faria quando encontrasse o Carbúnculo e passou a prestar atenção no caminho que então percorriam. Não adiantaria se preocupar com o futuro se não sobrevivesse àquele último desafio. E aqueles cacos e estilhaços estavam relacionados à sétima provação. Cosmo sabia disso. Nada naquela caverna era aleatório. O destino estava agindo a favor do grande lagarto Teiniaguá. O imperador dos Ciprinos, com sua pedra incrustada na testa, foi detalhista ao arquitetar os sete desafios. De uma forma ou de outra, o Carbúnculo havia conseguido usar o destino a seu favor. E isso assustava Cosmo.

Depois de refletir mais sobre o destino e em como ele funciona, algo mudou na cabeça do boto com relação a Pedro Malasartes. Sua confiança ficou abalada. Minutos antes de adentrar a reunião que definiria tudo, lá na Bolha das Discussões e Decisões, o boto teve um pressentimento de que deveria incluir Pedro naquilo tudo. Alguma coisa em seu íntimo dizia que era a vontade do destino e que só estava atendendo a essa vontade. Cosmo repensou sobre isso e decidiu não mais responsabilizar o destino como Maria Caninana havia feito. Honorato acabou pagando com a própria vida para que a irmã enxergasse a verdade de que não havia a maldição de uma personalidade ruim. Era apenas uma grande mentira que Maria contava para si mesma. A tal personalidade fazia parte dela. Cosmo não podia deixar que a morte de Honorato fosse em vão. Assimilou a última lição deixada pelo irmão gêmeo de Maria e a adequou à sua realidade. Apesar de tudo, o provinciano era o único aliado de que Cosmo dispunha na Missão Carbúnculo e, no fim das contas, o boto teve de admitir que ele era o verdadeiro culpado por incluir Pedro na empreitada. Isso significava que as maldições que Malasartes agora carregava nas costas eram, em parte, culpa de Cosmo.

Os dois continuaram a descida pelas escadarias intermináveis. Estavam numa parte formada por degraus irregulares, malfeitos e difíceis de pisar, com pedras pontiagudas em diversos trechos, atrapalhando e machucando os pés. Fachos de luz penetravam por fissuras profundas no teto. Aquela luminosidade era do dia? Seria possível que aquelas fendas na pedra alcançassem a superfície e permitissem que os raios de sol tocassem aquelas escadas?, perguntava-se Cosmo.

– O cerco dos anões, você disse? – indagou Malasartes buscando a confirmação de seu parceiro de jornada.

– Eu não, o sonho arauto – corrigiu Cosmo.

– Há a possibilidade de esse sonho arauto estar errado? Quero dizer, a não ser que sejam anões cozinheiros, certo? – Cosmo olhou para Pedro sem conseguir acreditar que ele tinha arriscado um palpite bizarro como aquele. Mas Malasartes prosseguiu, como se quisesse se explicar melhor: – Cozinheiros que resolveram fazer uma revolução na cozinha quebrando todos os pratos. Afinal, só vejo cacos amontoados por toda a parte – justificou ele.

– Uma cozinha... numa escadaria? – perguntou Cosmo de má vontade, enquanto passavam por mais alguns montículos de estilhaços.

Um daqueles montículos chamou a atenção do boto, que parou em um dos degraus para analisá-lo. Pedro fez o mesmo. Perceberam alguns cacos que ainda mantinham parte de sua forma original, antes de terem sido quebrados.

E não eram vasos, jarros ou pratos de cozinha. Eram pés!

Os pedaços apresentavam dedos e articulações de pés humanos, como se fossem destroços de uma estátua humanoide de porcelana. Pedro achou porções daqueles fragmentos em outros montes. Das peças que conseguiram identificar, depararam-se apenas com formas de pés. Nada mais. Não acharam mãos, braços, troncos, cabeças ou outras coisas. Apenas pés.

– Eu tenho um palpite um pouco melhor do que o seu, a respeito do que isso tudo pode ser – afirmou Cosmo. – E não tem nenhuma ligação com uma revolução feita por anões cozinheiros – alfinetou o boto, sem a intenção de provocar Pedro. Ainda lidava com o sentimento de culpa por todo o mal que recaíra sobre os ombros de Malasartes. Ao mesmo tempo que tentava salvar os Ciprinos das garras do Carbúnculo, acabou condenando o provinciano Pedro. Cosmo enfrentava um mau humor temporário por conta disso. – Sei de uma lenda antiga da Província...

– Como sabe tanto da Província? – interrompeu Pedro. – Sabe mais do que eu, que sou provinciano.

E Cosmo teve de dar razão à observação de Pedro.

– Bom, é uma lenda que se conta no mundo subaquático também – declarou o boto.

– Ah, deixa pra lá! – disse Malasartes. – O que diz a lenda?

– É sobre os homens dos pés de louça!

– Homens dos pés de louça? – indagou Pedro cruzando os braços. – Nunca ouvi falar.

– Pois bem, a lenda é bem antiga mesmo. Já se perdeu no tempo. Quase ninguém mais a conta – comentou Cosmo. – A maioria dos registros desapareceu, tanto nas águas quanto na terra.

Pedro deu uma olhadela nas escadarias acima e abaixo. O boto entendeu que o amigo se certificava de que era seguro prestar atenção à história que Cosmo estava prestes a contar. Pareciam mesmo sozinhos com os montículos de cacos que um dia tinham sido estatuetas em formato de pé.

– Um navio naufragou não muito longe de uma costa – iniciou Cosmo. – Afundou depressa. Quase ninguém sobreviveu à tempestade que selou o destino daquela embarcação, a não ser por aqueles que ficaram presos na cozinha.

– Eu disse que tinha uma cozinha no meio da história – comentou Pedro.

Cosmo deu-lhe razão mais uma vez.

– De todos os ambientes daquele barco, a cozinha foi o único lugar que o mar não conseguiu invadir. Com a pressão da água, os sobreviventes não puderam abrir as portas. E, para a sorte deles, a água também não foi capaz de entrar naquele espaço fechado. O navio desceu para as profundezas até atingir o fundo – prosseguiu o boto. – Os poucos marinheiros restantes naquela embarcação ficaram aprisionados na cozinha, esperando por um resgate que nunca veio.

– E o que houve depois disso? – quis saber Malasartes.

– Com o tempo, a comida acabou, assim como o ar. Os marinheiros não saíram vivos de lá – contou Cosmo pesaroso. – Mas nas praias mais próximas ao naufrágio, relatos de provincianos assustados citavam assombrações que surgiam durante as madrugadas – Cosmo observou Pedro se remexer todo com um arrepio que percorreu sua espinha. – Muitos diziam ter visto fantasmas de marinheiros caminhando pela orla da praia. A recomendação da maioria das pessoas era correr para bem longe deles – Cosmo e Pedro tiveram a impressão de escutar algo ecoar pelas paredes. Ficaram calados por um tempo para ouvir com atenção. Alguns segundos de silêncio e o boto voltou a falar. – Diziam que os pés das aparições não eram feitos do mesmo material transparente e não físico de uma alma penada, mas sim de louça. A louça da cozinha do navio.

– Certo – comentou Malasartes confuso e com as sobrancelhas arqueadas. – E o que isso quer dizer exatamente?

Antes de responder, Cosmo lembrou-se de seus primos golfinhos. Apesar de terem arquitetado juntos toda a Missão Carbúnculo, apenas Cosmo conseguiu seguir adiante.

– Bom – recomeçou Cosmo –, o que um dos meus primos que mora no mar costumava contar é que os marinheiros, em seus últimos momentos, fizeram contato com alguma criatura poderosa do mundo das águas. O ser que passava por ali tinha ido ver do que se tratava aquele navio nas profundezas de seu reino e deparou-se com os sobreviventes presos na cozinha – contou Cosmo. – Os marinheiros imploraram por ajuda e a criatura atendeu o pedido. Ao que parece, não do jeito que eles queriam. Ela fez algum tipo de magia para evitar que seus espíritos fossem para o Além. Então os marinheiros não puderam partir.

– Além? Como assim?

– Há três mundos que coexistem – explicou Cosmo. – O mundo terra, que é onde você e todos os provincianos vivem; o mundo água, que é onde eu e todo o meu povo habita; e o Além, que é para onde vão todas as coisas que morrem, tanto na água quanto na terra, entendeu? – Pedro assentiu, atento à explicação de Cosmo. – A tal feitiçaria, de acordo com o que meu primo contava, consistia em aprisionar as almas dos marinheiros nesse mundo em que estamos – apontou para os tortuosos degraus de terra. – Para isso, a criatura prendeu suas bases, que são os pés, em coisas físicas, materiais, sólidas. Provavelmente a criatura se utilizou do que dispunha naquele momento.

– A louça da cozinha? – arriscou Pedro.

– Exato! Enquanto as bases não fossem quebradas, os espíritos daqueles marinheiros não poderiam partir para o descanso eterno – concluiu Cosmo.

– Minha nossa! – exclamou Pedro observando o entorno em busca de algum fantasma com aparência de marinheiro.

– Ninguém sabe dizer qual foi a criatura que fez o feitiço, mas, depois disso, a magia utilizada passou a ser replicada por aí – relatou Cosmo.

– Acha que foi isso o que aconteceu aqui? Marinheiros fantasmas com pés feitos de louça estiveram nesses degraus? – indagou Pedro agitado. – E quem foi que quebrou os pés deles? A Zaori, talvez? Por isso não tem mais nenhum marinheiro aqui?

Cosmo deu de ombros. A Moura estava sempre um passo à frente deles naquela caverna.

– Oia só! E num é que o peixe-boto sabe das coisa? – uma voz rouca e forte veio de alguns degraus abaixo de onde estavam. – O hôme da cidade também.

O que pensaram ser apenas a sombra de um amontoado de cacos se remexeu encostado em uma das paredes.

– Cês tão falando coisa certa. Só que nunca teve marinhero nessas escada – tornou a voz. Parecia ter dificuldade em falar. – Só eu e minha tribo. Mas agora só sobrou eu. Bicho ruim esse Carbrunco!

– Quem é você? – indagou Malasartes.

– Nóis num é marinhero, mas nóis é fantasma – revelou a voz. – Nóis é Caipora! E Caipora só faiz caiporice!

Pedro e Cosmo se entreolharam temerosos. Desceram dois degraus para enxergar melhor a criatura que conversava com eles, mas não foi necessário. O fantasma se colocou em pé. Tinha menos da metade do tamanho de um provinciano adulto como Pedro. Não alcançava nem a sua cintura. Era um anão peludo que os olhava de uma parte escura da escada. Um luzir azulado e fraco emanava de sua pele. Os membros do pequeno ser eram curtos e fortes. O sujeito era todo atarracado. A única parte dele que não luzia eram os pés. Ele cambaleou como se estivesse ferido e caminhou para uma parte iluminada da escada.

Cosmo estranhou os pés do anão. Eram ao contrário, como se alguém tivesse retorcido seus tornozelos, deixando os calcanhares apontados para a frente e os dedos voltados para trás.

– E ocês? – perguntou a assombração. – Têm alguma prenda pra me dá ou cês qué levá caiporice mêmo?

– Você é um Caipora? – indagou Cosmo. – Um espírito da natureza?

– Você conhece essa criatura? – sussurrou-lhe Pedro.

Cosmo se lembrou da noite em que conheceu Honorato e Maria. Na ocasião, os gêmeos haviam comentado algo sobre precisar deixar um presente para os espíritos da natureza em troca da caça que abateriam, para que Pedro e ele se alimentassem. Já tinha ouvido falar sobre os Caiporas. Esperava que Pedro também se recordasse do cateto que encheu suas barrigas vazias naquela noite. Não poderiam tê-lo feito se os gêmeos não tivessem oferecido uma prenda aos protetores das caças.

— Sô, sim. O Carbrunco prendeu nóis tudo com esses pé de loiça. Nóis só pode voltá pras mata se quebrá nossos pé. Pra isso, nóis tem que rogá caiporice pra cima de quem passá por essas escada.

— O que é caiporice mesmo? — quis saber Pedro.

— É mal agouro — sussurrou Cosmo tentando ajudar Pedro a compreender. — Nas matas, os Caiporas evitam o mal rogando azar para cima de caçadores e lenhadores. Dizem que seus pés invocam o revés. A má sorte. E é tudo o que a gente não precisa neste momento.

— Concordo — comentou Pedro.

— E então? Como é que vai sê? Tem prenda pra Caipora? — perguntou a criatura com impaciência.

Cosmo temeu a pergunta e o tão costumeiro procedimento dos Caiporas. Caso não lhe dessem algo, a maldição da má sorte recairia sobre ambos. Colocou a mão no bolso. Sentiu ali o "pincel de um desenho só". Era para isso que ele serviria? Desde que Faunim o presenteara com o objeto até aquele momento, o destino havia orquestrado tudo para que Cosmo entregasse o pincel mágico ao Caipora e evitasse o mal agouro? Algo naquela lógica lhe soou bastante injusto. Talvez se Maria e Honorato ainda estivessem por ali, saberiam como se safar dessa provação com facilidade. Moravam nas matas. Lidar com Caiporas devia ser uma de suas especialidades.

— Se me permite a pergunta, Caipora — começou Pedro tentando ganhar tempo —, o que houve por aqui?

O anão deitou a cabeça para o lado, medindo Malasartes por inteiro. Pelos embolados e em tons avermelhados cobriam todo o seu rosto, dificultando vislumbrar as feições que esboçava. Cosmo afastou a mão do próprio bolso. Ainda havia a chance de manter o "pincel de um desenho só" em segurança por mais algum tempo.

— Nóis feiz caiporice, ué! — retrucou o Caipora.

— Então alguém passou por aqui antes de nós, certo? — indagou Malasartes se utilizando do mesmo argumento que tentara diante de Makunaima. Cosmo ficou aliviado ao ser salvo pelo talento que o provinciano tinha de enrolar seus adversários.

— Passô! — confirmou o espírito da natureza. — Mas a muié ficô azarada. Hi, hi... — riu-se o Caipora de maneira inocente. — Ela ficô tão braba com os malôgro que jogâmo nela, que quebrô os pé de loiça de todos os ôtro Caipora.

Cosmo então compreendeu de onde tinham vindo os cacos espalhados por toda a extensão das escadas.

– Mas, então, por que você continua aqui? – indagou Pedro. – Quero dizer, os seus pés ainda estão intactos, não?

E o Caipora ficou sério, ou pareceu ficar, debaixo de seus pelos. Exibiu, para eles, um de seus pés. Puderam notar as profundas rachaduras que havia neles.

– Ah, não é por falta de querê ir embora não. O Queixada tá só esperâno os meus pé quebrá pra me levá de volta pras mata.

O boto não entendeu muito bem o que o anão queria dizer com "Queixada". Até onde tinha conhecimento, Queixada era o nome de um tipo de porco muito feroz, que anda em bandos e estala seus dentes para intimidar os adversários.

– A muié até quis quebra meus pé, mas desistiu no meio do caminho. Disse que não quebrô pra eu fazê caiporice com ocês.

E tudo fez sentido para Cosmo. Era mesmo a Zaori quem tinha passado por ali havia pouco. Deixou apenas um dos anões para que fossem amaldiçoados com o azar que a criatura emanava. Aquela era definitivamente a sétima das provações e, uma vez mais, a Moura Torta era parte importante para que o desafio do Carbúnculo se concretizasse.

– E então, vâmo logo com isso? Si ocês num tem prenda pra eu, ocês vai sê azarado também – cercou-os o Caipora.

– Não, não. Espera! – disse Cosmo puxando Malasartes para trás de si. – Nós temos uma prenda sim. Eu tenho uma prenda.

Cosmo não poderia permitir que uma terceira maldição recaísse em Pedro. Não aguentaria mais essa culpa pesando em sua consciência. Tampouco gostaria que a má sorte os assolasse às vésperas do encontro com o Carbúnculo, o epicentro daquela missão. Por isso, pensou em usar o pincel que tinha no bolso. Ele o ofereceria à criatura em troca da passagem livre pela última das provações.

Só não o fez porque Pedro o interrompeu.

– Está aqui, Caipora! – disse Malasartes com uma das mãos estendidas. – A sua prenda está aqui. Isso vai fazer com que a gente passe sem má sorte alguma, estou certo? – Pedro buscou se certificar antes de entregar a oferenda.

Sobre a palma de Malasartes, Cosmo viu a pérola negra que o provinciano havia guardado como lembrança da Festa no Céu. A que parecia um ovo de galo.

O boto soltou o pincel no bolso novamente.

O anão peludo subiu alguns degraus com os calcanhares à frente. A louça de seus pés tilintou no solo irregular. As rachaduras causadas pela Zaori o faziam caminhar com o passo manco. Coxeou a cada degrau que subiu.

– Aceita este presente? – perguntou Malasartes. – É o suficiente para você deixar a gente atravessar?

O Caipora demorou em dar uma resposta. Isso fez os batimentos cardíacos de Cosmo se acelerarem.

– Essa prenda tá boa! – respondeu, por fim, o anão peludo.

Assistiram à criatura se aproximar deles. Mancou de maneira dolorida até alcançar o degrau em que estavam. Por mais translúcido que fosse, seus dedos fantasmas pinçaram a bolinha preciosa da mão de Pedro.

– O peixe-boto tá certo – disse o Caipora, com a oferenda garantida em mãos. – A mandinga dos pés de loiça tem se replicado por aí. O Carbrunco feiz isso com nóis. Nóis num é marinhero. Nóis é parente do Pai das Mata. Nóis só qué continuá protegêno a natureza. Curâno e salvâno os bicho que precisa de nóis. Só isso.

O anão olhou para o topo da escadaria, fazendo com que Cosmo e Pedro voltassem seus olhares curiosos para lá também. Lá no alto, um porco grande e peludo pateou os degraus irregulares. Cosmo acertara mais uma vez em seu palpite. O porco de pelagem escura estava impaciente. Estalos ecoaram degraus abaixo. Eram os dentes do grande porco batendo uns contra os outros, como mordidas rápidas, em tom de aviso.

– O Queixada! – anunciou a assombração com os pés do avesso. – Agora que já tô com a oferenda, ocês tá livre das caiporice. Vô pedi pra ocês quebrá meus pé. Ocêis quebrá? – os olhinhos amarelos da criatura brilharam atrás do amontoado de pelos que cobria seu rosto.

Pedro adiantou-se e Cosmo apenas assistiu. Sem muito pensar, o provinciano pisoteou os pés de loiça do último dos Caiporas que habitava aquelas escadas. Estilhaçou os pés do anão sem pestanejar. A forma azulada do Caipora, liberto de seus pés de porcelana, passou por eles, caminhando, agora sem mancar, até o topo da escadaria. O anão era tão baixinho que, mesmo estando vários degraus acima deles, Cosmo ainda conseguia enxergar o seu cocuruto. Subiu no lombo do porco, usando-o como montaria e segurando firme nos pelos grossos da fera. O Queixada era tão translúcido quanto o Caipora. O anão se despediu dos dois desejando-lhes sorte. O grande porco roncou feroz e subiu os degraus num trote rápido, deixando Pedro e Cosmo sozinhos.

Cosmo entendeu que aquele porco, o Queixada, carregaria a alma do Caipora de volta para seu lugar de origem, as matas. Os Caiporas, assim como o Curupira e o Pai das Matas, formavam a linha de frente na proteção da natureza que o ser humano insistia em invadir e destruir. Sabia disso porque seus primos, os botos originais, sempre que voltavam da Província contavam histórias a respeito dos seres que ainda mantinham sua ligação com a natureza. Os Caiporas eram agentes do Além que interferiam positivamente na Província, como entidades das florestas. Quando os gêmeos mencionaram essas criaturas, Cosmo não teve dúvida do que se tratava.

A mente do boto entrou em conflito ao refletir sobre o ato de Pedro, que cedera como prenda a sua pérola preciosa. Tinha feito aquilo para livrar a própria pele de uma nova maldição? Havia dado um jeito de tapear o Caipora também? O que é que havia por trás dessa atitude de Pedro?

– Por que fez isso? – indagou Cosmo, curioso por descobrir os motivos de Malasartes.

– Eu já disse – respondeu Pedro. – Quero ser alguém melhor.

Então Cosmo se calou, envergonhado por ter julgado o amigo de maneira tão severa.

Deixaram o último degrau para trás. Estavam agora no ponto mais profundo daquela caverna. Um pequeno corredor era o único caminho que os levaria adiante. Parecia um corredor feito com exclusividade para os anões. Tanto Cosmo como Pedro teriam de se curvar para passar por ali.

– Espere, Pedro! – chamou o boto antes de Malasartes se curvar e entrar.

– O que foi?

– Precisamos de um plano, não? – disse Cosmo.

Havia um conflito em seu íntimo. Acreditava em destino, mas sentia um medo tremendo de que o Carbúnculo estivesse com toda a vantagem à sua disposição. Precisava avaliar bem a situação. O medo de não contar com o destino a seu favor não permitia que Cosmo avançasse pelo corredor sem um plano. Para o boto, havia algo naquilo tudo que ele estava deixando passar despercebido.

– Mas como vamos planejar alguma coisa? Não temos nada em mãos – comentou Pedro, acentuando o medo de Cosmo.

O boto andou de um lado para outro aos pés da escadaria. Ansiava por uma resposta. Vasculhou cada pedacinho de sua mente enquanto pisoteava alguns cacos de louça.

– Temos sim! – disse ele. Tivera uma ideia. Pedro o encarou, aguardando o que ele diria a seguir. – Informação – revelou o boto. – Todas essas sete provações significam alguma coisa. Tem algo por trás de cada uma delas.

– Significam, sim. Significam que o Carbúnculo é bem poderoso, assim como nós, já que sobrevivemos a todas as provações – considerou Pedro, buscando encerrar aquele papo e seguir adiante.

– Não. Não é nada disso! Há muito mais coisas por trás de tudo, só precisamos... – Cosmo foi até a entrada do pequeno corredor. Em algum lugar, no fim daquele caminho, um enorme lagarto os aguardava. Um lagarto extremamente inteligente. – Acho que o Carbúnculo está nos contando sobre ele mesmo. Pelo jeito, ele gosta de ser o centro das atenções. Não percebe? Olhe para este corredor – e Pedro olhou. Deu de ombros, claramente sem entender aonde o boto pretendia chegar. – Precisamos nos curvar antes de entrar. Pode ser uma demonstração de poder da parte dele. Talvez ele queira nos obrigar a reverenciá-lo – sugeriu Cosmo.

– Mas a caverna já estava aqui antes dele, não?

– Sim. Era a caverna da Alamoa – concordou Cosmo, voltando a caminhar nervoso de um lado para outro. – Mas nós já fomos enganados antes. Vimos algumas ilusões se formarem diante de nossos olhos. Mesmo estando aqui, nesta caverna, nos vimos pisando o solo do Monte Roraima, por exemplo, que fica muito longe de qualquer oceano – argumentou Cosmo. O boto deixava sua intuição falar por si. – Rudá chamou tudo isso de metáfora, não foi? Disse que o Carbúnculo construiu uma metáfora com esta caverna.

– Espera! Como assim construiu uma metáfora? Não entendi – Malasartes deixou evidente sua sincera confusão.

– Metáfora é quando você usa uma coisa para dizer outra coisa e...

– Eu sei o que é uma metáfora – disse Pedro interrompendo a explicação.

– Tudo bem – prosseguiu Cosmo como se precisasse colocar para fora uma enxurrada de hipóteses que surgiam em sua mente. Ao dar asas à intuição, algo começava a se conectar, e ele sentia que esse era o caminho para desvendar o mistério por trás dos sete desafios. – Rudá nos disse que as mulheres que apareceram pedindo a nossa ajuda eram a "flecha" dele. Falou também que, como deus do amor, já assumiu outras formas físicas, em uma delas ele era um cupido ou um índio, não me lembro bem. Mas disse que usava arco e flecha. Flechava as pessoas incitando o amor. Essa é uma das metáforas! – explicou o boto, mais para si mesmo do que para Pedro. Doses altas de adrenalina eram bombeadas para o seu coração naquele instante. Experimentava a sensação que o corpo humano tem ao ficar afoito.

– Foi desse jeito que ele fez com que eu me apaixonasse por Lívia – completou Malasartes, que exibia um olhar longínquo, como se rememorasse o rosto de sua amada diante de si. – Ele me flechou.

– Exato! – gritou Cosmo. O que despertou Pedro de seu leve devaneio. Elaborava, naquele instante, uma teoria sobre tudo o que Pedro, ele e todos os outros tinham vivido naquele lugar. – Portanto, esta caverna é muito mais do que uma simples caverna – observou as paredes que os cercavam, como se elas pudessem lhe indicar o que estava faltando. Algo começava a se desvelar em seu cérebro. – As sete provações são pistas! – concluiu ele. – O Carbúnculo está nos contando quem é. Saber disso pode nos dar alguma vantagem sobre ele – afirmou Cosmo voltando-se para Pedro.

– Tá! Mas como é que nós vamos...?

– Um desafio de cada vez – respondeu o boto sem nem deixar Pedro completar sua pergunta. – O sonho arauto que tive chamou o primeiro deles de espadas ocultas na sombra – disse Cosmo.

– Sim, foram os fantasmas que cortaram a gente naquele breu e...

– Não. Não eram fantasmas! – corrigiu Cosmo, tão rápido quanto as lâminas no escuro. Sua mente processava depressa e precisava que Malasartes acompanhasse seu raciocínio ou ele se perderia em suas descobertas. Eram muitas informações pipocando em seu cérebro. Tudo ao mesmo tempo. Precisava colocá-las em ordem. – Eram memórias reprimidas, lembra? – comentou ele, para que Pedro seguisse o raciocínio. – São diferentes. Os fantasmas são azuis, como o Caipora que acabou de partir daqui com o Queixada – explicou o boto, gesticulando com as mãos. – Ambos, anão e porco, eram fantasmas e, por isso, emitiam uma luz azulada. As memórias se manifestam na cor amarela. E aquelas silhuetas nas sombras eram amareladas, tanto quanto a memória que visitava a lápide de meu pai. Mesmo depois de muito tempo, quando estive na encosta em que ele foi enterrado, vi uma projeção amarelada de mim mesmo revivendo a dor que eu sentia ao visitá-lo. Vimos o mesmo acontecer com o corpo do Tinhoso. Você se lembra da forma corpórea que, vez ou outra, aparecia embaixo da Cabeça Errante quando cruzamos com o Canhoto? – e Pedro assentiu com os olhos arregalados. – A aparição que sustentava a Cabeça Errante era a memória reprimida que o Canhoto tinha de seu antigo corpo, que foi destruído pelos gêmeos. Está acompanhando? – indagou Cosmo, quase atropelando as próprias palavras. Acreditou, por um momento, que o corpo que Faunim tinha desenhado apresentava um defeito, pois sua boca não conseguia ser tão rápida quanto seu raciocínio.

– Sim, estou. E você tem razão! – confirmou Malasartes. – Logo depois que Maria Caninana jogou o resto de pó de estrela e acendeu aquela parte da caverna, você disse que as silhuetas que tinham acabado de atacar a gente no escuro eram a dor das vítimas da Alamoa – relembrou Pedro.

– Pois é! Mas acho que me enganei quanto a esse palpite – revelou Cosmo.

– Como assim? – indagou Pedro coçando a nuca e se esforçando para compreender as teorias do amigo.

– Não vê, Pedro? – questionou Cosmo no limite de sua ansiedade. – Todas as sete provações que nós enfrentamos falam sobre o Carbúnculo. Talvez o significado dos desafios nos indique a sua... personalidade? – indagou o boto, mais para si mesmo do que para Pedro.

– O que eu quero dizer é que, agora, acho que aquelas manifestações amareladas eram as memórias reprimidas do próprio Teiniaguá, e não da Alamoa. São reflexos de todas as pessoas que um dia o atacaram. Veja só! Os Carbúnculos estão extintos há muito tempo. Este aí – e apontou para o corredor com o teto baixo – deve ter sobrevivido se escondendo de caverna em caverna. Os atacantes das sombras são as memórias que ele guarda daqueles que tentaram feri-lo ao longo das eras. O que presenciamos foi a repetição desses ataques. As dores do Carbúnculo ficaram impregnadas nas paredes daquele ponto da caverna com tamanha intensidade, que sofremos o mesmo que ele sofreu – concluiu Cosmo.

– Acho que entendi – Pedro balançou a cabeça para reforçar o que dizia. – Mas e o Makunaima?

Ao ouvir essa questão, Cosmo voltou a andar como uma barata tonta.

– O segundo desafio falava de jaguares e pumas furiosos. As onças foram criadas pelo índio esmeralda a partir de sua raiva, certo? Ele comentou que teve tanto ódio dos índios que o traíram que precisou colocar parte daquele ódio para fora. E assim criou as onças que o acompanham – elucidou Cosmo em sua busca por respostas. – O Makunaima, inclusive, descarregou sua famosa Fúria em cima de todos nós. A causa de sua raiva foi a ganância daqueles que roubaram os frutos da Árvore de Todos os Frutos – pontuou Cosmo.

– Certo! – confirmou Pedro.

– A mesma coisa aconteceu com o Carbúnculo. O que vivenciamos no confronto com o Makunaima foi a metáfora que explica isso – refletiu o boto. – Os Carbúnculos foram dizimados e extintos por conta da ganância. Os provincianos caçavam e aniquilavam Teiniaguás para retirar a pedra de sua testa e adquirir fortuna. Os diamantes valiam muito para eles.

Um brilho reluziu nos olhos de Pedro. Ele coçou a cabeça e abanou o ar, como se espantasse uma mosca que o incomodava. Cosmo percebeu a reação de Malasartes diante da menção da pedra preciosa. Resolveu não lhe dar atenção. Não haveria espaço em seu cérebro para discutir qualquer outro assunto que não fosse o Teiniaguá.

– Depois disso, veio a dança dos esqueletos – prosseguiu o boto, retomando seu raciocínio. – Os Isquelês que a Zaori produziu.

— E o que é que aquele monte de ossadas, com uma vela preta na cabeça, significa dentro dessa lógica? Talvez a morte? A própria extinção dos Carbúnculos? – sugeriu Pedro.

— Ou o que nasceu depois disso – completou o boto em tom investigativo. – Quero dizer, ele sobreviveu, não? O extermínio de toda a sua espécie com certeza o afetou. Ele deixou de ser o que era para se tornar o que é – supôs Cosmo. – A extinção de seus semelhantes matou o velho Carbúnculo que ele costumava ser. Como ele sobreviveu, ressurgiu na forma de uma criatura decrépita, assim como os esqueletos reanimados pela Zaori – disse Cosmo fazendo a ligação com o terceiro dos desafios.

— Faz sentido! – concordou Malasartes com as sobrancelhas arqueadas. – Mas e o Canhoto?

— O Canhoto é a maior representação do mal para vocês provincianos, não é? – indagou Cosmo e Pedro assentiu. – Talvez os esqueletos simbolizem a morte de quem ele era e o Canhoto simbolize o ressurgimento dessa nova versão maligna. O sonho arauto chamou essa provação de jogo das línguas de fogo e das águas ferventes – explicou Cosmo eufórico. – Esse tal "jogo" são as mentiras que foram contadas enquanto estivemos diante do Cramulhão. Você mentiu para todos nós! Guardou o ovo de galo com o corpo do Tinhoso por todo o tempo em que estivemos nesta caverna – acusou Cosmo. Mas o boto prosseguiu a explicação sem se preocupar com o provinciano. – Caninana também mentiu para o irmão. Ela cultivou um corpo para o Canhoto, pois acreditava que ele poderia transformá-la em uma cobra peçonhenta. Se não fosse por isso, o Canhoto ainda estaria no Além, buscando uma forma de voltar para o mundo dos provincianos e se vingar do pai dos gêmeos, o cacique da tribo deles. Afinal, fora ele que dera cabo da forma física anterior do Canhoto – Cosmo parou para respirar antes de prosseguir. – A informação que importa aqui é que o Canhoto é o pai das mentiras.

— Sim, mas qual é a relação que isso tem com...

— Os Ciprinos! – Cosmo mais uma vez interrompeu a pergunta de Pedro, estava fervilhando de ideias. – Pouco antes da seca que assolaria a lagoa onde habitavam, o Carbúnculo prometeu aos Ciprinos guardar todo o conhecimento de suas gerações passadas, de seus ancestrais. Manteria todas essas informações dentro da pedra incrustada em sua testa – relembrou o boto. – O Carbúnculo prometeu aos Ciprinos que devolveria esse conhecimento assim que a água voltasse ao lago e a nova geração de Ciprinos nascesse. Mas, quando isso aconteceu, ele entregou apenas o que julgou necessário. Os descendentes dos Ciprinos são mantidos como súditos do Carbúnculo. São seus escravos, prisioneiros de sua própria ignorância. Portanto, ele mentiu. Essa é a ligação.

– Uau! Tudo realmente faz sentido – exclamou Pedro. – Então o primeiro desafio simboliza a dor dos ataques que o Carbúnculo sofreu. – Malasartes sentiu necessidade de recapitular para não se perder. – O segundo desafio, a fúria, por conta da ganância em relação às pedras preciosas. O terceiro, a morte, a extinção de sua espécie. As mentiras são a quarta provação e simbolizam o que surgiu depois disso. O mal!

Mas Cosmo não se conteve. Mal prestou atenção à recapitulação de Pedro, pois precisava descarregar mais um caminhão de informações que lhe vieram à mente.

– De acordo com o sonho arauto, logo após veio a ameaça da cascavel amaldiçoada – disse Cosmo.

– Sim – confirmou Pedro, buscando ajudar de alguma forma. – Na quinta das provações, vivenciamos a personalidade ruim de Maria Caninana.

Cosmo parou de falar por um instante. Foi o tempo de engolir a saliva e continuar.

– Os Ciprinos sempre foram uma raça de peixes guerreiros. Foram eles que liquidaram a Alamoa. Segundo os registros antigos, ninguém tinha sido capaz de derrotá-la até então – relatou o boto. – O Carbúnculo os enganou e fez com que caíssem em suas mentiras. Hoje, os Ciprinos se intitulam o Povo das Nuvens, pois acreditam que sua origem se dê pelas chuvas. Como se toda a nova geração de Ciprinos tivesse caído do céu. E isso não é verdade! – vociferou Cosmo. Ficou nervoso com a maldade perpetuada pelo Teiniaguá. – Isso criou uma nova identidade para o povo Ciprino. Uma que não é real e não lhes pertence.

– Como a segunda personalidade de Caninana? – arriscou Pedro Malasartes, que agora também andava de um lado para outro.

– Exatamente! – confirmou o boto.

– Mas você mesmo disse que as provações falam sobre o Carbúnculo – declarou Pedro. – E, pelo que entendi, agora você está falando a respeito de uma segunda personalidade criada para os Ciprinos e não para o Carbúnculo.

– É verdade – concordou o boto buscando refletir melhor sobre o assunto. – Quando passamos por uma experiência que nos machuca, tentamos criar uma realidade nova à nossa volta. Agimos assim para esquecer o que dói ou talvez fazer de conta que aquilo nunca existiu – comentou Cosmo. – Talvez o próprio Carbúnculo tenha feito tudo isso para contar uma mentira para si mesmo, a fim de criar para ele uma nova realidade. Uma realidade que lhe coubesse melhor, assim como Maria Caninana fez – sugeriu Cosmo. – Veja só! Hoje ele é o imperador dos Ciprinos. Eles o amam como a um deus – concluiu o boto, engasgando-se ao perceber que seu último comentário estava diretamente relacionado à provação seguinte.

– Rudá entraria nesta parte, não? – indagou Pedro mostrando estar a par das teorias de Cosmo.

– Sim. O sexto desafio, o convite das donzelas cativas. Demos de cara com uma divindade – confirmou Cosmo. – Rudá é o representante de um amor doente. Segundo ele, é o tipo de amor que mais se encontra entre vocês, provincianos – Pedro fingiu não ter se incomodado com aquele comentário. – É exatamente o tipo de amor que o Carbúnculo recebe dos Ciprinos – o boto fez a relação, entrelaçando seus dedos para indicar como tudo se conectava perfeitamente. – Eles não o amam de verdade. Se descobrirem quem realmente são, se souberem de todo o seu próprio passado, se tiverem acesso ao conhecimento de seus ancestrais, toda essa farsa virá à tona – declarou Cosmo animado. Sentia-se pronto para seguir adiante. Faltava pouco.

– Certo, agora falta apenas o cerco dos anões. O último dos desafios – disse Pedro.

– Os pés de louça! – exclamou Cosmo.

– O que há com eles? – quis saber Malasartes.

– São uma base sólida, porém são frágeis – comentou o boto. Seus olhos estavam vidrados como se lesse em letras escritas no ar tudo aquilo que ele mesmo estava falando.

– O que isso significa? – tornou a questionar Pedro.

E Cosmo parou de andar. Pedro fez o mesmo. O boto foi até o amigo, segurou-o pelos ombros e olhou fundo em seus olhos.

– Significa que temos uma chance de vencê-lo! – concluiu Cosmo radiante.

– Como assim?

– Os anões de pés para trás representam a última linha de defesa do Carbúnculo. Portanto, o mais profundo de seus segredos. Não é à toa que descemos tantos degraus nesta caverna – ressaltou Cosmo. – Lá na Bolha das Discussões e Decisões, a sereia Naara estranhou tudo o que esse Carbúnculo fez com os Ciprinos. Lembra? – e Pedro assentiu. – Ela repudiou a atitude desse Teiniaguá. Os Carbúnculos eram sábios de outros tempos. Documentavam as eras em suas pedras preciosas. Eram considerados histórias vivas que caminhavam por esta terra – cacos se quebraram sob a sola de Cosmo. – Com a extinção, o Carbúnculo que enfrentamos agora ficou transtornado e se transformou no monstro que é hoje – relatou ele. – Mas isso não é forte o suficiente. Sua essência continua lá. Tenho certeza disso, pois nada muda completamente. Sempre é possível acessar a fonte e reencontrar o que se perdeu um dia.

– Acho que você está esperançoso demais, não? – comentou Pedro, fazendo o boto deixar cair os ombros e virar-se de costas.

Cosmo remoía algo mais em tudo aquilo. Precisava concluir sua teoria com a mesma maestria que o Carbúnculo havia empregado para arquitetar todas as sete provações.

– Bom, talvez eu esteja – concordou o boto. Sua intuição o fez se lembrar dos pais. Sua mãe era um boto fêmea e seu pai era um provinciano. Muitas vezes, Cosmo renegara a origem provinciana. Com o tempo, fez as pazes com esse seu lado, mas nunca mais tocou no assunto até conhecer Pedro Malasartes. Por todo o tempo que passaram juntos na Missão Carbúnculo, Cosmo assistiu Pedro optar por alguns passos tortuosos e escolhas mesquinhas e isso o fez renegar novamente seu lado provinciano. No entanto, essa herança estava em seu ser, não havia como negar. Sua essência de boto e sua essência de ser humano gritavam dentro dele o tempo todo. Chegou a julgar Malasartes por diversas vezes. Ao refletir sobre as ações de Pedro, viu que o amigo, apesar de escolhas ruins, também buscava melhorar. Isso fazia parte do ser humano. E Cosmo se reconhecia naquelas atitudes.

De alguma forma, esse pensamento fez com que o boto compreendesse o que acontecia com o Teiniaguá. Voltou-se para Pedro e concluiu sua teoria.

– Acho que os pés de louça dos Caiporas indicam que tudo isso que o Carbúnculo se tornou não é forte o bastante para apagar quem ele é de verdade – Cosmo respirou fundo antes de continuar. – O Carbúnculo que estamos enfrentando criou uma personalidade para si mesmo. Sofreu, teve raiva, morreu, renasceu, tornou-se amado à força. Mas tudo isso que ele construiu, ou seja, o Carbúnculo que ele é hoje, possui uma base que parece sólida, como os pés dos fantasmas, mas é tão frágil e fácil de quebrar como a louça – concluiu o boto.

Pedro balançou a cabeça positivamente.

– Quer dizer que o velho Carbúnculo que ele já foi um dia ainda está dentro dele? Espera um pouco aí! – falou Pedro, antes que o boto lhe respondesse. – Você está dizendo que o nosso plano é passar por esse corredor e quebrar o Carbúnculo, como quebrei os pés do último Caipora?

– Exatamente – confirmou Cosmo queimando por dentro.

Curvaram-se para entrar no túnel que os levaria ao tão esperado encontro.

– Espere! – chamou Cosmo mais uma vez.

– O que foi agora? – indagou Pedro.

– Tem mais uma coisa – disse o boto. – Preciso lhe pedir desculpas. Eu envolvi você em tudo isso quando o convoquei para a Bolha das Discussões e Decisões. E, veja só, agora há duas maldições em suas costas – declarou com sincero pesar em seus olhos.

– Não. Eu me coloquei em tudo isso – corrigiu Malasartes. – Quando perdeu o seu chapéu e me encontrou naquele bote furado, eu já estava no rastro do Carbúnculo. Tinha acabado de ser expulso da nau da Confraria – contou Pedro. – Quanto às maldições, procuro sempre ver as coisas pelo lado bom. Amo viver e aproveitar tudo o que essa vida pode proporcionar. O Canhoto me rogou a maldição da imortalidade. Se esse lagarto não nos matar, não morrerei de velhice. Vou continuar aproveitando a vida – e Pedro deu risada ao constatar a ironia, o que deu um nó no cérebro de Cosmo. – Não é tão ruim assim! Sobre a maldição do amor lançada por Rudá, não sinto que será tão pesada como imagina. O amor que sinto por Lívia é algo bom – e seu sorriso pareceu mais saudoso. – Uma saudade de algo que ainda não vivi, mas me alegro em saber que um dia vou viver. Não me importo com o restante, entende? Eu viverei para vê-la. Viverei para encontrá--la. Viverei para amá-la. Quantos provincianos têm a certeza de que vão encontrar o amor de suas vidas?

Ao ouvir aquilo, Cosmo sentiu-se orgulhoso por ter um lado provinciano dentro de si. Pedro colocou a mão no ombro do boto.

– Agora, vamos em frente, meu amigo – convocou Malasartes. – O final da Missão Carbúnculo nos espera. E isso sim responsa muita...

– Eu sei. Responsa muita habilidade – concluiu o boto.

– Exatamente! – confirmou Pedro com um imenso sorriso estampado no rosto.

Curvaram-se sem problemas, mesmo sabendo o que aquele gesto significava, e seguiram adiante pelo pequeno corredor.

PARTE 3

O CARBÚNCULO

Capítulo 21
O Lagarto e a Pedra

*O cheiro foi o primeiro
a alcançar suas narinas.*

Tratava-se de um cheiro forte. Ele lembrou de já ter sentido aquele odor antes. Sua habilidade de sentir era aguçada a ponto de ser tão completa que era capaz de distinguir cores, aromas, distâncias, formas, pensamentos, intenções e muito mais. Foi exatamente aquele cheiro forte que visitou seus pulmões quando disseram um de seus nomes. Afinal, Carbúnculos sabem quando alguém comenta algo a respeito deles em qualquer canto do mundo. Os Teiniaguás conseguem identificar, com o seu sentir, quando algum ser planeja cruzar o seu caminho.

Foi assim que as últimas gerações de Carbúnculos, como ele, se mantiveram vivas por mais tempo. Mas sentir e antever não foi o suficiente para continuar integrando a história. Os Carbúnculos entraram mesmo em extinção, e o lagarto em questão era um sobrevivente, um sortudo que perambulava uma terra onde, muito provavelmente, era o último de sua espécie.

Mas, sim, aquele era o mesmo cheiro. Sentiu-o quando um boto cor-de-rosa teve seu primeiro sonho arauto. Nesse sonho premonitório, a criatura das águas recebeu informações sigilosas e segredos sobre tudo o que um velho Carbúnculo tinha feito com uma sociedade inteira de Ciprinos.

O lagarto chegou a duvidar de sua própria aptidão para sentir. Como era possível que um boto qualquer tivesse tido acesso ao que ocorria por ali? Seria ele um boto incomum? As indagações do Carbúnculo começaram a ser respondidas quando o tal boto marcou uma reunião com as criaturas que regem o mundo das águas para contar tudo o que ele vira e descobrira em seu primeiro sonho arauto e para pedir que tomassem alguma providência.

Já naquele momento, o odor exalado pelo boto lhe embrulhava o estômago. Não gostava de peixes. Tolerava os Ciprinos pois eram seus subordinados. Era bom se sentir um rei. Mesmo que tirano.

Não teve alternativa exceto fazer valer a maldição dos Carbúnculos. Aquela que morou por eras a fio nos boatos dos humanos e de outros seres. Aquela que quase se perdeu no tempo, não fosse a vida teimosa desse derradeiro Teiniaguá. Assim, rogou sua praga para cima daquele boto e de qualquer criatura que ousasse somar forças a ele em sua jornada. Essa maldição consistia nos sete desafios que protegeriam o couro e a pedra do Carbúnculo a qualquer custo.

Mas, assim que os condenou aos desafios, o boto teve um segundo sonho arauto. Um que o alertou sobre as sete provações pelas quais deveria passar, dando-lhe a chance de antever e se preparar. E isso não deixou o lagarto feliz.

O outro cheiro era inconfundível. Vinha de um humano. E do pior tipo. O Carbúnculo sentia sua índole gananciosa como uma luz que fere os olhos ou um barulho que incomoda.

Provavelmente, os ancestrais daquele espécime deviam ter sido exímios caçadores de Carbúnculos, pensou ele. O lagarto sabia que a cobiça daquele ser humano ansiava pela joia que ele trazia na testa e, por conta disso, a praga do Teiniaguá também atingiu esse indivíduo. Mas aquele ser humanoide tinha uma baita sorte, precisava reconhecer. O Carbúnculo também ficou de olho nesse humano desde que ele passou a se interessar por sua pedra preciosa.

Não tinha sido à toa que o grande lagarto escolhera os Caiporas como uma de suas sete defesas. Caso alcançassem as últimas escadarias, aquele humano deixaria de exalar a sorte que esbanjava porque receberia uma carga poderosíssima de azar. O que os próprios Caiporas, os entes da floresta, chamavam de caiporice.

Pelo jeito, seus planos não ocorreram como pensou que ocorreriam, e ele entendeu que as caiporices tinham sido desperdiçadas. O Carbúnculo estava furioso, pois acompanhara o progresso da dupla de desafio em desafio. Não se preocupou tanto com os outros. Sabia que sucumbiriam! Foi capaz de sentir isso assim que puseram os pés na caverna. Mas aqueles dois tinham algo de especial. Queria entender o que era e parecia prestes a descobrir.

O cheiro de ambos, boto e homem, era forte e vinha do pequeno e apertado corredor, que obrigava seres do tamanho deles a se curvarem. O Carbúnculo apreciava a ideia daquele túnel. Foi uma das coisas que resolveu não alterar por ali. Achava que a Alamoa, antiga dona daquela caverna, tinha um excelente gosto para ambientes. Se ele a tivesse conhecido antes de os Ciprinos liquidarem sua existência, não tinha dúvidas de que fariam uma boa parceria. Os inimigos que alcançassem o ponto mais profundo do covil seriam obrigados a prestar reverência antes de encarar o seu fim.

Boto e homem caminhavam como ratos por aquele túnel. Logo dariam de cara com o seu tenebroso destino.

Pedro Malasartes estava com medo, mas não queria demonstrar. Não por causa de Cosmo, mas por ele mesmo. Se demonstrasse e acreditasse que estava com medo, então o medo assumiria o controle. Precisava manter a calma. Estava prestes a encontrar o Carbúnculo e sua pedra preciosa.

A relação que construiu com Cosmo, um ser fantástico com a forte capacidade de sentir, o fez ter questionamentos mais profundos sobre si mesmo. Um olhar diferente ao pensar em sua própria vida, seus próprios atos e suas próprias ações. Pedro percebeu que talvez só estivesse vivo e inteiro até aquele momento por conta desse novo olhar despertado pelo amigo.

Lembrou-se da primeira vez que ouviu falar sobre o lagarto e a pedra. Naquela noite, estudou os homens de branco que bebericavam qualquer coisa em um bar. Pedro sempre foi bom em reconhecer sinais e percebeu que aqueles senhores quase cochichavam um para o outro. Era um sinal claro! Informações sigilosas eram ditas ali e isso sempre atraía Malasartes. A capacidade de identificar situações sigilosas foi o que sempre o sustentou. Sentia-se um sobrevivente. Já tinha passado a perna em uma pessoa e outra, vencido pequenas apostas e disputas, e isso lhe dera certa experiência para momentos como aquele. E o que ouviu lhe agradou muito. Falavam de uma joia preciosíssima que estava encravada na cabeça de um lagarto. Malasartes soube, na mesma hora, que aquele era o seu momento. Mergulhou na conversa daqueles homens. Descobriu que estavam em uma viagem e discutiam sobre a rota que deveriam tomar. Não perdeu tempo. Se ofereceu como o guia deles. Do pouco que tinha entendido, a pedra valia o suficiente para que as gerações futuras de todos aqueles senhores de branco escolhessem nunca mais trabalhar. Naquele bar, Pedro decidiu arrumar um espaço para si na nau da Confraria. Queria receber uma parte daquele montante. Mal sabia ele que estava se enfiando na maior e mais insana das aventuras.

De volta à travessia do túnel, enquanto suportava a dor em suas costas pelo tempo que aquele corredor o obrigava a andar curvado, pensou um tanto mais e lembrou-se de Humbertolomeu e de todos os outros botos que integravam a extinta Confraria. Depois de entrarem na caverna, nenhum deles havia conseguido chegar aonde estavam. Aquele buraco na terra e todo o poderio do Carbúnculo os tiraram do caminho um a um. Sobraram apenas ele e Cosmo.

Segundo o amigo, é o destino que determina todos os caminhos pelos quais a vida nos leva. Então era isso? O destino queria que ele chegasse até ali? Teria a pedra em suas mãos? Se isso realmente acontecesse, a pedra permitiria que ele vivesse muito bem, do jeitinho que gostava, e lhe forneceria recursos suficientes para viajar pelo mundo e encontrar Lívia, o seu grande amor.

E quanto a Cosmo? Tinha dito ao boto que gostaria de ser alguém melhor e estava mais do que óbvio que, ao optar por vender a pedra, isso não o caracterizava como alguém que estivesse tentando melhorar. O amigo tinha repulsa por essa ideia. Será que não daria para fazer as duas coisas? Ajudar os Ciprinos e depois lucrar com a venda da joia? Ele não se importava em dividir os lucros com Cosmo. Se bem que o dinheiro humano não valia nada para um boto cor-de-rosa, imaginou Pedro. Mas o que é que eu estou pensando?, refletiu Pedro em silêncio.

– Ei! – chamou o boto, tirando Pedro da discussão acalorada que mantinha com seus próprios pensamentos. – Chegamos ao final do corredor! – anunciou aliviado.

Pedro se remexeu ao sentir os arrepios que tanto odiava. Era bom ficar ereto outra vez e esticar a coluna, mas o Carbúnculo podia estar em qualquer lugar.

Diante deles se abria uma gigantesca galeria. Muitos fachos de luz desciam do topo, como se diversas rachaduras abrissem sulcos nas paredes e no teto. E, assim como nas escadas em que encontraram um Caipora com os pés de louça, a iluminação do lugar era natural.

Avançaram com cautela. Afastavam-se do túnel que os levara até ali. Alguma coisa, parecida com Honorato quando transformado em Cobra-Grande, estava deitada de atravessado no caminho deles. Caminharam bem devagar, afinal, a essa altura o corpo do amigo Honorato, carregado pela irmã Caninana, já devia estar fora da caverna. Aquilo era outra coisa.

– Isso é um rabo? – sussurrou Pedro lutando para manter a compostura diante do tamanho do que havia à frente.

Cosmo tocou o que quer que fosse. Deu um empurrãozinho de leve e a coisa se moveu, molenga. Se era um rabo, era enorme. Com aquele leve empurrar, certamente o lagarto notaria a presença deles e os abocanharia. Mas nenhuma criatura abriu a boca para reivindicar sua paz.

Olharam para uma extremidade, e o rabo ia afinando em forma de funil até terminar em uma ponta. A outra extremidade era o inverso. Engrossava até um final brusco. Como se o rabo tivesse sido amputado.

– A Moura fez isso? – indagou Pedro ainda aos sussurros. Pensou que podia muito bem ter sido obra da mulher, já que ela tinha lidado com os Caiporas e seus pés de louça antes que Pedro e Cosmo alcançassem as escadas. Ela também estaria ali em algum lugar.

– Acho que não – comentou o boto sem se importar em falar baixo. – Ela disse que agiria nas sombras e que deixaria o Carbúnculo dar um jeito na gente, lembra?

Pedro balançou a cabeça em concordância. Estava muito vivo em sua lembrança o momento em que viram a Zaori desaparecer em um canto escuro da caverna, logo após aprisionar o Cramulhão nas profundezas de uma lagoa. Foi como se ela evaporasse. A mente de Malasartes descartou a possibilidade de ser a Moura Torta a responsável por arrancar o rabo do Teiniaguá. Entendeu que "esconder-se e esperar que as coisas se resolvessem por si só" combinavam mais com ela.

Puxou informações em sua memória. Lagartixas costumavam soltar o rabo quando ameaçadas. O Carbúnculo tinha feito o mesmo? Sentia-se ameaçado com a presença deles? Ou era apenas uma forma de distração? Pedro se deu conta de que já estavam alguns metros longe do túnel, o que os colocava em um ponto estratégico para se tornarem presas fáceis. O lagarto podia muito bem ter soltado o próprio rabo para atrair as presas até lá e abocanhá-las, no escuro, pelas costas.

Malasartes virou-se veloz. Teve receio de dar de cara com um monstruoso lagarto dando o bote para conquistar sua refeição, mas não viu nada. Apenas o túnel do qual tinham saído, a certa distância.

Pularam o rabo-cadáver e avançaram para dentro do covil. Um cheiro de carne em decomposição pairava no ar.

– Apareça Carbúnculo! – bradou Cosmo em tom imperioso. E Pedro deu um pulo de susto. Desejou que o amigo não tivesse feito aquilo. – Este é o fim da linha – disse o boto, ameaçando a vastidão da galeria.

Pedro estranhou o fato de a voz do amigo não reverberar em um eco. Aquele tipo de ambiente costumava ecoar as palavras quando alguém berrava como Cosmo tinha feito. Era quase como se houvesse algo maciço na escuridão à frente, impedindo o ressoar do som.

E algo se moveu diante deles.

Pontos de luz, vindos do alto, passearam por uma superfície que mais parecia um pequeno morro em movimento. Pedro sabia que aquilo não era morro nenhum. Morros não andam. Gelou até a alma quando um lagarto, de proporções fora do comum, surgiu mais à frente.

Malasartes deu uns sete ou oito passos para trás quando um tipo de teiú gigante se ergueu. Era grande e forte, com patas e pernas grossas. O couro duro do lagarto exibia um tom de azul puxado para o índigo. As pupilas em fenda dividiam ao meio seus imensos olhos dourados. Observavam Pedro e Cosmo. Pedro percebeu que o boto também tinha dado uns bons passos para trás.

O Carbúnculo era intimidador. Lembrava mesmo um teiú, só que era trezentas vezes maior. Sabendo que o teiú é um dos maiores lagartos, e um dos mais ferozes, Malasartes não quis nem imaginar quão perigoso era estar ali.

O lagarto era a fonte do cheiro podre. Uma língua bifurcada saltou de sua bocarra e, numa rápida e comprida lambida, limpou toda a cara da criatura e acabou por lustrar algo encravado em sua testa. Uma pedra preciosa reluziu à luz de um facho que desceu do teto. Num instante, o diamante ricocheteou a luz pelas inúmeras paredes transparentes que compunham a gema. Pedro podia jurar que aquela pedra tinha piscado para ele. Era linda.

Percebeu que sua expressão e seu olhar cobiçoso o delatariam. Foi então que caiu em si. O Carbúnculo, além de trezentas vezes mais temível que um teiú selvagem, era inteligente. Guardava uma quantidade absurda de conhecimento dentro de sua joia. Seria quase impossível escapar daquela galeria com vida. Malasartes amaldiçoou em silêncio a noite em que entrou naquele bar e entrelaçou o seu caminho com o dos botos originais.

Resolveu agir da maneira mais sensata possível. Ajoelhou-se e abaixou a cabeça, prestando reverência ao Carbúnculo. Dessa vez, sem um corredor para lhe obrigar a fazer isso.

— O que está fazendo? — indagou Cosmo incrédulo e nervoso. Era como se o gesto de Pedro o deixasse desconfortável diante do lagarto azul.

Mas Pedro não se importou. Queria continuar vivo. Até pensou em Lívia, por quem Rudá o obrigou a se apaixonar, mas seu pensamento mais vívido era aquela pedra. Se não resistisse à tentação, ficaria cego pela joia.

— Levante já daí! — ralhou o boto.

— Não é óbvio o que eu estou fazendo ajoelhado aqui, Cosmo? — sussurrou Pedro depressa. — Olha o tamanho desse lagarto! A gente tem que usar a inteligência para continuar respirando, não acha?

— E o que você sugere? — desafiou Cosmo.

Algo reverberou alto nos ouvidos deles. O lagarto tinha falado alguma coisa. As palavras do Carbúnculo soaram como sopros de uma enorme trombeta. Uma trombeta maior que qualquer instrumento que Pedro tenha visto ser tocado pela banda de animais lá na Festa no Céu.

— Oh, humano! Que bom que sabe se colocar em seu devido lugar — a voz do lagarto retumbou nos ossos de Malasartes e um bafo quente e malcheiroso empesteou o lugar. — Mas isso não vai impedir que eu me alimente da sua carne. É raro que a comida venha de bom grado e com tanta vontade de ser devorada. Não posso deixar a ocasião passar – Pedro tremeu ao escutar aquilo. Para ele, a potência da voz do Teiniaguá se igualava à intensidade do medo de virar refeição. – Se bem que já me alimentei tanto de humanos que estou farto do sabor da carne de vocês – a imensa cabeça azul do lagarto se mexeu de um jeito quase mecânico. Num movimento curto e rápido, olhou para Cosmo, que ainda estava de pé. – Também não sou muito chegado a peixe, mas posso abrir uma exceção – ameaçou.

– Assim como fez com os Ciprinos? Abriu uma exceção para os peixes que você escravizou e nomeou como o Povo das Nuvens? – acusou o boto, feroz, demonstrando não estar ali para papo-furado.

A cabeçorra do Carbúnculo, sustentada pelas duas pernas dianteiras musculosas de lagarto, desceu até eles e deu uma boa olhada no boto.

– Começo a entender um pouco mais do que venho sentindo sobre você, boto – disse o teiú fazendo quicar as pedras menores e espalhando mais uma boa dose de seu hálito ruim. – Essa rebeldia. Essa vontade de burlar as regras.

– Burlar as regras? – questionou Cosmo parecendo ofendido. – Acho que sua habilidade de sentir não anda muito boa, velho lagarto. Talvez tenha vivido por tempo demais – disse o boto, afrontando o Carbúnculo. – O que tem feito com os Ciprinos é que é burlar regras. Isso é errado!

– Um ser fantástico que se acha tão correto, mas que quebra as regras assim como eu – acusou o Teiniaguá ajeitando o corpanzil para ficar mais à vontade. – Pensa que não sei o que foi discutido na Bolha das Discussões e Decisões? – e Pedro, após o bafo pútrido se dissipar, observou o amigo ficar espantado com as informações que o lagarto possuía. Aproveitou para dar uma olhadela na pedra brilhante cravada na cabeça da besta reptiliana.

O pescoço do Carbúnculo funcionava como um guindaste e levou a cabeça da criatura de volta para o alto.

– Como sabe sobre a Bolha? – indagou o boto.

– Sou um Carbúnculo! – bradou o lagarto, causando um pequeno terremoto na caverna. – Sou quase uma entidade. Estou aqui e estou lá. Posso estar em qualquer lugar em que citem o meu nome. Sou a sombra que espreita. Aquela que tudo ouve, tudo vê e tudo sabe – falava com orgulho de si mesmo e os olhava de cima, da maneira mais intimidadora possível. Era de fato um lagarto enorme. – Pelo que entendi, o conselho do mundo das águas decidiu proibir sua missão. No entanto, cá está você, desrespeitando as regras de seu próprio mundo e me julgando por fazer o mesmo – e bateu o rabo no chão, impaciente. Tudo balançou com a chicotada. Pedro reparou na cauda da criatura. Era comprida e estava completa. O pedaço mutilado que encontraram no caminho devia ter se soltado tempos atrás. Outra cauda havia crescido em seu lugar.

– Eu estou aqui para devolver aos Ciprinos o conhecimento que você roubou deles – rebateu Cosmo sem se deixar intimidar.

– Você sabe muito bem que não roubei nada – retrucou o lagarto.

– Os ancestrais deles confiaram todas as descobertas e os avanços dos Ciprinos a você, para que devolvesse a seus descendentes quando nascessem. E não foi o que você fez – acusou o boto. Pedro admirava a bravura de Cosmo. Mal conseguia se mover de tanto medo.

– Sim, eles confiaram – confirmou o Teiniaguá balançando sua cabeça azulada. – E não deixei de cumprir com o prometido. Guardei todo o legado dos Ciprinos na pedra que habita a minha testa – apontou seus dedos compridos para a joia, que reluziu em uma miríade de cores. Verde, azul, vermelho e amarelo. – Quando a água da lagoa onde vivem retornou e seus ovos eclodiram, entreguei a eles apenas o que acreditei ser necessário – revelou, erguendo a papada num gesto pomposo.

– Necessário para transformá-los em escravos? – provocou Cosmo. Havia tempos ansiava por aquele embate, e o Carbúnculo riu-se de sua rebeldia.

– Não! – respondeu. – Na verdade, foi para que vivessem felizes. Já imaginou que a ignorância pode ser uma bênção, boto? – e o lagarto retesou o pescoço, parecia estar prestes a avançar para cima deles. Passou a proferir suas palavras com dificuldade, como se tivesse que dividir o espaço de sua boca com a saliva que escorria pela vontade de comê-los. – Sabe, peixe, já presenciei atitudes como a sua em alguns seres que eram conhecidos como heróis. Mas todos viraram comida ao cruzar o meu caminho – ameaçou o Carbúnculo, lambendo seus beiços de réptil.

Pedro sabia que a criatura os comeria. Para ele, isso já era fato consumado em sua cabeça.

– Ó grande Carbúnculo! – começou Malasartes, ainda de joelhos. – Sua magnitude é tamanha que não há como explicar. Eu, pequeno deste jeito, peço que não se alimente de nós! – implorou.

E, então, o lagarto voltou sua atenção para Pedro. Cruzou as pernas da frente e desceu sua cabeça até encostar o queixo no chão. Parou a meio metro de Pedro, que respirou o odor apodrecido em sua forma mais pura.

– Ó, por favor, tente! – pediu-lhe a fera.

Em pensamento, Malasartes agradeceu o Carbúnculo por ter falado baixinho. Se ele tivesse usado o tom de voz normal, Malasartes imaginou que seus tímpanos explodiriam.

– Desculpe-me, ó imenso Teiniaguá. Mas a que se refere? – quis saber Pedro, confuso e temeroso.

– Você disse que minha magnitude é tamanha que não há como explicar – o Carbúnculo soou irônico. Como se brincasse com Pedro. E cada sílaba dita estremecia todo o corpo de Pedro. – Quero que tente! – sugeriu o lagarto, com os olhos dourados brilhando de excitação. – Quero que me explique o tamanho de minha magnitude.

Pedro se sentiu sem jeito e com a vida por um fio. Sabia que, diante de qualquer deslize que cometesse, a língua pegajosa da criatura nem teria o trabalho de correr atrás dele para provar o seu gosto. Estava tão próximo que, quando o lagarto abria a boca, podia vê-la como um cômodo enorme, maior que qualquer casa onde já tenha morado.

– Se fosse um rio, eu o intitularia como o rio mais caudaloso. Se fosse uma montanha, o chamaria de colosso – começou Pedro. Antes de prosseguir, se certificou de que o Carbúnculo havia permitido que ele continuasse. O silêncio da criatura foi a deixa para que seguisse. – Se fosse o céu, diria que és majestoso – Malasartes poderia ficar elogiando o teiú para sempre, se isso garantisse a sua sobrevivência. – Se fosse um mar teria de ser o mais vasto. Se fosse a lua...

– Está ótimo. Pare já com essa bajulação – ordenou o lagarto em um tom mais seco, se levantando com a força das patas da frente. – Acabei de me lembrar quão exaustivo foi assistir você bajulando Makunaima ou tentando usar sua lábia para tapear o Canhoto. Não funcionará comigo – balançou a cabeça negativamente. – Além do mais, já tive muitos nomes. Todos eles melhores do que esses – criticou o lagarto em uma pose que lhe permitia exibir a extensão de seu corpo. Mostrou sua barriga de cores claras e seu peito de um azul que faria inveja ao pintor Faunim. – Já fui o Teiú Pantanoso, ou do Pantanal. O Teiniaguá do Deserto. O Lagarto Sabedor, O-terror-da-meia-noite, Aquele-que-espreita-na-sombra – passou a enumerar de maneira galante. – Depois fui O-lagarto-da-pedra-preciosa, Aquele-que-sabe-demais e tantos outros títulos dos quais aprendi a me orgulhar. Eu já fui a calamidade mais cobiçada – gabou-se ele. – Os últimos nomes que tive, os mais recentes, indicam como tudo terminou. O Último dos Carbúnculos, Aquele-que-desapareceu, O-terror-que-espreita-e-um-dia-voltará – fez uma pausa contemplativa. – E nunca mais voltei – completou divagando sobre o próprio passado. – Por muito tempo, fiquei sem ser chamado de nada – prosseguiu o Carbúnculo agitando sua língua bifurcada a cada trecho de seu discurso. – Consegui me esconder em cavernas por tempo suficiente para cair no esquecimento do mundo lá fora. A única coisa que faz um boto e um homem se colocarem diante de mim, neste instante, é um misterioso sonho arauto que você teve – olhou para Cosmo. – Eu me pergunto, por quê? – então mergulhou numa investida veloz. Cosmo saltou para trás e Pedro deitou-se no chão. O Carbúnculo tinha abocanhado o ar onde havia pouco estavam. Sua mandíbula se fechou com um alto estalo. Por sorte, escaparam no último instante. Pedro buscou ficar mais alerta. Entendeu que o lagarto era uma criatura imprevisível.

– Eu encontrei um ponto fraco em seus sete desafios – declarou Cosmo. A atenção do lagarto se voltou inteira para o boto, despertando a sua curiosidade. – Desvendei o segredo de suas provações – o boto tornou a provocar. – Os desafios são o reflexo de sua personalidade. Cada um deles representa algo que explica como foi que uma criatura dócil e sábia, como um Carbúnculo, se tornou um ser maligno como você – atacou o boto com acidez.

– É verdade, assisti a isso também – comentou o Teiniaguá com um ar de interesse. – Tenho que admitir que você é mesmo um boto incomum. E qual seria o meu ponto fraco? – perguntou o lagarto, ao mesmo tempo que retesava seu corpo lentamente, como se preparasse um bote discreto e certeiro dessa vez.

– Eu sei que você é tão frágil quanto os pés de louça que colocou nos Caiporas – destacou o boto enquanto Pedro apenas assistia. Conhecia a expressão no rosto do amigo. Teve a impressão de que Cosmo tinha uma carta na manga. Resolveu continuar observando. – E acredito que alguns boatos antigos sobre sua espécie já avisavam sobre essa fragilidade. Mas o tempo apagou tudo isso e a informação já não é mais transmitida.

O Carbúnculo mirou o boto em silêncio, ansiando pelas próximas palavras.

– As lendas mais antigas sobre os Teiniaguás afirmam que vocês são seres portadores de magia – disse Cosmo, fazendo questão de continuar seu relato. – E, como tal, você segue as leis mágicas, que costumam ser inquebráveis, como as promessas!

Pedro pensou consigo que já tinha quebrado promessas antes. As leis mágicas a que Cosmo se referia eram tão frágeis assim?

– Aonde quer chegar, criatura aquática em pele de homem? – ralhou o Carbúnculo com impaciência na voz.

Pedro percebeu o brilho nos olhos de Cosmo.

– Dizem que quem passa pelos sete desafios tem direito a um desejo. Um desejo que você é obrigado a realizar – declarou o boto em tom de afronta.

O Carbúnculo se mostrou surpreso, balançou a papada de maneira desconcertada. Chegou a abandonar a posição de ataque que adotara e que retesava seu pescoço.

– Sim, você definitivamente é um boto diferente – admitiu ele tentando manter a compostura. – Diga-me o seu nome, peixe! E me diga também qual é o seu desejo – quis saber o Carbúnculo, como se rendendo a um tipo de formalidade ou obrigação.

Pedro chegou a se perguntar se o lagarto obedecia a alguma lei mágica, como Cosmo havia comentado. Algo que ele não pudesse quebrar. Se a pergunta "qual é o seu desejo?" tivesse sido feita para Malasartes, ele saberia o que pedir. Foi então que viu Cosmo enchendo o peito para responder à indagação do grande teiú.

– Meu nome é Cosmo – apresentou-se o boto. – E, sobre o meu desejo – ele ergueu o dedo indicador, apontou para a parte acima dos olhos do lagarto e falou categórico –, eu quero a pedra que está aí, na sua testa.

Capítulo 22
O Povo das Nuvens

O riso do Teiniaguá estremeceu a caverna.

Riu-se com vontade, como se o boto tivesse lhe contado uma piada. Admirava rivais como Cosmo. Era esse mesmo o nome dele? Aquele boto cor-de-rosa foi buscar informações antes de agir. Foi atrás de lendas antigas sobre os Carbúnculos. Estudou para entender o que enfrentaria.

Lá no fundo, por experiência própria, o lagarto azul-índigo sabia que quanto mais conhecimento, melhor. Tomou como exemplo, em sua mente, os Ciprinos. De toda aquela informação reunida por seus antepassados e a que tinham direito, o Carbúnculo deu-lhes apenas o montante que julgou necessário, portanto esses seres o seguiam cegamente. Eles não lhe ofereciam resistência. Com o pouco de conhecimento que lhe forneceu, o Povo das Nuvens nem cogitava essa possibilidade. A dúvida e o questionamento não existiam naquele reino.

Sendo assim, o conhecimento transformava aquele boto cor-de-rosa num adversário que merecia o respeito do último dos Teiniaguás. Costumava ver seres inferiores da mesma maneira como os humanos enxergam as formigas. Eles não perguntam o nome das formigas. Apenas pisam nelas. São todas iguais!

Mas o boto Cosmo era diferente. Afinal, aquela criatura das águas havia decifrado os segredos mais profundos do Carbúnculo. Segundo o boto, cada um dos desafios revelava um traço de sua personalidade. E, como lagarto sábio que era, se espantou ao notar que ele próprio não tinha percebido isso. Ao criar e preparar cada uma das provações, colocara para fora todas as suas feridas antigas. Sabia dos motivos que o fizeram se tornar um Carbúnculo amargurado e feroz. A extinção de sua espécie! Mas não tinha se dado conta de que seus atos revelavam tudo isso. Ao assistir Cosmo desvendando uma por uma das sete camadas de quem era, o lagarto ficou perplexo ao ter uma aula sobre si mesmo. Pôde enxergar e entender muito melhor as situações em sua extensa vida, nas quais fora conduzido a mudar seu jeito de ser. Sua personalidade.

Cosmo havia relatado que o primeiro desafio simbolizava a dor dos ataques que enfrentou. Teve certeza de que ele estava correto em sua leitura do que vivenciou quando foi atacado pelas lâminas afiadas no escuro. Eram as lembranças tenebrosas daqueles que um dia o feriram. Teve raiva ao se lembrar de alguns: um capitão de antigas naus, um bandeirante com sua espada, uma amazona com uma lança, um cangaceiro com sua peixeira; então se alegrou ao recordar que todos haviam perdido a vida no ataque.

Ao longo do tempo, muitas agressões ferozes vieram depois daquelas e, por conta disso, a população dos Carbúnculos se tornou cada vez mais rara. Descobriu que, em sua maioria, seus iguais eram dizimados apenas para que os atacantes fizessem fortuna com os seus diamantes. Com essa descoberta, uma fúria assustadora e poderosa nasceu dentro dele. Naquela caverna, essa fúria foi representada pelo índio Makunaima, o segundo desafio.

Aquela foi a descoberta que mudou tudo.

O Carbúnculo lembrou-se de quando decidiu não levar mais o restante de sua longa vida como os antigos Carbúnculos levavam no princípio. Eram tidos como pacíficos e sábios. Davam conselhos quando requisitados, evitavam guerras. Depois de todos terem sido dizimados por conta de suas pedras preciosas, aquele último Teiniaguá olhou para si, refletido em um espelho d'água, e, debaixo de uma lua de sangue, jurou que se tornaria uma calamidade para os gananciosos e que o mundo conheceria pela primeira vez a selvageria dos Carbúnculos. Naquela época, nem ele sabia do que seria capaz.

Entre as sete provações, os Isquelês e o Canhoto simbolizaram exatamente essa mudança. A morte de quem aquele lagarto tinha sido e quão maligno ele seria a partir de então.

O Teiniaguá se incomodou com a clareza das coisas. Passou a sentir-se indefeso diante daquele boto. Os duros tempos que viveu o fizeram criar uma versão falsa dele próprio. Como Caninana tinha feito consigo mesma, criou uma realidade que combinasse mais com suas ambições. O Carbúnculo mentiu e escravizou uma raça inteira apenas para, nessa nova versão de si, ser um Carbúnculo rei e não o alvo de caçadores reféns da ganância. Os Ciprinos seguiam o seu rei em uma fé cega e falsa. O lagarto os havia obrigado a isso quando decidiu não devolver todo o conhecimento a que tinham direito. Tinha consciência de que o amor que os Ciprinos sentiam por ele era distorcido, como o tipo de amor que Rudá desferia ao flechar suas vítimas. Foi o que o boto concluiu com a sexta das provações.

Por fim, o azar e seus pés de louça. De acordo com Cosmo, havia um ponto fraco na personalidade do Teiniaguá. Aquele antigo Carbúnculo ainda vivia dentro dele? Era possível abandonar sua amargura e voltar a ver o mundo como antes? Achava impossível. Aquele era um mundo novo. Um mundo sem magia.

E quanto ao pedido do boto? Ele queria a sua pedra. No entanto, ele pedia algo impraticável. Dar-lhe a pedra seria suicídio, já que estava cravada fundo em sua cabeça. Retirar aquela pedra dali o mataria, como havia acontecido com toda a sua espécie. Ainda assim o pedido de Cosmo era pertinente. Talvez o peixe-boto merecesse ficar com ela, afinal havia decifrado corretamente a personalidade do Carbúnculo e sobrevivera até ali.

No entanto, não se sentia mais preso às leis mágicas que, em dias longínquos, haviam regido o velho mundo. A regra de conceder um desejo a quem passasse pelas sete provações era obedecida pelos Teiniaguás, mas apenas nos tempos remotos. Será que ele conseguiria ir contra essa tradição? Atender o desejo era como obedecer às ordens de um mundo que não existia mais.

O Carbúnculo sabia no que o boto acreditava: que aquilo que o lagarto tinha construído em volta de si, toda a sua nova personalidade, não era forte o suficiente para apagar quem ele havia sido um dia. O Carbúnculo compreendeu ser esse o ponto fraco que o boto enxergou. Voltar a uma essência de outrora.

Ora! Mas ele sentiu a dor. Sofreu e se enfureceu. Morreu e nasceu novamente. Muito mais forte. Muito mais robusto. Muito mais esperto. Criou um mundo só seu, onde podia ser amado e admirado como antes. Mesmo que à força. Distante de todo aquele mundo louco lá fora. Ali dentro, as coisas eram sólidas o suficiente. Como os pés duros que prendiam os espíritos dos Caiporas. O fato de serem frágeis como louça era apenas coincidência. Não simbolizavam nada mais. Ao perceber isso, decidiu que não queria reencontrar o ser que ele fora um dia. Mesmo se a sua essência anterior ainda existisse, ele era mais belo e mais terrível agora. Não queria voltar a ser o que era e se machucar outra vez.

Não!

Aquela personalidade nova que ele criara para si duraria para sempre. Não era fácil de quebrar. Pelo contrário, era irreversível e irreparável. Sustentaria a vida que tinha agora. O Último dos Carbúnculos era um rei. O que o boto havia descoberto durante as sete provações era uma blasfêmia.

Era nisso que preferia acreditar!

Portanto, o melhor a fazer seria devorar aqueles dois, o boto e o homem, e acabar de vez com a missão que levava o seu nome.

Cosmo aguardou até que o Carbúnculo parasse de rir. Não gostou do descaso com que o seu pedido foi recebido. Acreditava que o ponto fraco do lagarto se mostraria. Caso a essência anterior ainda morasse dentro do Carbúnculo, ele não desrespeitaria as leis mágicas. Uma criatura com um conhecimento daquele deveria saber que isso era o correto a se fazer. No entanto, seus traumas e machucados antigos talvez fossem grandes demais, refletiu o boto. Poderiam mesmo ter subjugado de vez o Carbúnculo que ele foi um dia? Um lado seu acreditava que isso era bem possível.

O boto se alarmou ao enxergar um brilho assassino e voraz nos olhos dourados da criatura. O Carbúnculo olhava para Cosmo e Pedro como se eles fossem ratos que devessem ser devorados. E foi o que tentou fazer. Os dois tiveram de se esquivar de um segundo ataque e, depois, de um terceiro. O Carbúnculo optou por partir para a violência. Para o boto, isso significava que ele havia tocado em uma ferida. Conseguira fazer o Carbúnculo pensar, e o lagarto pareceu não ter gostado de onde seus pensamentos o levaram.

Foram alvo de mais uma dentada. Pularam o rabo decepado e imóvel que bloqueava o caminho. Queriam alcançar o corredor. Aquele lugar que antes os obrigara a reverenciar o teiú gigante, agora poderia servir de abrigo contra suas investidas.

– O que foi, Carbúnculo? – gritou Cosmo que, com a corrida, precisou tomar fôlego e se sentiu nauseado em razão do cheiro de carne apodrecida daquela caverna. – Resolveu deixar a inteligência para trás? Ou os anos em que permaneceu escondido nesta caverna escura e fedorenta fizeram você menos sábio?

E o lagarto estacou. Ficou imóvel como uma estátua. Cosmo e Pedro ainda não tinham alcançado o corredor feito para anões.

– Você se acha esperto, peixe! – vociferou o Teiniaguá.

Havia uma fúria velada em sua vã tentativa de se acalmar. Seu peito azul-claro estava em riste, sustentado pelas patas dianteiras, e o lagarto arfava. Numa mordida muito rápida e potente, abocanhou seu velho rabo e o lançou para uma extremidade da caverna, fazendo o chão estremecer.

– Você é tão corrupto quanto eu, boto – afirmou o lagarto. – Boto e homem passaram pelas sete provações. Boto e homem merecem fazer um pedido. E, no entanto, apenas o boto sabichão se pronunciou. Aposto que você nem se importou em dividir essa informação com seu amigo, não é mesmo?

Cosmo olhou de esguelha para Malasartes. Ponderou se o que o Carbúnculo dizia fazia algum sentido. Lembrou-se delas, as raras lendas sobre o direito a um desejo, quando ainda se preparavam para adentrar o túnel de teto baixo. Isso significava que tinha mesmo guardado a informação só para si. Escolhera não a dividir com Pedro. Mas por quê? Era mesmo tão corrupto quanto o lagarto? Buscou entender o motivo. Tinha receio de como o amigo gastaria o seu desejo. Imaginou que ele pediria fortuna ou algo pior, que pudesse impedir a conclusão do verdadeiro objetivo da Missão Carbúnculo.

Por um momento, esse pensamento o fez sentir-se mal. Ou acreditava de vez que Pedro queria mesmo se tornar alguém melhor e estavam juntos naquela empreitada ou seguiria com a desconfiança que insistia em lhe arrebatar. Precisava decidir.

– Pedro! – chamou Cosmo. – Ele tem razão. O que é que você deseja? Tem tanto direito a um pedido quanto eu. O Carbúnculo é um ser mágico. Ele tem a obrigação de atender um de nós.

Cosmo assistiu Pedro dar asas à imaginação. Notou vislumbres de muitos desejos em seu semblante e, por isso, sentiu mais medo. Mas Malasartes não demorou para responder.

– Eu também quero a pedra – respondeu ele e, pela primeira vez, demonstrou coragem.

Por um lado, Cosmo suspirou aliviado. Julgava aquele pedido como sendo o correto a se fazer naquele instante. Caso o Carbúnculo os atendesse, dariam um fim naquele colosso de adversário. Por outro lado, não tinha muita certeza das intenções de Malasartes. Se a pedra fosse utilizada para devolver o conhecimento aos Ciprinos, ela seria destruída. Isso impediria a negociação e a venda de qualquer coisa, e Pedro não se transformaria num provinciano com posses e riquezas. Será que ele sabia disso? Que a pedra se autodestruiria ao fazer a devolução do conhecimento aos Ciprinos?

Era estranho. Tinha a impressão de saber mais sobre o Carbúnculo do que sobre o próprio Malasartes.

– Vamos, Carbúnculo! O seu tempo acabou. É hora de nos entregar a pedra – apressou-lhe Cosmo. Não queria dar ao lagarto chance para pensar e usufruir de sua inteligência milenar. – Como eu disse antes, estamos aqui para devolver o conhecimento aos Ciprinos – e pôde ver Pedro assentir em concordância, o que pareceu ser um bom sinal.

Um instante de silêncio se alojou nas profundezas da caverna. O lagarto encarou-os ressabiado. Seu peito não arfava tanto como antes. Aos poucos, ele se moveu pela direita de Cosmo e Pedro. Mais um pouco e um pouco mais. Então os dois perceberam que estavam andando em círculos, tomando cuidado para se manterem de frente para o grande teiú. Não demorou muito para o Carbúnculo se colocar entre eles e o túnel. Isso impediu Cosmo e Pedro de alcançarem um lugar onde pudessem se proteger dos ataques rápidos do Carbúnculo, dignos dos répteis.

Cosmo olhou para a caverna escura e não viu nenhuma chance de se salvarem, caso o lagarto resolvesse devorá-los. Acreditou ter aprendido bem, com o amigo Pedro Malasartes, sobre o dom da lábia.

Sentia que o que mantivera ambos vivos até então fora o fato de terem conseguido encurralar o Carbúnculo em uma conversa bastante acalorada.

– Vamos fazer algo diferente – sugeriu a boca grande e azul do Teiniaguá. Sua barriga agora rastejava devagar, empurrando o grande Carbúnculo de maneira sinistra na direção deles. – Salvar, você diz? – o lagarto se dirigiu a Cosmo. – Já pensou que os Ciprinos talvez não queiram ser salvos? Talvez eles não precisem. Talvez eles estejam bem assim do jeito que estão. Sob minhas rédeas – questionou o Carbúnculo, sugerindo uma terrível possibilidade, enquanto as sobrancelhas de Cosmo subiam até o meio da testa. – Se assim for, não há sentido em lhes dar a pedra, não acham? De que valerá o conhecimento dos antigos Ciprinos quando ele for rejeitado por toda a nova geração? – Cosmo gelou. E o Teiniaguá voltou-se para Pedro. – A não ser que ela tenha outro tipo de valia.

– Se os Ciprinos tiverem acesso a toda a história de quem eles realmente são, ficarão livres da sua tirania – rebateu o boto com esperança nos olhos. – Estarão livres da ignorância. Do não saber.

– Será? – Retumbou o Carbúnculo.

– Como assim? O que quer dizer com isso? – indagou o boto, enquanto Pedro, que antes prestava atenção aos movimentos do lagarto para evitar ser abocanhado de surpresa, mantinha agora um olhar distante, como se matutasse alguma coisa.

– Que tal conhecerem pessoalmente os Ciprinos? – disse o lagarto, remexendo o corpo coberto por um couro quadriculado em tons de azul.

Os dois, boto e homem, se alarmaram com a oferta do Carbúnculo.

– Conhecer os Ciprinos? – Cosmo tentou enxergar o que poderia estar por trás daquela oferta.

– Eu posso levar vocês até lá – disse o lagarto com o tom de voz mais suave que conseguiu empregar. Cosmo sentia a maldade escondida em algum lugar, só não sabia onde. – Posso deixar até que vocês conversem entre si por um instante. O que acham? – o boto achava tentador. Era uma chance de avisá-los. Contar aos Ciprinos o que estava acontecendo. – Já que desejam tanto a minha pedra, que tal descobrir se realmente *precisam* dela? – sugeriu o Carbúnculo com os lábios curvados em uma deturpada imitação de sorriso.

Cosmo não respondeu de imediato. Pedro ainda parecia lutar com algum pensamento em sua cabeça.

– E como vai fazer isso? – perguntou Cosmo, interessado em obter mais informações.

– Como já perceberam, esta não é uma caverna comum. A Alamoa a construiu – disse o lagarto remexendo sua língua bifurcada. – A Alamoa era uma criatura vinda do Além. A caverna era como uma passagem de lá para cá. Portanto, é uma caverna com propriedades mágicas poderosas – explicou ele, usando uma de suas grossas pernas, próxima à cauda, para coçar um ponto específico de seu ventre. – Estou há tanto tempo em seu interior que já aprendi a remanejar tudo o que presencio aqui. Posso levá-los até lá. Algo parecido com a Travessia que os Caruanas criaram nas águas. Aquela ligação entre todos os cantos do mundo subaquático – completou, despertando um pouco mais o interesse do boto. – Pelo que sei, os Ciprinos tiveram essa ligação cortada. E foi uma sereia que fez isso. Não eu – finalizou com ironia.

Cosmo sabia que o Carbúnculo se referia a Naara. Fora ela que desfizera a Travessia que ligava qualquer lugar do mundo subaquático com a lagoa onde os Ciprinos moravam. E esse último comentário, sobre levá-los até os Ciprinos em algo parecido com a Travessia? Era mesmo possível que o Carbúnculo conseguisse realizar esse feito? Seria esse o seu ponto fraco? A sabedoria voltando para o povo que ele escravizou? Porque, se Cosmo fosse até lá, não tinha dúvidas de que iria contar tudo o que sabia e os Ciprinos, com certeza, se juntariam a ele em um levante contra a tirania do Teiniaguá.

Isso foi o que o boto pensou.

Olhou para Pedro, que balançou a cabeça indicando estar apto a ir conversar com os peixes subordinados ao lagarto. Logo depois, Cosmo se decidiu. Voltou-se para o Carbúnculo e aceitou a oferta.

– Pois bem – disse o teiú fechando as pálpebras e ficando sério. Um vento fantasmagórico, vindo de lugar nenhum, varreu tudo por ali. A pedra de muitas cores, incrustada no centro da testa do lagarto, emitiu uma luz de seu interior.

Brilhou intensamente e todo o entorno sumiu num só instante.

Não havia mais caverna escura. Foi como aconteceu ao encontrarem Makunaima. As paredes da caverna desapareceram. Os dois presenciaram um dia claro e ensolarado. E, em vez de pisarem um solo pedregoso, Pedro e Cosmo estavam no alto, não pisavam em nada. Eram como nuvens a flutuar no céu. Lá embaixo, viam um imenso deserto com morros de areia de grandes proporções. Dunas e dunas subiam e desciam a perder de vista. O boto percebeu o desespero de Pedro com a altura, chegou a notar que seus próprios batimentos estavam acelerados e sentiu um entorpecimento em seus membros.

O Carbúnculo não estava em canto algum.

No segundo seguinte, caíram. Ou Cosmo pensou terem caído. Viu uma lagoa pequena, quase seca, que sucumbia ao calor e à opressão das altas montanhas de areia, que a subjugavam com o seu tamanho. A lagoa esverdeada se aproximava depressa. Desciam velozes na direção dela.

Não houve mergulho.

Agora estavam embaixo d'água. Apesar do sol lá em cima, ali dentro a água era turva e não deixava os raios do dia iluminarem a lagoa direito. De um lado a outro, o boto pôde ver os limites daquele mundo. Cosmo sentiu que aquela era uma água parada e velha, cujos dias estavam contados até que secasse de vez.

Após o choque que toda a travessia até ali lhe causou, percebeu estar na morada dos Ciprinos.

Então, o que é que Cosmo e Pedro presenciavam? A lagoa não era de grandes dimensões, com o passar do tempo aquele mundo parecia perder trechos de seu espaço, pois tudo passava por um período severo de estiagem. Eram sinais do chamado Apocalipse Ciprino? Aquele evento em que a água desaparece e a geração de peixes que então vive na lagoa morre? Se o fim estiver realmente próximo, este é o momento em que os peixes guerreiros precisam criar um jeito de passar seus valores e conhecimento para a geração futura; é a época em que devem guardar os ensinamentos para que seus descendentes aprendam a se cuidar. Fora justamente em uma situação como aquela que o Carbúnculo se aproveitou da confiança dos antepassados dos Ciprinos e recolheu tudo o que conheciam, guardando seus saberes na pedra preciosa. Naquela ocasião, os peixes não imaginavam que o

Teiniaguá, que lhes oferecia ajuda, iria escravizar seus filhotes assim que estes nascessem.

Dos muitos buracos abertos nas paredes barrentas, que ladeavam todo o entorno daquela lagoa, silhuetas curiosas se adiantaram. Cosmo assistiu a algumas delas se aproximarem temerosas. Observavam Pedro e Cosmo como se fossem algo inusitado. Como se não estivessem acostumados a receber visitas.

Cosmo percebeu, daqueles poucos que chegaram perto, que possuíam um corpo quase humanoide. Em vez de barbatanas, tinham braços. Em vez de rabo de peixe, tinham pernas. Não deu tempo de contar, mas o boto percebeu que eles tinham menos dedos do que um homem provinciano costumava ter. Havia uma película, como pequenas nadadeiras, entre os dedos dos pés e das mãos. Era o que os impulsionava para a frente, num leve flutuar, até alcançar os intrusos de sua morada. A cabeça deles era dividida ao meio por uma crista pontiaguda, que descia por toda a extensão de suas costas e terminava em um cotoco, lembrando um rabicó de girino.

Cosmo podia jurar que já tinha visto ilustrações, com base em relatos de avistamento, de criaturas antigas chamadas Ipupiaras. Todos os desenhos que buscavam retratar tais aparições eram idênticos aos Ciprinos que se apresentavam diante dele. Ipupiaras eram muito comuns em lendas indígenas. O nome significa Aqueles que Vêm da Água ou Os Demônios da Água. Os Ciprinos seriam, na verdade, os antigos Ipupiaras? Eram a mesma criatura? Nos relatos, Ipupiaras eram ferozes peixes humanoides que não socializavam com facilidade. Sendo assim, se assemelhavam mesmo aos Ciprinos. Se fossem mesmo Ipupiaras, não era à toa o fato de terem conseguido liquidar a Alamoa, pensou Cosmo.

Uma couraça prateada cobria o corpo de todos eles. Eram escamas arredondadas que brotavam de sua pele, como uma armadura que os revestia por inteiro. Seus olhos, que não tinham pálpebras e pareciam nunca piscar, os estudava em silêncio, no interior da lagoa de água opaca.

Mas o boto reparou em algo mais. Teve a impressão de que aqueles seres viviam de modo quase primitivo. Teve dó por um instante, pois tudo o que descobrira sobre os Ciprinos, ao menos até a época em que o mundo subaquático parou de ter notícias sobre eles, uma vez que eles fizeram questão de se desligar e se isolar, foi que aquele era um povo evoluído e sábio. Do seu sonho arauto, entendeu que os Ciprinos evoluíam muito de uma geração para a outra. Cada nova sociedade que nascia, após a seca, encontrava todo o legado de seus antepassados e iniciava um novo ciclo a partir dali. Era a forma que tinham de continuar existindo. Iniciando de onde seus antecessores haviam parado.

Mas não era exatamente isso o que o boto via.

Suas casas eram simples. Eram apenas buracos, como tocas. Não viu armamentos nem qualquer organização entre eles. Foi como se aquela sociedade toda tivesse começado do zero e isso o deixou mais zangado com o Carbúnculo.

Ainda não havia sinal do Teiniaguá por ali.

Cosmo resolveu aproveitar o tempo que tinha para fazer contato e explicar todos os danos que o lagarto havia causado a eles. Teve esperança de que haviam desenvolvido pelo menos uma forma de comunicação.

– Olá, Ciprinos! – começou ele. – Eu sou Cosmo, um boto cor-de-rosa. Uma criatura das águas, como vocês – disse apontando para si mesmo. – E este é Pedro. Um amigo meu que veio da Província – e, com um dedo em riste, indicou o alto, a superfície.

Um dos seres prateados se movimentou com a ajuda das nadadeiras entre seus dedos.

– *Stack. Stack* – estalou ele.

Cosmo percebeu que, talvez, aquilo seria um pouco mais difícil do que havia imaginado. Se a comunicação deles se dava por estalos, não adiantaria nada utilizar palavras. Pensou em usar o mesmo tipo de linguagem com a qual conseguira conversar com os Caruanas. O "sentir" fora a maneira com que conseguira se comunicar com os Bichos do Fundo. Fechou os olhos para se concentrar. Por um momento, buscou alguma forma de fazer contato. Trouxe à mente todo o sonho arauto que tivera e toda a maldade que o lagarto usara contra aquele povo. E, apesar do esforço, não houve nenhum tipo de conexão entre eles.

Abriu os olhos e tudo continuava da mesma forma. Apenas Pedro o encarava como se aguardasse pelo fim de sua meditação. Por sorte, a criatura de escamas prateadas prosseguiu por conta própria.

– Ciprino? *Stack*. Não saber o que é Ciprino. *Stack* – estalou para finalizar.

O boto chegou a sorrir ao ouvi-lo falar. Aquilo facilitaria as coisas. Afinal, aquela não era bem uma situação favorável para se concentrar e dialogar por meio de sentimentos. O Carbúnculo tinha dito que poderia deixá-los conversar apenas por um momento.

– Vocês são os Ciprinos – revelou o boto estendendo os braços, indicando falar deles. – Vocês todos são conhecidos como uma população de peixes guerreiros. São os poderosos Ciprinos. Seus pais...

– *Stack*. Povo das Nuvens. *Stack*. *Stack* – a réplica de um Ipupiara interrompera o que Cosmo dizia. Parecia querer corrigir o que o boto tinha dito. – Nós ser filhos das nuvens. Não saber o que é Ciprino!

– Não, não. Vocês foram enganados pelo Carbúnculo – recomeçou Cosmo. – Na verdade, ele escondeu muitas informações de vocês. Os Ciprinos anteriores, que são os pais de vocês, eles...

– *Stack*. Carbúnculo não mentir! – zangou-se o peixe em sua malha de prata. – Carbúnculo ser nosso rei. Nós ser feliz em servir ele.

E todos os outros seres, como ele, bradaram "urra", com os braços ao alto, como que em concordância à sua afirmação. Cosmo se mostrou preocupado com aquela perspectiva.

– Ei, não temos muito tempo – avisou o boto. – Eu e meu amigo aqui viemos salvar vocês da tirania do Carbúnculo. Ele os escravizou! – os olhos esbugalhados dos peixes guerreiros esboçaram uma expressão nada satisfeita com o que Cosmo dizia. – É claro que não sabem quem são os Ciprinos. O Carbúnculo guardou essa informação só para ele. Entendem o que eu digo? Ele controla vocês porque...

– Não falar mal de Carbúnculo! – interrompeu um deles. – *Stack*. *Stack* – estalou incrédulo. – E vocês vão embora. Nós não saber quem são. Nós não saber de onde são. E nós não querer saber. *Stack*. Nós não poder saber. Saber ser proibido!

Cosmo e Pedro se entreolharam. Dividiam, no semblante, o nível de dificuldade com que lidavam ali.

– O que meu amigo boto está querendo dizer é que vocês estão sendo controlados – explicou Pedro, tentando ajudar. – O Carbúnculo não é quem vocês pensam que ele é. Vocês também não são nenhum povo que veio das nuvens. Entendem?

E foi a vez dos seres prateados se entreolharem com seus olhos arregalados.

– Carbúnculo ser nossa majestade e não gostar de coisa errada. Coisa errada vira castigo para nós. *Stack*. Nós não quer mais castigo. Vocês ser coisa errada e precisar embora. Já! *Stack* – ao dizer isso, outros Ciprinos cercaram Cosmo e Pedro. Não pareciam mais tão arredios quanto antes.

Entre alguns deles, o boto notou algo acontecendo mais adiante na lagoa. Sua vista quase se perdeu na escuridão daquela água, mas conseguiu perceber um grupo de Ciprinos tentando quebrar alguma coisa específica. Eram seis ou mais deles, que se amontoavam sobre algo e investiam com força bruta para destruir o objeto.

– O que está acontecendo ali? – quis saber o boto.

Como se ainda estivessem sob a magia do Carbúnculo, aquela que os carregava de um canto a outro, Pedro e Cosmo se viram não mais onde estavam, e sim diante dos Ciprinos que buscavam quebrar algo misterioso.

Com selvageria, arremessavam a coisa no chão. Pisoteavam. Mordiam. Com ferramentas rudimentares, batiam e tentavam perfurar. Cosmo achou aquilo um grande absurdo, já que o objeto que tentavam quebrar nada mais era que uma pedra disforme. Parecia tão dura quanto qualquer rocha.

– Carbúnculo contou para nós que as nuvens não querer chover. Sem chuva, não tem mais Povo das Nuvens para chegar. *Stack*. *Stack*. Também não ter mais água na lagoa. Tudo secar. *Stack* – revelou um dos peixes.

– Não, isso está errado. Não tem chovido por outro motivo – tentou explicar Cosmo. – Vocês enfrentam um período de seca. É por isso que não chove. Porque o clima do lugar onde essa lagoa está localizada é seco demais nesta época do ano – o boto tentava controlar o desespero que tomava conta de si. Os Ciprinos pareciam não concordar com nada do que ele dizia. Pior! Era como se não compreendessem, ou não quisessem compreender. – Esta lagoa vai secar! – afirmou categórico. – É o que vocês chamam de Apocalipse Ciprino.

Os peixes demonstraram declarada confusão.

– Ser culpa nossa que não chove. *Stack* – disse outro deles. E Cosmo balançou a cabeça em negativa. – Nós tentar saber sobre mundo de fora. E Carbúnculo diz ser proibido. Saber ser proibido. Por isso nós ser castigado. *Stack*. Nós estar doente! – e, com seus dedos compridos, apontou para a pedra que os outros Ciprinos tentavam partir. – *Stack*. *Stack*. Carbúnculo ordenou que nós acabe com doença primeiro. Só depois é que chuva vai cair e trazer mais de nós pra lagoa. *Stack*.

– Isso é mentira! – vociferou Cosmo, mas quem o interrompeu, dessa vez, foi Pedro. O amigo pareceu perceber algo que o boto ainda não tinha entendido. O que quer que fosse, havia deixado o provinciano chocado.

– O que é essa doença de vocês? – quis saber Malasartes.

– Essas coisas sair de dentro de nós. *Stack* – o Ciprino se referiu à pedra disforme que fora atacada pelos outros de sua espécie. – Não ser coisa boa. Ter que quebrar, destruir. *Stack*. Carbúnculo dizer que essa ser doença nossa – contou o Ciprino.

Pedro levou as mãos à boca, incrédulo. E Cosmo não entendeu por quê. Os Ciprinos que atacavam a rocha tanto fizeram que ela se partiu. Eles comemoraram enquanto se muniam de uma nova pedra como aquela, pegaram-na numa pilha de outras tantas rochas irregularmente arredondadas.

Quando a pedra se partiu, ao invés de o interior ser tão sólido quanto o exterior, era o oposto. Uma gosma saiu de dentro da rocha e se esparramou, dissipando-se na água turva que os banhava.

Cosmo teve um sobressalto. Talvez o pior que já o acometera em toda a sua vida.

Percebeu que aquilo não era rocha nem uma doença. Os Ciprinos estavam destruindo ovos. Aqueles eram os ovos que eles mesmos haviam posto. E a cabeça que Faunim lhe desenhou pareceu prestes a explodir. Não podia crer em uma maldade daquele tamanho. A sociedade Ciprina estava às vésperas do fim de todo o seu mundo. A secura os devastaria, como de costume. Era de sua natureza botar ovos naquela época. Aqueles ovos sobreviveriam à seca total da lagoa. Atravessariam um período desprovido de água enquanto os filhotes Ciprinos se fortaleceriam protegidos por suas cascas duras, à espera da época de chuvas, que devolveria a água para a lagoa. Só então deveriam nascer e repovoar o local. No entanto, o lagarto índigo, além de não lhes devolver o conhecimento de seus antepassados, havia embaralhado seus hábitos com invencionices malucas sobre nuvens e doença. Não havia doença alguma! Destruir os ovos significava o extermínio daquela espécie de peixe. O Carbúnculo submetia os Ciprinos à mesma violência e maldade que o mundo lhe oferecera.

Cosmo se enfureceu como nunca. Sentia como se sua fúria fosse do tamanho da Fúria de Makunaima.

Avançou na direção daqueles Ciprinos e os empurrou. Queria impedir que eles destruíssem mais ovos.

Apesar de aquela não ser uma geração guerreira, como seus antepassados, ainda sim eram fortes e ágeis. Em poucos movimentos afastaram Cosmo e continuaram tentando quebrar a rocha.

No meio da confusão, Cosmo esbarrou em alguns dos ovos empilhados e dois deles rolaram por uma pequena encosta sem que ninguém visse. Com os empurrões dos seres prateados, o boto acabou indo parar bem próximo de onde os ovos desgarrados haviam caído. Para evitar que Pedro também tentasse impedir a destruição das rochas, os Ciprinos o empurraram para junto do boto.

– Cosmo! – chamou Pedro visivelmente abalado com o que vira. – Não adianta tentar salvá-los. Eles nem sabem que precisam de ajuda.

E Cosmo, ainda deitado no chão, parou para escutar o que Pedro dizia. O semblante desolado do amigo confirmou tudo aquilo em que o boto não queria acreditar. Malasartes expressara em palavras algo que estava além do que ambos seriam capazes de evitar. Cosmo sabia que Pedro tinha razão, mas isso doía profundamente dentro dele. As esperanças que alimentou por tanto tempo haviam sido massacradas com a visão assustadora dos Ciprinos ditando, com violência e ignorância, o fim de sua própria espécie.

– O Carbúnculo tem razão – continuou Pedro tristonho. – Eles não querem ser salvos. Para eles, a ignorância é mesmo uma bênção.

– Não – sussurrou Cosmo em resistência.

– Sim – disse a voz estrondosa do Carbúnculo, que pareceu ter vindo de todos os lugares e de lugar nenhum. – É hora de voltar para a caverna. Nós ainda não terminamos nossa conversa sobre a pedra que habita a minha cabeça.

E, antes que a morada dos Ciprinos desaparecesse, Cosmo abraçou os dois ovos, duros como rocha, que tinham rolado pela encosta.

O boto, arrasado, viu o amigo cuspir no chão. Em sua própria boca, sentiu o gosto acentuado de algo estragado. Percebeu ter puxado o ar para seus pulmões com a boca, em vez de usar o nariz. Entendeu que aquele gosto era o aroma de putrefação que exalava do lagarto. Foi por esse gosto amargo e podre da derrota que Cosmo soube estar de volta ao fundo da caverna. Largou os ovos no chão e empurrou-os para trás de si. Reuniu as poucas forças que tinha e encarou o lagarto. Por mais incrível que pudesse ser, o Carbúnculo de proporções gigantescas lhe pareceu maior ainda. E os encarou triunfalmente lá do alto.

– Você é terrível! – acusou Cosmo. – Não existe compaixão em você. Meu peito dói pelo que vi – e colocou uma das mãos sobre o coração apertado. Lágrimas pesadas vertiam de seus olhos. Sentiu-se zonzo, prestes a perder os sentidos e desmaiar. – Os Ciprinos podiam ser muito mais do que são. Esse potencial sempre foi aproveitado de geração em geração – disse o boto. – O que eu vi foi uma sociedade primitiva. Como se tivessem regredido. Vi a morte de tudo o que os antepassados deles fizeram e conquistaram. Eu levei o conhecimento até eles e eles...

– Recusaram! Sim, eu vi, pobre boto cor-de-rosa – ironizou o Teiniaguá. – Sabe, Cosmo – começou ele, mesclando sua ironia com um tom mais paternal –, me parece que foi você que se deparou com um ponto fraco nesta caverna. E não eu – disse, rastejando devagar, deleitando-se com a derrota de Cosmo. – Você foi quebrado como os pés de louça que coloquei nos Caiporas. Mesmo que a caiporice deles não tenha recaído sobre vocês, me parece que a sorte que costumavam ter não alcançou a profundidade do meu covil – soltou uma risada grave que retumbou nas paredes. – O conhecimento nem sempre é a melhor das escolhas – tombou a cabeça de lado em um movimento quase robótico. – Por que não se pode ter alguém para decidir as coisas por você? Isso lhe dá mais tempo para viver a sua vida, não? – indagou sem esperar resposta. – A ignorância, muitas vezes, é mais bem-vinda do que o conhecimento. Ela esconde verdades, isso é certo! – prosseguiu, balançando a papada de maneira orgulhosa. – Mas ela também ignora certas dores que você não precisa viver. E essa é a beleza da coisa toda – a língua bifurcada saltou e voltou-se para dentro de sua boca antes de prosseguir. – Com a ignorância, você pode ser feliz, sem saber que essas dores existem.

— Cale-se! – ordenou Cosmo enfurecido. – Como pode acreditar que os Ciprinos são felizes sob o seu comando? Eles estavam destruindo os próprios ovos. Chamavam sua prole de doença. Estavam destruindo a geração futura, justamente em um período de seca – o boto gritava seus dizeres e babava. Enquanto isso, sua esperança se esvaía como se escoasse por um ralo. – Eles serão todos exterminados! – disse por fim. E caiu sobre os próprios joelhos, com a cabeça baixa.

O lagarto arrastou sua barriga movimentando-se para um canto mais escuro da caverna. Abaixou-se até encostar o queixo no chão e se dirigiu a Cosmo.

— Veja bem! As noções e os valores sempre mudam com o tempo – comentou. A luz que vinha do teto iluminava a pedra e salpicava o corpo dos dois de fragmentos de luz. – Como saber o que é certo e o que é errado nos dias de hoje?

— Você não sente? – bradou Cosmo dando um soco no próprio peito. – Você é um dos seres mais antigos que ainda vive. Deveria sentir com mais intensidade que qualquer um que viva neste mundo. Deveria ser um exemplo para todos nós.

O Carbúnculo ficou sério. Cosmo tinha mexido com o seu orgulho.

— Os Ciprinos escolheram morar em um ambiente inóspito, que seca e os mata – retrucou o lagarto, elevando o tom de voz e levantando a cabeça novamente. – Só estou seguindo o curso natural das coisas. Essa sociedade de Ciprinos não deveria conhecer a população anterior. Minha intervenção só assegura que tudo transcorra como deveria – completou com certa arrogância. – Eles é que sempre tiveram a mania de interferir e brigar entre si, só para encontrar um jeito de fazer seu conhecimento atravessar o período de seca. Estou apenas corrigindo o rumo de sua evolução – e pateou o chão, fazendo toda a galeria estremecer. – Mas, na verdade, o destino natural que os espera é a morte – disse ele secamente. – E eu sou o representante dessa morte.

Cosmo continuou de joelhos e de cabeça baixa. Respirava o ar fétido enquanto buscava um jeito de desanuviar a mente. Precisava de uma nova perspectiva, mas não encontrava nenhuma. Assim, o desespero começou a dominá-lo aos poucos.

O teiú cruzou as patas da frente e se deitou sobre elas, sem pressa.

– Agora, vamos continuar a nossa conversa sobre o desejo de vocês de obter o diamante incrustado em minha testa – prosseguiu, animado, o réptil. – Chegou a hora de escolherem o real propósito da utilização dessa pedra. Que fim ela terá? Se for usada para devolver o conhecimento aos Ciprinos, ela se destruirá. Ela não resiste à devolução da sabedoria mantida em seu interior. Ao menos, não sem um dono. Um hospedeiro. E eu não vou devolver nada! – revelou categórico. Cosmo não duvidou do que ouvia. Sentia que o Teiniaguá dizia a verdade. – Ou seja, assim que estiverem com a joia nas mãos e prosseguirem com a patética Missão Carbúnculo, vocês testemunharão o derretimento da pedra após a entrega do que há dentro dela – e o lagarto fez questão de voltar-se para Pedro Malasartes. – Se alguém tiver outro plano para esta joia, esse plano não funcionará.

Cosmo esperou alguns segundos. Sabia o que viria a seguir. E não deu outra. Pedro se pronunciou.

– Cosmo – sussurrou ele. – Os Ciprinos não precisam mais da pedra. Quero dizer, eles não querem conhecimento algum, não é mesmo?

O boto manteve seu silêncio.

– A menos que você faça algo com aquele pincel que guarda em seu bolso, eu acredito que tenho o direito de pedir a pedra dele para fazer fortuna – declarou Malasartes. – Não concorda?

Cosmo havia esquecido completamente do "pincel de um desenho só" que Faunim lhe dera. Ainda não tinha encontrado uma utilidade para ele. E, mesmo Pedro resgatando o pincel de sua memória, ainda assim não via como poderia usá-lo de maneira adequada.

– E então? – indagou Malasartes. – Há alguma coisa que você possa fazer com o pincel, Cosmo? Estamos em uma situação de risco aqui.

O Carbúnculo olhava de um para o outro. Assistia a uma discussão excitante e divertida entre os invasores de seu covil.

– Eu... eu ainda não acho que este seja o momento de usá-lo – respondeu Cosmo, nitidamente sem forças. – Não sinto que...

– Ora, Cosmo! Então quando será o momento certo? – ralhou Pedro irritadiço. – Passamos pelos piores bocados antes de pisar nesta caverna. Depois de entrarmos, vivenciamos sete provações perigosíssimas, e eu ainda não entendi como estou vivo aqui, em pé, falando com você. E o tempo todo esse pincel esteve em seu bolso, sem utilidade nenhuma. Faunim lhe deu o pincel para que ele ajudasse na jornada, não foi? E cá estamos nós – Pedro parou seu falatório, mas Cosmo, sem saber o que dizer, decidiu voltar ao seu silêncio. – Ei, Cosmo! Eu juro que tentei. Estou tentando ser alguém melhor. Você sabe que isso é verdade, não? – e o olhar de Malasartes se mostrou perdido. – Assim como você, eu queria realmente devolver o conhecimento para os Ciprinos. Mas, ao conhecê-los, tudo mudou – Cosmo viu Pedro levantar o rosto e mirar, sem medo, o diamante brilhoso enfiado na cabeça do teiú. O Carbúnculo pareceu se ajeitar de modo a deixar a pedra mais à vista ainda, como se armasse uma arapuca para o provinciano. – Eles não querem o que há naquela pedra. Eles não se importam. Eu, sim. Posso fazer muito dinheiro com ela nas mãos – e andou até Cosmo. Abaixou-se à altura de seus olhos. – Sei que o dinheiro provinciano não lhe serve de nada, mas posso comprar o que você quiser. É só me dizer o que deseja e eu conseguirei para você. Não me importo em lhe dar uma parte de tudo o que eu conseguir – Cosmo permaneceu imóvel. – Você verá! Dinheiro faz milagre onde eu moro. Com ele é possível conseguir tudo o que se quer. Sem falar em Lívia. Viajarei o mundo atrás dela. E só aquela pedra é capaz de pagar por isso – e a ganância estava de volta, com força total, aos olhos de Malasartes.

O boto cor-de-rosa ouviu com pesar todo o discurso do amigo. Não pôde deixar de lhe dar certa razão. Afinal, se os Ciprinos se recusavam a receber o conhecimento de volta, qual seria a utilidade da pedra para ele? Cosmo sentiu-se abandonado por aquilo que tanto prezava. O destino. Não conseguia enxergar a lição que tiraria de toda aquela situação.

– A Missão Carbúnculo foi um fracasso. Não serviu para nada – disse o boto com pesar.

Pedro se espantou com o estado de ânimo do amigo. O Teiniaguá também o observou de soslaio, buscando esconder certa alegria.

– O destino nos trouxe aqui para sermos derrotados pela ignorância – e levantou a cabeça para encarar os olhos dourados do lagarto. – Não tenho mais forças para combater você, Carbúnculo – anunciou Cosmo. – Você e Pedro estão certos. Os Ciprinos não querem o conhecimento por desconhecerem que ele existe. Por não saberem quão benéfica é a sabedoria – abaixou a cabeça novamente. – O que presenciei hoje é um crime contra os Ciprinos. Um atentado contra a vida. Algo irreparável.

    O lagarto manteve-se encolhido, com as pernas grossas dobradas. Impulsionando-se para a frente, num movimento similar ao rastejar de uma cobra, aproximou-se sorrateiro do boto cor-de-rosa. Com uma voz de alento, disse:

    – Não fique tão chateado, criatura das águas! – começou ele com um falso ar paternal. – Não há crime ou atentado algum. É apenas a verdade que vivemos aqui. Longe dos conselhos do mundo subaquático e longe dos olhares gananciosos dos seres humanos, somos só nós. Os Ciprinos e eu. Sem julgamentos – disse agitando a longa cauda azulada. Apontou os cotovelos para o alto, em uma pose mais ameaçadora. Como se estivesse prestes a saltar para cima deles. Sua voz soou mais viperina e sussurrante e as fendas escuras que dividiam seus olhos dourados miraram o boto. – Você e seu sonho arauto são os enxeridos que vieram interferir em uma verdade que não lhes pertence – então sua língua estalou e voltou a se esconder.

    – Tudo bem. Já chega, Carbúnculo! – Malasartes se pronunciou. – Já que os Ciprinos não querem mesmo essa pedra, eu quero! Então, acredito que você deva obedecer àquelas leis mágicas que o Cosmo mencionou e...

    O Carbúnculo gargalhou alto, assustando boto e homem. Cosmo suspeitou que o lagarto estivesse divertindo-se com a presença deles desde o início. Sua inteligência milenar os fez cair em uma armadilha. Cosmo subestimara o poderio e a grandeza dos Teiniaguás. Acreditava que seria possível vencê-lo. Mesmo que seu pedido por ajuda, na Bolha das Discussões e Decisões, tivesse sido atendido, agora percebia que as possibilidades de derrotar o Carbúnculo eram quase nulas.

    – O que é tão engraçado? – indagou Malasartes sem perceber tudo o que Cosmo já constatara. Que os dois eram mero entretenimento para aquela criatura maléfica. Que tinha sido besteira acreditar que o Carbúnculo tivesse um ponto fraco. Poderia até ter um, mas ainda assim seria muito difícil derrotar o Teiniaguá. A essência do Carbúnculo não morava mais dentro dele. A personalidade que ele criara para si já era velha. Tinha extirpado qualquer resquício de quem o lagarto fora um dia.

– Você é engraçado, humano! – o Carbúnculo gargalhou mais alto e de maneira mais debochada. Cosmo viu a poeira se agitar em muitos pontos da caverna, por conta da trepidação causada pelo riso retumbante do teiú. – Aprendi a quebrar promessas ao assistir a ganância de vocês. Aprendi a burlar as regras – vociferou, cessando o riso e encarando Pedro de maneira bem mais séria. – Consequentemente, vocês, humanos, me ensinaram como não respeitar as leis da magia. Por isso, eu decido não atender o desejo de nenhum dos dois – Cosmo observou Pedro empalidecer e ficar boquiaberto com os dizeres do réptil. Agora o amigo entendia tudo, assim como ele. O Carbúnculo nunca tivera a intenção de entregar-lhes a joia. Era apenas um joguete maldoso criado pelo lagarto. – Não darei minha pedra a vocês! – confirmou a boca modorrenta do lagarto. – ainda quero ver de pertinho o fim do Povo das Nuvens. Estão erradicando uma doença rara. Não quero perder esse momento de jeito nenhum – a ironia retornou ao seu tom de voz, do mesmo modo que costumava acontecer com o Cramulhão. – E se, por um acaso, durante todo o caminho que vocês dois percorreram até aqui, acreditaram que tudo isso acabaria bem para vocês – o teiú apoiou-se nas quatro patas, erguendo seu corpo do chão, mostrando-se ainda mais alto e imponente –, quero lembrar-lhes de que estão enfrentando um ser mitológico e, daqui desta caverna, não sairão jamais!

Abaixou a cabeça com rapidez, num bote certeiro. Cosmo não teria tempo de se esquivar. Estava abalado demais com o fim da missão. Pedro, no entanto, pareceu não pensar só em si. Mesmo estremecido com as revelações, saltou empurrando o boto para longe do lagarto. Os dois rolaram pelo chão de pedras pontiagudas e sentiram como se agulhas perfurassem todo o seu corpo. Cosmo empurrou Pedro para longe dele.

– Tire suas mãos de mim! – ordenou o boto enfurecido.

– Ei, você ia virar comida de lagarto. Não reparou? – disse Malasartes.

O teiú investiu novamente. Cosmo teve de suportar Pedro salvando-o mais uma vez. Buscou desvencilhar-se novamente das mãos gananciosas de Malasartes e empurrou os ovos para um local distante de onde estavam. Se buscava uma perspectiva nova, aqueles dois ovos eram a única alternativa que o boto tinha.

Com apenas uma troca de olhares, Cosmo e Pedro combinaram, entre si, discutir suas diferenças depois. Passaram depressa por baixo de uma das pernas do Carbúnculo e correram na direção do túnel. Mas estavam longe demais. Não o alcançariam antes de serem abocanhados. O boto procurou, em vão, algum refúgio nas laterais da câmara. Constatou que nada poderia salvá-los. Viu os ovos quase serem pisoteados pela fera, que seguiu numa corrida ligeira e cega para conseguir seu alimento. O fim daquela missão era o pior possível. Virariam mera refeição de teiú.

– Carbúnculo! – alguém chamou do alto, com suprema autoridade no tom de voz. Dessa vez, o som ecoou repetidas vezes.

O lagarto dirigiu seu olhar dourado para uma protuberância de pedra que saía de um ponto mais alto que ele. Entre as muitas rachaduras das paredes da caverna, quase no topo da galeria, uma mulher estava em pé numa espécie de varanda natural esculpida na rocha.

Cosmo e Pedro também pararam de correr para ver quem era. A princípio, o boto pensou ser a Zaori. Mas logo percebeu estar enganado.

– Quem está aí? – perguntou o réptil nervoso. – Apresente-se!

– Não me viu chegar? Não conseguiu sentir minha presença, não é? – provocou ela.

O Carbúnculo pateou o chão tentando estremecer o lugar e desequilibrar a mulher da protuberância onde estava. Ao perceber a habilidade da intrusa em manter-se em pé, bateu com a cauda no chão e, por pouco, não esmagou Cosmo e Pedro.

– Você provavelmente não percebeu o meu avanço pela caverna, pois é onipresente apenas para aqueles que pensam em você ou citam o seu nome – comentou a silhueta lá do alto.

Algum caminho secreto desembocava naquela saída, que ficava num nível superior do covil do Carbúnculo. Cosmo semicerrou os olhos para tentar enxergar quem era.

– Meu nome é Maria Caninana! – anunciou-se, fazendo Cosmo e Pedro se entreolharem. – Desde o momento em que pisei nesta caverna meu objetivo era encontrar o Canhoto. Um grande erro, por sinal – refletiu ela. – No fim das contas, tive que carregar o corpo do meu irmão. Um preço altíssimo, mas ainda pequeno, pelos erros que cometi. Sei que Honorato acharia que vir aqui seria o certo a fazer.

– Não me importo com quem você seja ou o que considera certo. Desça aqui e virará o meu jantar! – ameaçou o Teiniaguá irritado.

Sem demora, ela apontou uma flecha retesada em um arco, mirava a testa do Carbúnculo.

– Corrigirei meus erros um a um – disse ela. – Vou começar prestando auxílio a Pedro e Cosmo.

– E me ameaça com uma simples flecha? – zombou o Carbúnculo com a língua bifurcada de fora. – Por acaso já viu o meu tamanho?

– Já, sim – respondeu Caninana. – Achei, inclusive, que, com esse tamanho todo, seria capaz de reconhecer a arma que está apontada para você neste momento.

O Carbúnculo semicerrou seus olhos cor de ouro, buscando enxergar melhor.

– Esses são o arco e a flecha do Curupira, o Pai das Matas – anunciou Maria.

– Então isso quer dizer que você tem apenas um disparo – comentou o Teiniaguá mostrando conhecer as lendas que circundavam aquela arma. – É bom que sua mira seja precisa, ou devorarei você de sobremesa – advertiu o lagarto, ignorando a mulher e voltando a atenção novamente para Cosmo e Pedro.

– Sim, você está certo! – Caninana chamou a atenção do Carbúnculo mais uma vez. – Tenho apenas um disparo. Mas o fato de essa seta ser do Curupira, significa que ela nunca erra o alvo.

Cosmo não deixou de ficar animado ao vê-la lutando ao lado deles. Ficou ainda mais feliz ao perceber que Maria havia se conformado com sua nova realidade, uma realidade na qual sua personalidade ruim não existia.

Já havia presenciado Caninana levantar aquele arco, em outras ocasiões, enquanto percorriam a caverna. Em nenhuma dessas ocasiões ela chegou a atirar. A não ser contra Pedro Malasartes. Mas aparou a flecha no meio do caminho e devolveu-a ao arco.

Quase duvidou de que Maria atiraria dessa vez. Só não chegou a fazê-lo porque mal teve tempo para isso. Um *zip* cortou o ar numa velocidade tremenda. Caninana tinha finalmente disparado a fecha do Pai das Matas.

Capítulo 23
Flecha e Pincel

A seta foi certeira.

O Carbúnculo teve sua cabeça perfurada pela flecha que, um dia, o Pai das Matas esculpira em uma palmeira com propriedades mágicas. Uma palmeira extinta em razão da ganância do homem, assim como a espécie do Teiniaguá, por ironia do destino, ou não. Ora, mas que desaforo era aquele? Uma intrusa naquela caverna? Disparar uma flecha daquelas em sua direção? Ele era um rei! Um ser superior. Uma entidade antiga e sábia. Como foi que a deixou passar sem perceber? Ficou tão compenetrado em sua diversão com o boto e o homem que acabou se descuidando? Ou não havia nenhuma ganância naquela mulher que incluísse ele ou a sua pedra? Se ela tivesse direcionado os pensamentos para ele, ao menos por um segundo, enquanto atravessava as provações no caminho até ali, o lagarto teria pressentido sua presença antes. Conheceria suas intenções.

Mas já era tarde demais. Não importava!

Precisava dirigir sua atenção à flecha. Sentia-a enterrada em sua couraça. Ela o atingiu. Fez jus às lendas sobre as setas certeiras do Pai das Matas. Quem encontra uma dessas flechas perdida tem direito a apenas um disparo. Após feito esse disparo, a flecha sumiria sem deixar rastro, como se nunca tivesse existido.

No entanto, o teiú ainda estava vivo. O que, de fato, acontecera?, perguntou-se. A flecha errou o alvo e deixou de cumprir a sua missão?

O Carbúnculo não sabia dizer.

Só sabia que, pouco antes da flechada, a índia guerreira que invadiu o seu covil pensou nele enquanto segurava o arco em riste. Repetiu seu nome na cabeça por diversas vezes, portanto o Carbúnculo conseguiu acessar o "sentir" dela. Pôde fazer mais do que isso. Nesses pequenos instantes, pôde ter acesso às suas intenções. E o que ele entendeu dessas intenções envolviam a flecha e um tiro que fosse estratégico. Notou que ela pareceu se focar bastante nisso. Num tiro estratégico. E só então a seta pulou do arco dela para a sua testa.

Foi bem onde a flecha atingiu. Um pouco acima de seus olhos.

Existia ali algum ponto fatal? Ainda não conseguia mensurar a dor, pois pensava tudo isso em milésimos de segundo. Pensamentos que um cérebro comum demoraria muito mais tempo para raciocinar. O teiú tinha total consciência de que a dor da flechada ainda iria incomodá-lo. Estava esperando por isso.

Lógico que ele sabia da existência dos irmãos gêmeos. Ele os acompanhara enquanto observava o avanço de Pedro e Cosmo. Mas não acreditou que seguiriam adiante. Então esse foi o seu ponto fraco? Não se atentar aos detalhes? Como pôde deixar que a mulher passasse despercebida? Ou como fora capaz de planejar uma caverna cheia de obstáculos que impedissem o avanço de um invasor e, ao mesmo tempo, colocar ali uma arma capaz de subjugá-lo, como o arco e a flecha do Curupira? Isso seria um sinal de que sua essência antiga ainda estava viva? Permitir que aquela arma fizesse parte de toda a metáfora que criara era deixar ali uma forma de pôr um fim naquilo tudo?

No fundo, ele sabia que o que fazia com os Ciprinos era, de certa forma, errado. Mas uma parte, cansada e rude, em seu íntimo resolvera insistir em se manter assim. O tempo passou e ele se acomodou àquela situação. Porém, o boto e o homem tinham vindo reclamar as consequências de seus atos. Fora essa a maneira que o destino encontrara para dizer que seu tempo havia terminado?

O Teiniaguá era imortal, já que nenhuma praga poderia abatê-lo e seu corpo era quase impenetrável. Seu couro era bem grosso. No entanto, seus iguais não existiam mais. Aquele mundo, aos poucos, pareceu ter recusado a presença de Carbúnculos. Não os tolerava mais. E, pensando no que se tornou, talvez fosse mesmo a hora de parar de manchar a imagem que o mundo ainda tinha dos Carbúnculos.

Seres serenos e conselheiros. Histórias vivas que andavam por aí. Era isso? Se aquilo tudo, o aparecimento da índia guerreira e sua flecha, fosse uma forma de julgamento, ele aceitaria o descanso. Se o futuro achava que o momento presente precisava de uma correção, então o Carbúnculo talvez merecesse a estocada mortal daquela flecha. Se fosse para partir, estava pronto. Quem sabe já fosse mesmo a sua hora?

Mas a flechada não tinha doído absolutamente nada. Olhou para cima e conseguiu ver a parte de trás do dardo enfiado pouco acima de seus olhos. Após o disparo, a seta não deveria ter desaparecido? Era como se tivesse atingido apenas a pedra e não ele. Só que algo quente escorreu dali. Era sangue?

Não importava!

Estava vivo e era o último dos Carbúnculos. Tudo aquilo também podia significar outra coisa. Podia ser o futuro dando-lhe um aviso de que precisava prosseguir. Que seu destino ainda tinha planos para mais adiante.

Pensando bem, se aquela flecha não o matasse, se tornaria a pior das catástrofes deste mundo!, o Carbúnculo prometeu a si mesmo.

Por um instante, Pedro também duvidou que Maria Caninana atiraria. Conhecia o ditado: "Cão que ladra não morde" e tinha visto Maria ladrar com aquele arco e aquela flecha diversas vezes. Ele mesmo já tinha sido alvo dela, mas, para sua sorte, Caninana desistira do disparo no meio do caminho. Que bom!, comemorou em sua mente, lembrando-se de um dos instantes mais apavorantes de sua vida. O coração de Malasartes chegou a parar quando Maria apanhou a flecha no ar e devolveu-a ao arco. Mas o momento agora era outro. Ela realmente tinha disparado a flecha que nunca erra. Mas algo pareceu errado. O Carbúnculo ainda se mantinha vivo sobre suas quatro patas.

Pareceu óbvio, para Pedro, que errar uma flechada num bicho daquele tamanho não seria tão difícil assim, mas acreditou que a fama da flecha, em ser aquela que nunca erra, significava algo fatal. Ou algo certeiro. Não classificaria aquela flechada como algo certeiro.

Percebeu que a seta fora parar bem no local em que a pedra encontra a testa da fera. Ela se alojara no vão entre a carne da cabeça do Carbúnculo e a joia. Um filete de sangue azul-escuro desceu dali, confirmando a proeza de Caninana.

O Carbúnculo apenas olhou para o que conseguiu enxergar do dardo fincado entre seus olhos e bradou:

– Esta é a flecha que nunca erra? – questionou o lagarto. Maria Caninana manteve-se em silêncio. Apenas observava o resultado de seu tiro. E, no momento seguinte, o teiú saltou com as duas enormes patas da frente. – Esse tiro só foi certeiro para colocar você no cardápio de hoje – e desceu com as patas no chão, fazendo tudo estremecer e desequilibrando todos eles, incluindo, dessa vez, Caninana lá no topo da galeria.

O lagarto não perdeu tempo. Num segundo salto, se projetou para o alto com a boca escancarada. Maria cairia exatamente onde ele tinha calculado. Abocanharia sua presa e se fartaria com sua carne.

No entanto, Pedro, imóvel, notou uma coisa e pensou que não haveria de ser diferente. Afinal, tratava-se de Caninana. Ela era o tipo de guerreira que morreria lutando. Pedro percebeu que a gêmea de Honorato guardava ainda uma cartada final. Malasartes tinha o costume de chamar de cartada final aqueles arremates que aconteciam nos bares e botecos que costumava frequentar. Ele conhecia, inclusive, várias maneiras de dar uma cartada final em jogatinas e ganhar todas as apostas na mesa. Mas, dessa vez, precisou reconhecer, Caninana foi a responsável pela melhor das cartadas.

Enquanto ela caía pelo beiral de onde estava, conseguiu usar a parede para pegar impulso e mudar a direção de sua queda. Mirou para um pouco mais alto que a mordida angulosa do lagarto.

O Carbúnculo também percebeu o movimento rápido de Maria e proferiu as últimas palavras enquanto a assistia passar acima de sua cabeça.

– Então essa foi a sua estratégia! – disse o lagarto arregalando seus olhos brilhantes.

E Caninana pisou na flecha com os dois pés, jogando todo o peso de seu corpo nessa ação. A seta estava enfiada num beiral da joia, bem na junta com o crânio do teiú. Assim que Maria colocou seu peso na seta, esta funcionou como uma alavanca e arrancou a pedra preciosa, lançando-a para longe da testa da fera. Em seguida, a energia que regia o Carbúnculo pareceu ter sido cortada. Ele se desligou. Seus olhos rolaram para cima, como se buscassem enxergar algo no oco de seu crânio.

O corpanzil do teiú gigante amoleceu por completo no meio do salto. E, agora, caía em direção ao chão. Estava à mercê da força da gravidade. Tombava em uma queda pesada e desprovida da joia preciosa.

Pedro e Cosmo ficaram boquiabertos, seus queixos se desconjuntaram, soltando-se das mandíbulas.

O Carbúnculo estava morto!

Maria Caninana tinha arrancado a pedra preciosa da testa do lagarto fazendo da flecha do Pai das Matas uma alavanca e lançado a gema para fora da testa do Carbúnculo. Pouco depois, a seta desapareceu, indicando que cumprira o ofício de um disparo certeiro.

Quando o Carbúnculo finalmente atingiu o chão, o impacto causou um tremendo estrago. As rachaduras que cobriam as paredes do covil aumentaram. O Teiniaguá já tinha feito o chão estremecer antes, por diversas vezes, mas, com todas as suas toneladas, o impacto de sua queda fatal abriu grandes fissuras no solo e provocou um terremoto.

Pedro queria comemorar a morte da criatura, mas não havia tempo. Aquela caverna viria abaixo a qualquer momento.

Pedaços enormes de rocha despencaram do alto como uma chuva de meteoros.

Entre os vários pedaços do teto que caíam, Pedro vislumbrou a pedra arrancada da testa do Teiniaguá. Ela caiu e rolou pelo solo até parar aos pés de Cosmo.

Malasartes pôs-se a correr de maneira instintiva. Percebeu isso apenas depois de já ter iniciado a corrida. Não corria para se salvar, nem para alcançar Cosmo. Seguia na direção da pedra. Aquele diamante gigante precisava ser dele, pois era a solução para todos os seus problemas.

Cosmo abraçou a enorme gema. Era maior que um cachorro de porte grande. Sustentou-a com certa dificuldade em seus braços. Olhou diretamente para Malasartes e pareceu ter identificado algo estranho nele. Algo que o assustou e o fez fugir para longe.

Pedro decidiu persegui-lo. Quase alcançou o boto, mas ele se desviou por trás de um grande trecho que despencou do teto. Outros pedaços, tão grandes como aquele, caíram e afastaram Pedro ainda mais.

– Cosmo, eu mereço essa pedra! – gritou Malasartes. – Os Ciprinos não a querem. Vamos ser sensatos! – pediu Pedro tentando se equilibrar entre uma fenda no piso e outra. Não ousava imaginar o que habitava a escuridão do abismo lá embaixo. – Eu enfrentei duas maldições no caminho até aqui. Sei que a Missão Carbúnculo não terminou como você queria, mas acredito que saí perdendo um pouco mais do que você nisso tudo, não acha? Faça as contas. Eu sou imortal e amo alguém que ainda não existe neste mundo – Pedro enumerou. Falava para ninguém, pois Cosmo escondera-se entre os grandes pedregulhos. – Preciso dessa gema muito mais do que você! – desviou-se de um pedaço do teto, que caiu e quase atingiu o seu ombro ferido pela garra de um Unhudo e que ainda trazia o curativo feito por Honorato.

Malasartes insistiu em sua empreitada pela joia. Deu a volta e alcançou o local onde Cosmo se escondia. Viu o boto abraçado à pedra do Carbúnculo e a dois ovos de Ciprinos.

– Pedro! – chamou Cosmo assim que Malasartes apareceu. – Ainda podemos finalizar nossa missão.

– Como, Cosmo? – perguntou Pedro sem se importar de verdade com a resposta.

O boto pareceu meio desesperado. Como se Malasartes fosse tão perigoso quanto uma das sete provações ou até mesmo o Carbúnculo. Pedro gostava de ver Cosmo olhando para ele daquele jeito. Não compreendia o receio do amigo com relação a ele. Será que não enxergava que a missão tinha terminado? Que a pedra preciosa não servia mais à finalidade imaginada por Cosmo?

– Só precisamos descobrir a localização da lagoa dos Ciprinos e devolver o conhecimento a eles – sugeriu Cosmo em um tom de voz desesperado. Quase uma súplica. – O mais difícil nós já conseguimos. Temos a pedra em nossas mãos, Pedro. Falta pouco agora, não vê?

Pedro torcia para nada desabar em suas cabeças. Sentiu-se mal com o olhar de Cosmo. O amigo o temia.

– Não percebe, Cosmo? Acabou! – Pedro tentou convencê-lo e abrir seus olhos para a realidade. – Ninguém sabe onde os Ciprinos estão. Pelo que entendi, nem mesmo Naara sabe onde fica a lagoa deles. O Carbúnculo era o único que sabia e ele se foi – argumentou Malasartes apontando para a montanha inerte que era o corpo do réptil.

– Pedro, espere, por favor – implorou o boto. – Ainda temos esses dois ovos – e mostrou as pedras disformes em seus braços. – Eu os salvei. Os Ciprinos iam destruí-los, como vimos eles fazendo com os outros ovos.

– O que está sugerindo, Cosmo? – perguntou Pedro. Por alguns momentos, suspeitou que pudesse estar fazendo algo errado.

– Nós podemos esperar pelo nascimento desses filhotes, Pedro. Daí passamos para eles tudo o que seus ancestrais queriam que soubessem. Tudo o que há dentro da joia do Carbúnculo – os olhos de Cosmo estavam vermelhos e marejados. E um sorriso nervoso abriu-se em seu rosto. – Ainda podemos completar a missão, meu amigo. Juntos, podemos conseguir.

Em meio à chuva de pedras, Caninana passou correndo por ambos.

– Ficaram malucos? – disse a índia guerreira ao vê-los discutindo. – É hora de sair daqui. A não ser que queiram ficar soterrados com o corpo desse lagarto gigante – Maria pareceu perceber que a discussão dos dois estava relacionada à pedra brilhante que ela havia arrancado da testa do Teiniaguá. Parou para observá-los. – Vocês são melhores do que isso! – alfinetou. – Espero ter ajudado voltando aqui – enfatizou a palavra "ajudado" e partiu rumo a algum canto que julgou ser uma saída do covil onde morava a fera.

Um novo estrondo foi ouvido e o chão estremeceu ainda mais. Das muitas rachaduras que se abriram, uma delas foi entre Pedro e Cosmo. O boto se desequilibrou quando o chão se abriu em um abismo. E a pedra lhe escapuliu dos braços. Pedro a agarrou antes que ela caísse e antes que o pedaço do terreno onde estava se abrisse de vez e o separasse do pedaço em que Cosmo se equilibrava.

Malasartes, agora com a joia segura nas mãos, percebeu algo próximo ao seu pé esquerdo. Notou ser um pincel. Não entendeu o que ele estava fazendo ali. Era o "pincel de um desenho só"? De uma coisa teve certeza. O pincel tinha sido usado recentemente.

A rachadura do solo se abriu mais e separou Pedro e Cosmo de uma vez por todas. Algo dizia a Pedro que aquela separação seria para todo o sempre e, em seu íntimo, chorou por saber disso.

Os dois se encararam mudos. Entreolharam-se perplexos com os próprios atos, enquanto eram separados pelas muitas fendas que se abriam no chão, no teto e nas paredes da caverna.

Pedro viu o boto ficar cada vez mais distante. O amigo mantinha-se agarrado aos ovos dos Ciprinos como se fossem seu único porto seguro. Ele próprio carregava a pedra do Carbúnculo nos braços. Felicitou-se por tê-la ali, em segurança. Mas, por outro lado, o olhar pesaroso de Cosmo provocava certa culpa em Pedro. Uma culpa que ele não sabia como ignorar. De algum modo, sabia que o boto tinha suas razões.

– Me desculpa! – balbuciou Pedro a distância, desejando que o amigo soubesse como ele se sentia. Algo nele se arrependia por machucar o coração do boto.

A carcaça do grande lagarto foi engolida por uma das grandes fendas no chão. Mas nenhum dos dois, nem boto, nem homem, desviaram o olhar. Continuaram se encarando como se, ambos, entendessem o que aquele momento significava.

Pedro considerou aquela uma despedida ingrata, nada digna da que mereciam ter diante de tudo o que haviam vivenciado juntos. Desde que o chapéu do boto aparecera boiando ao lado de seu bote furado, Cosmo tinha sido mais que um parceiro para Pedro. Ele se tornara seu melhor amigo.

Enquanto a terra apartava os dois, Malasartes desejou, do fundo do peito, que Cosmo conseguisse encontrar uma saída daquele lugar. Já não estavam mais em condições de seguirem juntos.

A caverna não permitiu isso.

Malasartes sabia que, a partir dali, tomariam caminhos diferentes. Pedro apenas temeu o que aquele pincel usado poderia significar.

Capítulo 24
Saída da Escuridão

Tudo estava escuro. Escuro demais.

O Carbúnculo vagou por lugares desconhecidos, viu uma imensidão vasta. Não enxergou nada. Não sentiu nada. Foi como se toda a sua essência escorresse para o nada. Não compreendeu aonde fora parar a sua caverna. Sentiu-se a quilômetros de distância de qualquer coisa. Não soube identificar onde estava nem para onde ia.

Mas sabia estar a caminho de algum lugar.

O boto buscava manter a calma. Equilibrava-se entre os poucos pedaços de chão nos quais ainda era seguro apoiar os pés. Sofria com uma dor lancinante no peito. Vivenciar o final que a Missão Carbúnculo teve não lhe fez nada bem. Testemunhar Malasartes mergulhar de cabeça em sua ganância foi ainda pior. Viu a cobiça brilhar intensamente nos olhos do amigo e o afastar dele, antes mesmo de a terra se partir e os separar de vez.

Mas, de alguma forma, o boto sentiu estar preparado para lidar com a queda de Malasartes. O destino, de fato, não brincava em serviço. Tudo tinha um porquê. Tudo estava amarrado de um jeito que não cabia ao boto decifrar. Só precisava seguir adiante. Cosmo pensava dessa maneira, pois finalmente encontrara o momento certo de usar o pincel que Faunim lhe dera.

Pedro tinha ido embora levando consigo a pedra preciosa do Carbúnculo. Ainda assim, nas mãos de Cosmo, além dos dois ovos de

Ciprino, uma joia idêntica à que estava com Pedro descansava em seus braços.

Não era nada fácil carregar a grande gema. Fazia cada passo ser mais perigoso, pois, com ela nos braços, o peso de Cosmo triplicava.

O chão resolveu ceder justamente quando ele encontrou um caminho em que conseguia enxergar alguns fachos da luz do sol. Imaginou que poderia subir por ele e encontrar uma saída. Correu depressa e alcançou um ponto que julgou ser sólido o suficiente.

Ao pisar no chão firme, virou-se para ver a situação da caverna e não havia mais solo em canto algum. O piso inteiro ruíra atrás dele. Lá embaixo, o som de águas escuras e revoltas se anunciou ao receber uma infinidade de pedras gigantes que mergulhavam fundo, uma após a outra.

Um vulto passou veloz por ele.

Ao voltar-se para o único caminho que sobrara para seguir, Cosmo deu de cara com a Moura Torta.

A velha cigana tinha saído das sombras. Pareceu animada ao vê-lo. Em suas mãos carregava um punhal que pareceu familiar a Cosmo. Maria Caninana tinha abandonado aquela mesma lâmina após ter talhado Honorato.

– Como eu disse antes, boto, ajo nas sombras. Vim recolher os meus restos e dar o fora daqui – disse ela. As palavras que proferiu soaram tão afiadas quanto a adaga em punho. – Passe-me já essa pedra preciosa ou terei de feri-lo! – ameaçou.

O boto pensou no azar que era cruzar com a Zaori e não soube como agir. Olhou-a imóvel. Nenhuma ideia passou por sua mente.

– Ande logo! – e apontou-lhe a faca. – Vi o que você fez com aquele pincel. Replicou a pedra do Carbúnculo, não foi? Desenhou uma igualzinha e as propriedades mágicas contidas no pincel produziram uma pedra idêntica, não é mesmo? Isso explica eu ter visto Malasartes correndo com a gema do Teiniaguá nos braços. No entanto, você também tem uma.

Cosmo bufou. A Moura devia estar à espreita, nas sombras, enquanto ele pintava uma pedra gêmea da joia que tinha em mãos.

– O problema é que vocês brigaram e, no meio da confusão, precisei me esquivar de muita coisa que caía do teto. Não sei qual das pedras é a verdadeira. A caiporice daqueles anões bagunçou o meu senso de Zaori. Não consigo sentir!

O boto se lembrou de quando se deparou com o sétimo desafio já solucionado. Os Caiporas tinham despejado toda a sua má sorte para cima da Zaori, que tinha passado por aquelas escadarias antes dele e de Pedro. Cosmo comemorou internamente pela caiporice em ação.

– Imagino que essa aí – e a Moura apontou para o diamante que Cosmo abraçava – seja a joia que habitou tanto tempo a testa daquele lagarto. Não é mesmo? Ou será que Pedro conseguiu te derrotar e levou a verdadeira com ele? – sugeriu a mulher de roupas rotas. – Podem até ter tramado alguma coisa para despistar a índia guerreira, caso ela quisesse a pedra para si. Ou tramaram para mim, imaginando que eu viria recolher o meu prêmio no final? Por precaução, vou ficar com as duas gemas. Portanto, passe a sua para cá! – ordenou furiosa.

– Para que precisa desta pedra, Zaori? Ela não tem serventia nenhuma para você – disse Cosmo. – Um Zaori não pode usufruir os valores dos tesouros que recolhe.

– Sei muito bem disso – rebateu a mulher. – Quando nos encontramos mais cedo nesta caverna, comentei sobre uma profecia de meu povo. Que a Alamoa, antiga dona deste covil, voltaria do Além para o mundo terreno. Ninguém nunca cumpriu esse feito. A primeira Alamoa que conseguir realizar isso será a chamada Cuca. E eu sinto que a pedra desse Carbúnculo pode auxiliar, de algum jeito, a passagem dela para o lado de cá. Ainda não sei como. Um ritual, talvez? Mas pretendo descobrir, portanto me dê a pedra! Ainda tenho muito a aprender sobre as magias das trevas e talvez seja a Cuca quem vá me ensinar.

– Não lhe darei nada – Cosmo tentou ao máximo ser categórico. Sabia que não era capaz, ainda mais em suas condições físicas e psicológicas, mas queria afrontá-la de alguma maneira. – Assumi um compromisso quando entrei nesta caverna. Salvar os Ciprinos. E é isso o que vou fazer. Vou completar a missão de um jeito ou de outro – e partiu para cima da Moura com as forças que ainda restavam no corpo desenhado por Faunim.

A Moura riu ao vê-lo se aproximar com a gema do Carbúnculo e duas outras estranhas pedras quase arredondadas. A ideia de Cosmo era usar todo o peso do que tinha nas mãos para dar um empurrão na mulher e sair correndo pelo buraco, a caminho da luz. Mas a Moura desviou-se com habilidade e Cosmo tropeçou nele mesmo, derrubando tudo o que carregava.

– Será soterrado nesta caverna, boto! – afirmou ela. – A energia da Alamoa regia tudo por aqui. Depois de tanto tempo morando em seu covil, o Carbúnculo assumiu essa função. O lagarto e a caverna se tornaram um só. Com a morte dele, esta caverna também morre – a Zaori empurrou Cosmo com o pé, impedindo que o boto se levantasse. – Não sei como fizeram esse corpo para você. Sei que não é um boto original como os integrantes da Confraria de Humbertolomeu – comentou ela, estudando-o. – Mas acho que sei como desfazer esse feitiço – e passou a sussurrar palavras esquisitas.

Cosmo se sentiu estranho. A cada frase que a Zaori proferia, seus movimentos saíam de controle. Tentou se levantar mais uma vez. Ela não o impediu. Apenas continuou a entoar os misteriosos dizeres. Cosmo se apossou dos ovos dos Ciprinos e encaixou a joia entre os braços. Um torpor lhe acometeu e um choque elétrico passou por seu corpo todo.

Tentou correr, mas seus pés deixaram de ser pés humanos. Aos poucos, sentiu-se desmanchar. Como se as tintas e a magia de Faunim alcançassem o seu prazo de validade. Cosmo não estava mais parecido com seu pai provinciano. Suas mãos haviam desaparecido, o que fez os ovos e a gema caírem no chão outra vez. O entoar de frases em uma língua desconhecida ecoava em sua mente.

Agora era apenas um grande golfinho cor-de-rosa se debatendo no chão, o que diminuía ainda mais suas chances de se defender da Moura.

Viu-a sorrir maliciosa assim que terminou de ditar seus encantamentos. Sem problemas, ela pegou o pesado diamante nos braços e ignorou os ovos. Cosmo ainda tentou se erguer para evitar que ela levasse a pedra. Quis mordê-la com seus dentes finos, quis dar-lhe uma rabada. Mas, com aquela forma, era inútil e seu esforço só piorou a situação. Seu rabo atingiu os dois ovos e os jogou para o abismo. Escutou-os imergir na água escura lá embaixo. Assistiu a Moura abandoná-lo à própria sorte e partir na direção de onde vinha a luz do sol.

Cosmo, arrasado e desesperado, começou a ter problemas para respirar. Num esforço, rolou pela beirada em que os ovos tinham caído e mergulhou nas águas escuras que ainda engoliam as pedras do teto. Por sorte, conseguiu ver os ovos, iluminados por alguns fachos de luz que insistiam em banhar aquele lugar. Alcançou os dois e foi guiando-os com suas barbatanas cor-de-rosa. Não sabia para onde poderia ir. Não havia mais caminho algum a seguir. Sem um corpo humano, não teria pernas para sair da água e escalar as paredes pedregosas. Escapava por um triz dos escombros gigantescos que mergulhavam velozes na água escura. Viu quando um grande pedaço de rocha caiu sobre o imenso corpo do lagarto, que nunca mais deixaria as profundezas daquele lugar.

Lembrou-se de quando o Carbúnculo lhe disse que poderia utilizar a energia da caverna para levar ele e Pedro até a morada dos Ciprinos. O teiú tinha dito que era algo parecido com a Travessia criada pelos Caruanas. Resolveu apostar na sorte que ainda tinha e na força de vontade que nunca deixou escapar. Fechou os olhos de peixe e se concentrou no seu "sentir". Não quis pensar na lagoa dos Ciprinos. Se aquela caverna o transportasse para lá, com certeza os ovos seriam destruídos. Não havia futuro para a prole Ciprina por lá.

Não! Precisava se concentrar em outra coisa.

Pensou em um igarapé. Tranquilo e distante dali. Um local de água doce que pudesse funcionar como um recomeço para os filhotes que saíssem daqueles ovos. Meditou com intensidade. Reuniu toda a disposição que encontrou e a uniu com a verdade na qual acreditava. Queria mesmo salvar aquele povo. Precisava fazer isso!

O boto abriu os olhos e se viu bem distante de todo o inferno em que a caverna tinha se transformado. O seu "sentir" fora suficiente para utilizar o pouco da energia da caverna e realizar a Travessia.

Estava, de fato, em um igarapé. Ali residia a paz. Imaginou que aquele seria um bom lugar para Caninana enterrar o irmão Honorato. E que aqueles Ciprinos poderiam viver por ali.

Pensou em como o destino resolvia as coisas de um jeito peculiar. Em algum lugar distante, a Moura carregava consigo a joia recheada de conhecimentos reunidos desde o início dos tempos. Não foi bem como Cosmo pensou que tudo acabaria, queria que os Ciprinos conhecessem o seu passado e se libertassem do tirano que o último dos Carbúnculos se tornou.

O lagarto se fora. Os Ciprinos que moravam na lagoa morreriam com a seca e em razão da ignorância que o Teiniaguá instaurara naquela sociedade.

No entanto, Cosmo ainda tinha os ovos com os descendentes dos peixes guerreiros. Riu sozinho quando percebeu que não precisaria de pedra nenhuma. Com o bico pontudo, empurrou os ovos para fora d'água, ajeitou-os com seus dentes serrilhados para que ficassem na lama mais seca de maneira segura e prometeu a si mesmo que acompanharia aqueles Ciprinos. Se comprometeu em passar a eles tudo o que estudara sobre seus antepassados enquanto se preparava para a Missão Carbúnculo. Estava disposto a ser o mentor dos jovens Ciprinos.

Cosmo, por fim, compreendeu que o destino seguiu por caminhos diferentes, mas levou o boto até a conclusão que julgou mais adequada para a missão.

O boto realmente salvara os Ciprinos. Ele os livrara da extinção e os levara para o lugar onde ocorreria o recomeço daquela sociedade.

Capítulo 25
O Fim de Tudo

Atravessou a escuridão e foi além.

O Carbúnculo encontrou-se no fim de tudo. Sabia que estava no Além. O lugar para onde iam todos os que morriam, tanto do mundo das águas como do mundo da terra. Lá chegando, encontrou Rudá, o deus do amor. Encontrou também uma porção de outros seres poderosos.

Reconheceu velhos Carbúnculos que tinham partido eras atrás. Achou estranho! Eles não o reconheceram. Duvidaram que fosse mesmo um deles. Envergonhou-se de seus atos diante de seus antepassados. Mas eles não o julgaram. Pelo contrário. Disseram que a natureza encontraria um novo significado para ele. Era o que acontecia com todas as coisas que precisavam de conserto. Falaram ainda que nada estava fora de seu curso. As coisas aconteciam da maneira que elas precisavam acontecer.

O Carbúnculo não encontrou Makunaima. Sabia que o índio esmeralda, apesar de ser muito antigo, não pisaria o Além tão cedo, talvez nunca pisasse. Era imortal.

O pensamento do lagarto migrou para o último humanoide a desejar sua pedra. Aquele que adentrou sua caverna na presença de um boto. Sabia que o humano tinha sido amaldiçoado com uma eternidade tão longa quanto a do índio esmeralda. Portanto também não tornaria a vê-lo no Além tão cedo.

Outro que não encontrou foi o Canhoto. O responsável por atribuir ao coitado do humanoide a tal da imortalidade. Devia estar aproveitando a sobrevida em forma de Cabeça Errante, que ainda o prendia ao mundo terreno, o seu parque de diversões.

O Carbúnculo se lembrou da flecha que o carregou para o Além. Pensou em visitar a índia que a disparara, mas não a encontrou em canto algum. Caninana nunca mais pronunciou o nome do lagarto, portanto não soube de seu paradeiro.

Já que estava no Além, pensou em procurar pela Alamoa, com quem tinha muita afinidade, mesmo não a conhecendo pessoalmente. Mas os dirigentes daquele além-mundo lhe informaram que a bruxa passava pelo mesmo processo que ele deveria passar. Seria transformada em outra coisa. Sua essência ganharia um novo significado. Só então poderia voltar a existir fora do Além. Não antes disso. Portanto, a Alamoa estava incomunicável.

Notou que, naquele ambiente, a noção de tempo e de espaço não existia. Não havia maneira de contar as horas ou computar distâncias. Era quase como estar em um sonho.

Pensando em sonho, imaginou que veria ali o responsável pelos sonhos. O lendário João Pestana. Mas não o encontrou. Ficou sabendo que aquela não era sua morada. Tampouco habitava a água e a terra. Era possível haver outros mundos além daqueles três? Terra, água e Além? O Carbúnculo continuou sendo um sábio do lado de lá. Mas percebia quanto desconhecia sobre todas as coisas.

Os saberes que possuía o faziam aprender bem rápido o que precisava aprender por lá. Certa vez, pouco antes de ser levado para encarar o seu processo de mudança, aquele que o transformaria e encontraria um novo significado para a sua existência, descobriu as finas películas que separavam o Além dos outros mundos. A fronteira entre Além, terra e água.

Resolveu espiar. Ficou curioso para saber como as coisas tinham seguido após deixar sua carcaça para trás.

Ao fazê-lo, viu os botos originais que tinham alcançado a ilhota de pedra numa velha nau reformada para cruzar os mares novamente. Só que, naquele instante, eram apenas alguns deles. Saíam da caverna exaustos e feridos. Assim que se aproximaram da orla, todos foram presos por criaturas aquáticas que os aguardavam do lado de fora. Uma grande tartaruga foi a responsável por ordenar a prisão deles.

O Carbúnculo assistia presente, passado e futuro como se fossem uma coisa só.

Os botos originais não ficaram encarcerados por muito tempo. Todos os prisioneiros, incluindo um antigo pintor da Província e alguns botos que não tinham a habilidade de se transformar em seres humanos, foram soltos e considerados inocentes. Isso foi logo após a tartaruga falecer. O lagarto chegou a cruzar com ela no Além algumas vezes. Soube que se chamava Sanur.

O nome do Carbúnculo foi citado em um evento embaixo d'água. Por conta disso, conseguiu presenciar o que ocorria ali, como uma entidade que apenas observa calada.

Tratava-se da coroação de uma sereia negra com escamas rajadas de dourado em sua cauda. Ela assumia o cargo que um dia a imensa tartaruga exercera.

Longe dali, seu nome foi citado novamente. Dessa vez, o boto Cosmo contava toda a história da Missão Carbúnculo, e muito mais, para jovens Ciprinos que o escutavam com atenção.

Como no Além o tempo não existia, viu aquele boto em outras épocas também. Deixou de ser um foragido do mundo subaquático e foi aceito de volta quando a sereia dourada assumiu o lugar da tartaruga. Parecia mesmo um cargo muito importante naquela sociedade. De vez em quando, Cosmo visitava as margens próximas de onde um provinciano específico estava. O boto assistia ao progresso daquela pessoa sempre que podia. Ficava feliz com o que via, mas nunca se aproximava.

O Carbúnculo ficou interessado em saber mais sobre o homem que Cosmo observava. Era um provinciano bem atrapalhado. Conseguiu fazer fortuna com uma joia falsa de Carbúnculo. Com o dinheiro, viajou o mundo todo e passou por maus bocados. Certo dia, o homem deparou-se com uma mulher que preparava uma iguaria na cozinha. Ela chamava aquilo de tapioca. O Carbúnculo sentiu que Cosmo, de alguma forma, sabia quem era aquela mulher.

Mais uma vez, os pensamentos do lagarto foram guiados para onde seu nome foi dito.

Observou uma cigana enganar uma mulher doente. A mulher fazia um ritual e necessitava de um amuleto poderoso para conclui-lo com perfeição. No entanto, a cigana lhe ofereceu um amuleto falso e a mulher pagou um preço alto por isso.

O amuleto falso em questão era exatamente aquele que o humano atrapalhado tinha passado adiante e em troca do qual adquirira riqueza.

Mais tarde, a misteriosa cigana se animou ao alcançar seus objetivos. Tornou-se serviçal de uma senhora poderosa e má. De alguma forma, o Carbúnculo simpatizou com aquela senhora em vários sentidos. Soube que o nome dela era Cuca e que não demorou muito para esse nome ficar conhecido e tornar-se temido em muitos lugares.

O Carbúnculo só se frustrou ao lembrar que estava por trás da fina camada que separava os mundos e que não era capaz de atravessá-la. Se contentou em continuar observando.

O nome do lagarto ainda foi dito por outra boca. Um humanoide que ele já tinha visitado antes. Era o atrapalhado provinciano. Descobriu que se chamava Pedro Malasartes. O moço aproveitou-se de sua eternidade e aprontou por mais de cem anos, vagando pelo mundo de uma aventura a outra. Contou suas peripécias na Missão Carbúnculo várias vezes. Recebeu tantas regalias e sofreu tantos perrengues que emagreceu e engordou de acordo com os altos e baixos de sua longa vida imortal. Em muitas das aventuras que vivenciou, não aguentava e dava um jeito de tapear alguém e levar vantagem. Mas, na maioria das vezes, ficava à beira de algum rio de água doce, onde refletia sobre seus feitos, como se revisitasse memórias antigas. Ao final de cada uma dessas meditações, sorria e era alguém melhor por um bom tempo. Quando se sentia solitário, alcançava uma margem e conversava sozinho por horas. Foi assim, anos a fio, até deparar-se com o seu amor verdadeiro. Uma tal de Lívia. Com quem se casou e teve um filho que era a sua cara e tinha o seu tamanho. A essa altura, já era um humanoide bem gorducho.

O Carbúnculo sentiu uma ligação entre Rudá e aquele casal. Mas tanto tempo no Além lhe deixou com a memória vaga.

Tempo? Não tinha mais noção de nada. Embaralhava-se no que estava acontecendo, no que acontecera e no que aconteceria.

Ainda espiando por trás do fino véu entre os mundos, com o pouco que restava de suas memórias distorcidas, o Carbúnculo resolveu dar uma olhadela em uma lagoa onde seu nome um dia fora muito falado, mas nenhuma citação ou pensamento a seu respeito provinha de lá.

A lagoa estava bem cheia. Era época de chuva naquele deserto formado por altas dunas de areia. No entanto, ironicamente, a lagoa estava vazia. Nenhum peixe vivia lá. Se um dia viveu, não deixou rastro.

O Carbúnculo sentiu uma tristeza tremenda, mas não soube por quê. De alguma forma, sentia uma ligação com tudo o que assistira por trás da frágil película.

Alguém, não soube quem, o direcionou para algum destino em que sua presença era requisitada. Mas já não se lembrava de onde nem por quê. Apenas seguiu seu "sentir" e caminhou em direção a uma intensa luz.

De volta ao momento presente, Pedro Malasartes corria desenfreado. A caverna do Carbúnculo desmoronava ao seu redor. Estava sozinho. Sentia cheiro de mar em algum lugar. Decidiu contar com a sorte e rumar com o pensamento focado em encontrar a saída pela qual tinha entrado com seus amigos.

Foi quando algo estranho aconteceu. De uma hora para outra, viu-se diante da entrada. Imaginou que a caverna tinha atendido seus desejos. Ele não se interessou em saber como. Só quis sair dali. O maior tesouro do Carbúnculo estava em suas mãos. O que mais poderia querer? Por um momento, refletiu se carregava uma pedra falsa, já que o "pincel de um desenho só" que Faunim dera a Cosmo tinha sido usado. Mas antes que as fendas no chão os separasse, Pedro não viu Cosmo com outra pedra. Malasartes pensou em duas possibilidades: ou o boto não tivera tempo de desenhar uma réplica e tapeá-lo ou, então, havia desenhado outra coisa. Nunca saberia ao certo.

Um horrível calafrio o acometeu. Teve certeza de não estar mais sozinho. Alguém o vigiava das sombras.

Saiu para a luz do dia. Já não sabia quanto tempo tinha ficado no interior daquela caverna. Horas? Dias? Mas também não se interessou em saber.

Olhou para trás e pensou no boto.

Não encontrou nada em sua cabeça que o fizesse se sentir confortável. Não sabia se Cosmo havia sobrevivido ao desabamento do covil do lagarto. O que sabia era que ele não podia fazer nada a respeito. Voltar para ajudar seria suicídio. A caverna era gigante. O boto poderia estar em qualquer lugar. Poderia, inclusive, estar morto.

A impressão de um perigo iminente o deixou com a sensação urgente de que precisava fugir daquele local.

Contemplou o mar diante de si. Destroços da nau da Confraria ainda boiavam jogados para lá e para cá pelas ondulações que banhavam a ilhota de pedra.

Estranhou a ausência dos botos originais. Afinal, alguns deles haviam decidido voltar após terminada a primeira das provações. O próprio Humbertolomeu tinha decidido retornar, desistindo de prosseguir após sofrer os ataques furiosos de Makunaima e seus jaguares.

Onde eles estariam?, Malasartes perguntou a si mesmo. O mais estranho foi encontrar o outro bote salva-vidas ancorado próximo à ilha. Aquele era o bote que transportara os botos originais do navio até a entrada da caverna.

Pedro decidiu que não se interessava em saber se os botos haviam sobrevivido àquela intensa aventura. Correu para o pequeno barco carregando a pesada pedra. Sentou-se no bote e ajeitou o seu precioso prêmio com cuidado dentro da embarcação. Segurou os remos e se distanciou da ilha o mais rápido que conseguiu. Estava exausto, mas esforçou-se para se colocar longe daquele lugar. Não tinha noção de para qual direção deveria remar, nem sabia em que canto do mundo estava.

Enxergou mais alguém na ilha.

A pessoa deixava a caverna naquele instante. Quase deu meia-volta ao pensar na possibilidade de ser Cosmo. Sabia que o amigo discutiria com ele por ter fugido com a pedra e o deixado para trás. Se pudesse voltar no tempo, tentaria fazer diferente.

Se era mesmo Cosmo a pessoa que saía da caverna naquele instante, comemoraria o fato de o boto estar vivo. Mas ficou desanimado ao perceber que era a Zaori. Ela carregava algo pesado nos braços. Uma pedra igualzinha à que ele tinha em seu barco.

— Eu vou alcançar você, Pedro Malasartes! — a Zaori gritou para ele. — Darei um jeito de te encontrar. A pedra que está em seu poder será minha.

Depois que a Moura Torta disse isso, Pedro entendeu que ela concluíra que era improvável alcançá-lo por ora. Ou seja, por enquanto estava a salvo.

E ele se aproveitou disso.

– Tudo bem! – gritou de volta. – Um dia você tenta. Mas hoje não, Moura. Hoje não – e remou por mais algumas braçadas. Depois remou mais. Quando seus braços já não aguentavam o esforço, ainda se pôs a pensar positivo e remou mais um bom tanto. Quando não viu mais a caverna no limiar do horizonte, largou os remos e admirou o entorno. Não havia mais nada em canto algum, a não ser água salgada.

Admirou a pedra do Carbúnculo e como a luz do sol se comportava em seu interior transparente.

Agora era evidente que Cosmo tinha mesmo conseguido fazer uma cópia da pedra com o "pincel de um desenho só". Mas, de alguma forma, devia ter se atrapalhado e a pedra verdadeira tinha ido parar nas mãos de Pedro. Não via outro motivo para a Moura persegui-lo e prometer conquistar aquela pedra. Zaoris sentiam coisas preciosas. Portanto, aquela devia ser a gema verdadeira.

A joia era maravilhosa. Como um diamante cristalino gordo e imenso. Pedro traçava muitos planos para ela. Viajaria o mundo pelo longo tempo de vida que tinha. Procuraria por Lívia, o amor que Rudá incutira em seu peito, e teria um filho com ela chamado Pedro Malasartes Junior. Jurou a si mesmo que conquistaria esses feitos. Que, apesar de tudo, seria feliz nem que fosse na marra. Mas, antes, preparava o coração para a próxima aventura que o destino, de que Cosmo tanto falava, guardava para ele. Seu lado otimista desejava um futuro excitante.

Sentiu o sol forte queimar o seu cocuruto. Desejou ter um chapéu para fazer-lhe sombra. Foi assim que percebeu a situação em que se encontrava. Voltou ao ponto em que tinha encontrado Cosmo. Só que, dessa vez, o boto não havia perdido um chapéu em uma corrente marítima e Pedro não estava mais em um bote furado.

Seu peito doeu. Sofreu ao pensar em Cosmo. Se aprendeu algo com o amigo boto foi o "sentir". E sentiria a sua falta dali para a frente. Mais que isso. Um vazio surgira em seu íntimo, muito mais vasto que aquela caverna inteira. Era o espaço que tinha reservado ao amigo. E descobria isso só agora.

Quis contornar a situação. Pegou os remos e pôs-se a remar, mas parou no instante seguinte. Não sabia mais para que lado ficava a ilha de pedra. Era tarde demais para fazer qualquer coisa. Soube naquele instante que levava consigo uma terceira maldição. Aquele vazio o acompanharia por toda a eternidade.

Quando se tornou apenas um pontinho no meio do oceano, Pedro Malasartes fez o que lhe restava fazer. Seguiu com seu bote à deriva até que a próxima aventura o encontrasse.